L'EUROPE ET LE SUD
A L'AUBE DU XXIe SIÈCLE

EUROPE AND THE SOUTH
IN THE 21st CENTURY

Ouvrage publié avec les soutiens de
la Commission européenne
pour une meilleure compréhension du monde en développement
et du ministère des Affaires étrangères (DGCID)

KARTHALA sur Internet : http://www.karthala.com
Paiement sécurisé

EADI - GEMDEV

L'Europe et le Sud à l'aube du XXIᵉ siècle

Enjeux et renouvellement de la coopération

Europe and the South in the 21st Century

Challenges for Renewed Cooperation

Actes de la 9ᵉ Conférence générale de l'EADI
Proceedings of the 9th General Conference of EADI
Paris – septembre 1999

Éditions Karthala
22-24, boulevard Arago
75013 Paris

EADI – Association européenne des instituts de recherche et de formation en matière de développement

L'EADI est une organisation non gouvernementale, indépendante, à but non lucratif. Elle fut créée en 1975. Depuis fin 1999, son siège se trouve à Bonn en Allemagne. C'est un réseau regroupant 170 organisations dans 28 pays européens. Son Comité exécutif est composé de membres venant de toute l'Europe. L'EADI est un réseau de chercheurs, d'instituts et d'étudiants venant de disciplines variées, spécialisés dans le domaine du développement. Il organise des activités diverses et permet l'échange international de connaissances et d'expériences dans le secteur professionnel. Son activité la plus marquante est la Conférence générale qui se tient tous les trois ans sur un thème particulier. Les langues officielles de l'association sont le français et l'anglais. L'EADI compte 14 groupes de travail portant sur des thèmes-clés dans le domaine de la recherche, de la formation et de l'information en matière de développement.

Pour en savoir plus : http://www.eadi.org

GEMDEV – Groupement d'intérêt scientifique, Économie mondiale, Tiers-Monde, Développement

Le GIS-GEMDEV, créé en novembre 1983, est un groupement d'intérêt scientifique rattaché au ministère de la Jeunesse, de l'Éducation nationale et de la Recherche. Il rassemble aujourd'hui une cinquantaine de formations doctorales et équipes de recherche des universités de la région Île-de-France. Il est interuniversitaire et interdisciplinaire.

Le GEMDEV s'est donné comme objectif de créer une synergie entre les formations de doctorats, centres et équipes de recherche et autres groupes qui travaillent sur l'analyse de la mondialisation ainsi que sur les conceptions, réalités, institutions et politiques de développement. Le GEMDEV rassemble des enseignants, chercheurs et doctorants en sciences humaines et sociales travaillant sur ces thèmes. Il organise des groupes de recherche interdisciplinaires thématiques. Depuis sa création, le GEMDEV a cherché à développer des coopérations avec des partenaires en France, en Europe et dans les pays du Sud.

Pour en savoir plus : http://www.gemdev.org

Sommaire

Avant-propos

Du 19 au 22 septembre 1999, le GEMDEV accueillait à Paris, la 9e Conférence générale de l'EADI autour du thème « L'Europe et le Sud à l'aube du XXIe siècle : enjeux et renouvellement de la coopération ».

Plus de 600 personnes venues de 57 pays (dont 7 pays d'Europe centrale et orientale et 26 pays du Sud) ont participé à ces journées. Chercheurs, enseignants, étudiants, experts, responsables politiques et administratifs, représentants d'organisations internationales, membres d'ONG, ont réfléchi et débattu sur les enjeux liés aux politiques et pratiques de coopération entre l'Europe et les pays du Sud au cours des sessions plénières, semi-plénières ou au sein des 22 groupes de travail. Les discussions furent riches, parfois vives autour des 310 communications présentées (198 en anglais et 112 en français).

Dans les mois qui ont suivi la conférence un Comité de lecture de 41 membres a évalué ces communications et sélectionné les 130 textes (56 en français, 74 en anglais) présentés sur le cédérom joint à cette publication. Les documents ainsi rassemblés, dont certains furent retravaillés par leurs auteurs, ont été regroupés en 12 thèmes et sont présentés brièvement dans les synthèses qui composent cet ouvrage. L'EADI a deux langues officielles : le français et l'anglais, mais, prenant en considération l'importance du continent latino-américain, il a paru important aux responsables du GEMDEV de proposer également une version espagnole des synthèses présentées dans ce livre.

Pourquoi cette publication, trois ans après ? Une première réponse matérielle évidente : les délais d'évaluation, de révision et de remise en forme des contributions sélectionnées. Mais surtout les enjeux politiques et économiques débattus au cours de cette 9e Conférence générale de l'EADI ont gardé toute leur acuité. L'Europe s'élargit mais connaît des tensions ; les événements du 11 septembre 2001 ont montré qu'il est urgent pour les pays du Nord de prendre en considération la situation économique et politique tragique que connaît la majeure partie de la planète. C'est sur la misère et le désespoir que le terrorisme s'appuie pour mobiliser et manipuler des populations désespérées qui n'aspirent qu'à vivre en paix et dans des conditions décentes. L'aide publique au développement, bardée de conditionnalités, n'a cessé de baisser depuis des années alors que les volumes financiers circulant au quotidien, de par le monde, ne cessent d'augmenter. La mondialisation, dont on ne peut nier les aspects positifs, creuse aussi des fossés de plus en plus béants et laisse en marge des millions de personnes. C'est autour de ces questions, de la nécessité de l'instauration d'un authentique partenariat, d'un véritable dialogue politique entre nations, organisations régionales et internationales qu'ont discuté les participants à cette conférence. Souhaitons que les quelques documents publiés ici apportent leur modeste contribution à la construction d'une coopération nord-sud renouvelée.

L'Europe et le Sud à l'aube du XXIe siècle
Enjeux et renouvellement de la coopération

Version française

Sommaire

Introduction

Jean-Jacques GABAS
Université Paris XI, Centre d'Observation
des Économies africaines (COBEA), Orsay
président du GEMDEV (1997-2002)

Le GEMDEV a accueilli la 9ᵉ Conférence générale de l'EADI qui s'est tenue à Paris du 19 au 22 septembre 1999 sur le thème « **L'Europe et le Sud à l'aube du XXIᵉ siècle : enjeux et renouvellement de la coopération** ». La communauté scientifique, des experts, des responsables politiques et administratifs, des représentants de la société civile ont apporté leurs réflexions sur les enjeux auxquels sont confrontés aujourd'hui l'Europe et le Sud ainsi que sur les politiques de coopération pour lesquelles une redéfinition fondamentale s'impose.

Scander le temps au rythme du siècle ou du millénaire n'est peut-être pas le meilleur moyen de marquer les moments forts dans l'évolution des sociétés. Deux événements majeurs ont marqué la seconde moitié du XXᵉ siècle : les décolonisations et la fin de la guerre froide. L'Europe vit d'importantes tensions : elle est en recomposition politique, à la recherche d'une identité, et sa stabilité est loin d'être garantie. Ce que l'on appelait sans réserve le Tiers monde s'efface au profit d'un éclatement des Suds dont les parcours s'avèrent très contrastés. L'histoire a placé l'Europe au cœur des échanges entre continents et notamment au cœur des échanges avec les Suds. Aujourd'hui, ces relations s'inscrivent dans une dynamique de changements profonds qui constituent autant de ruptures dans les faits que dans les analyses scientifiques.

En effet, force est de constater : les relations internationales mettent en jeu des acteurs nouveaux dont les rôles et les pouvoirs respectifs sur la scène internationale modifient les hiérarchies traditionnelles, produisent des règles de droits mais aussi de non-droits.

Qui compose cette architecture internationale ? Il y a, bien sûr, les puissances publiques de niveaux divers : les entités supra-nationales comme l'Union européenne et les États eux-mêmes qui ont dominé les relations de coopération durant ces trente dernières années. Aujourd'hui, il faut aussi compter avec les collectivités territoriales. Par ailleurs, d'autres acteurs moins "traditionnels" interviennent avec davantage d'intensité que par le passé : ce sont les organisations non gouvernementales, les organisations confessionnelles ou syndicales. On citera aussi le rôle fondamental joué par les groupes-experts et la communauté scientifique dans la formulation des politiques ; ils génèrent aussi un système de valeurs qui leur est propre et ont un pouvoir non négligeable sur les acteurs tant privés que publics. Apparaît enfin, avec de plus en plus de force, un acteur que l'on nomme " l'opinion publique " qui, à sa manière, forge les rapports entre l'Europe et les Suds. Tous ces acteurs sont présents sur la scène de la coopération, ont un rôle croissant dans la construction politique des sociétés, tant en Europe que dans les Suds, pour constituer un véritable maillage des rapports entre ces sociétés. Parallèlement de nouveaux acteurs apparaissent dans le cadre de la financiarisation des économies ; leur formidable pouvoir international ne peut être ignoré. Leur existence, leurs stratégies jouent sur les trajectoires de développement des États aussi bien en Europe que dans les Suds et vont jusqu'à remettre en question les modèles de coopération traditionnels. Certes, comparaison n'est pas raison, mais on ne peut que mettre en parallèle deux chiffres : la financiarisation, souvent favorisée par l'existence de paradis fiscaux, représente au quotidien l'échange de titres pour un volume de l'ordre de 1 500 à 2 000 milliards de dollars sans aucune règle éthique ou prudentielle, l'aide publique au développement n'est allouée chaque année que pour un montant de 50 milliards de dollars, avec un maximum de conditionnalités. Ces deux logiques de la financiarisation et du développement ne peuvent plus être abordées indépendamment l'une de l'autre[1].

Ce processus de mondialisation marqué par cette accélération de l'ouverture des économies, donne aux forces du marché un rôle accru et requiert de s'interroger sur celui reconnu traditionnellement aux États-Nations.

---

[1] COUSSY J. ; GABAS J. -J. : « Crises financières et modèles de coopération » in *Revue de l'Économie Politique*, n° 2, avril 1999, Paris.

Tous ces échanges se déroulent dans le cadre d'espaces politiques de négociation, de concertation, de coordination ou de coopération mais aussi, hélas, dans le cadre d'espaces marqués par des conflits guerriers voire des espaces de non-droits. Ces espaces définissent des règles et des conventions et contribuent à réguler pour une certaine durée les rapports entre les acteurs. Ces espaces sont largement connus et prennent par exemple le nom de Convention de Lomé et plus récemment de Convention de Cotonou, d'accords euro-méditerranéens, d'accords de coopération bilatéraux, de coopération décentralisée. Dans d'autres instances comme l'Organisation mondiale du Commerce (OMC) ou le Bureau international du Travail (BIT), d'autres normes s'établissent. Plusieurs questions ressortent : ne faut-il pas s'interroger sur ces institutions où naissent les règles, les normes, les conventions et les interroger elles-mêmes sur leurs contributions ? N'est-ce pas le moment de se demander si une politique européenne **singulière** est possible face aux règles du multilatéralisme qui semblent s'imposer ? Les politiques commerciales, monétaires, financières et d'aide au développement entre l'Europe et les Suds, de même que celles ayant trait aux migrations ou aux transferts technologiques peuvent-elles s'analyser et s'appréhender isolément les unes des autres ? En tout cas, elles se doivent par la force des réalités de mieux prendre en compte la compatibilité de leurs objectifs. C'est peut-être là une des difficultés majeures à laquelle la pensée et l'action se trouvent confrontées aujourd'hui.

Mais, comprendre le système-monde dans lequel se trouvent intimement insérées ces relations entre l'Europe et les Suds, questionne la recherche scientifique. Tout d'abord, on n'a peut-être pas encore suffisamment tiré les enseignements des expériences de développement passées, analysé les causes des succès et des échecs dans la mise en œuvre des politiques de développement. Mais plus fondamentalement, on n'a pas encore entièrement mesuré toutes les dimensions des relations dites de coopération qui peuvent être qualifiées de phénomène social total, pour reprendre une expression chère à Marcel Mauss. Les débats scientifiques ne sont pas clos, bien au contraire, et l'ère des certitudes méthodologiques a atteint son terme. Les disciplines doivent se décloisonner, dialoguer entre elles tout en gardant leur identité. Une porosité, des regards croisés sur un même objet deviennent nécessaires entre les disciplines. C'est d'ailleurs l'un des enjeux scientifiques de cette Conférence générale en contribuant à ce dialogue. Plusieurs courants de pensées nous incitent à construire ce canevas conceptuel où l'économie, la science politique ainsi que les sciences humaines et sociales, en général, se doivent d'analyser ensemble les faits internationaux. Nous pouvons citer notamment les analyses hétérodoxes de l'économie politique internationale, les approches de l'école institutionnaliste ou encore la profondeur des réflexions d'Amartya Sen. Requalifier le politique[2] et donner à l'éthique[3] une place centrale s'imposent pour analyser les relations internationales dans une perspective historique afin d'en saisir la genèse et les formes de pouvoirs.

Dans ce nouveau paysage dessiné par les faits et la recherche, au moins trois pistes de réflexions sont à considérer. La première concerne tout simplement la réhabilitation d'une approche du parcours des sociétés en termes de développement car le développement est un défi posé aussi bien aux pays du Sud qu'aux pays européens. La seconde piste porte sur l'aide au développement[4] qui doit reconquérir une légitimité perdue[5] : cela passe notamment par une redéfinition de ses pratiques, une plus forte prise en compte de sa dimension politique, un souci de cohérence et de complémentarité avec les autres politiques. Enfin, nous l'avons déjà évoquée, la réflexion doit porter sur la genèse des règles et des normes internationales et leurs conditions d'applicabilité.

---

[2] *En particulier* :
• CHAVAGNEUX C. ; COUSSY J. : « Études d'économie politique internationale » in *Économies et sociétés*, n° 4, 1998 ;
• GABAS Jean-Jacques ; HUGON Philippe : « Les nouveaux enjeux politiques et économiques de Lomé » - Communication présentée à la 9ᵉ Conférence générale de l'EADI, Paris, septembre 1999 ;
• KEBABDJIAN G. : « Les théories de l'économie politique internationale » - Paris : Seuil, 1999 ;
• HUGON Philippe : « Économie politique internationale et mondialisation » - Paris : Économica, 1998 ;
• GEMDEV : « La mondialisation. Les mots et les choses » - Paris : Karthala, 1999 ;
• GEMDEV : « L'état des savoirs sur le développement » - Paris : Karthala, 1993.
[3] MAHIEU F. R. ; RAPOPORT Hillel : « Altruisme. Analyses économiques » - Paris : Économica, 1998 ;
[4] *Se rapporter aux documents suivants* :
• GEMDEV : « La Convention de Lomé en questions » - Paris : Karthala, 1998 ;
• GEMDEV : « L'Union européenne et les pays ACP. Un espace de coopération à construire » - Paris : Karthala, 1999.
[5] Voir notamment : VAN DE WALLE Nicolas : "Aid's crisis of legitimacy : current proposals and future prospects" in *African Affairs*, n° 98, 1999.

La 9ᵉ Conférence générale de l'EADI a attiré un très grand nombre de chercheurs et d'étudiants du monde entier qui ont contribué à la richesse du débat. Les actes que nous publions ici proviennent d'une sélection par un Comité de lecture du GEMDEV de 310 communications (dont 198 en anglais et 112 en français).

Ces axes de réflexion sont transversaux. C'est la raison pour laquelle dans la présente publication ils ont été déclinés en 12 thèmes :

- thème 1 :   Paix et conflits
- thème 2 :   Migrations et démographies comparées
- thème 3 :   Politiques monétaires et politiques financières
- thème 4 :   Économie internationale
- thème 5 :   Globalisation et Europe
- thème 6 :   Décentralisation et urbanisation
- thème 7 :   Politique d'aide de l'Union européenne
- thème 8 :   Gouvernance
- thème 9 :   Technologies et politiques
- thème 10 :   Environnement
- thème 11 :   Capital social et pauvreté
- thème 12 :   Coopération et recherche universitaire

Chaque thème fait l'objet d'une présentation synthétique (traduit en anglais et espagnol) dans cet ouvrage et toutes les communications sélectionnées sont intégralement publiées dans leur langue originale (français ou anglais) dans le cédérom joint à cet ouvrage.

Remerciements

● Les secrétariats du GEMDEV et de l'EADI adressent leurs sincères remerciements à l'ensemble des institutions qui ont apporté leur soutien financier ou logistique pour la préparation de cette Conférence générale.

En tout premier lieu, la Direction générale du Développement de la Commission européenne, en particulier Madame Rosa de Paolis, Messieurs Dominique David et Gérard Vernier pour avoir suivi la préparation de cette conférence avec une grande attention, contribué à son organisation et répercuté ses conclusions.

En France, nous remercions le Ministère des Affaires étrangères pour son appui logistique et l'aide qu'il nous a apporté pour faciliter la venue des universitaires et des étudiants extra-européens, le Ministère de l'Éducation nationale, de la Recherche et de la Technologie, la Direction de la Recherche et en particulier la Délégation aux Relations internationales et à la Coopération (DRIC), et son Ministre Claude Allègre pour le haut patronage qu'il nous a accordé, témoignant de la qualité scientifique de la conférence.

Enfin, que soient aussi remerciés le Ministère hollandais des Affaires étrangères, le Conseil régional d'Île-de-France, la Mairie de la Ville de Saint-Denis, le Programme MOST de l'UNESCO, Monsieur le Recteur de l'Académie de Paris, Chancelier des Universités, l'ensemble des Universités Paris XI et spécifiquement l'Institut universitaire de Technologie d'Orsay, Paris XIII et, en particulier, Paris VIII qui a accueilli cette conférence.

Par-delà ces appuis, ce sont de véritables relations de confiance qui se sont instaurées ou confirmées, permettant un dialogue fécond entre deux mondes encore trop souvent étanches : celui de la recherche et celui de la décision politique.

● La 9ᵉ Conférence générale de l'EADI a été organisée sous les auspices du GEMDEV. Son Comité d'organisation comprenait :

Pour le GEMDEV : Catherine Choquet, Olivier Dollfus, Jean-Jacques Gabas, Philippe Hugon.

Pour l'EADI : Claude Auroi, Giulio Fossi, Bruno Lautier, Irène Norlund, Helen O'Neill, Sheila Page, Fernando Rodriguez de Acuña, Peter Stanovnik, Jürgen Wiemann.

Un remerciement aux secrétariats du GEMDEV et de l'EADI et plus particulièrement à : Catherine Choquet, Stéphanie Cocherel, Carole Sébline, Alexandra Assanvo, Laurence Deguitre, Rachida Maouche, Sylvie Boisier, Agnès Lainé, Élisabeth Méchain-Diarra (GEMDEV) ; Claude Auroi, Elaine Petitat-Côté, Corinne Chevallier-Guignard, Nicolas Schwab (EADI).

● Cette publication a pu être réalisée grâce aux membres du Comité de lecture qui ont assuré l'évaluation de l'ensemble des 310 communications à savoir : Vladimir Andreff (Université Paris I), Pierre Audinet (International Energy Agency - OECD), Irène Bellier (CNRS), Marguerite Bey (Université Paris I - IEDES), Marc Bied-Charreton (Université de Versailles - Saint Quentin en Yvelines), Daniel Bourmaud (INALCO), Laurence Bonko-Sagna, Jacques Charmes (Université de Versailles - Saint Quentin en Yvelines - IRD), Catherine Choquet (GEMDEV) - Jean Coussy (CERI), Ahmed Dahmani (Université Paris XI), Michel Delapierre (Université Paris X), Isabel Diaz (GEMDEV), Alain Dubresson (Université Paris X), Barbara Despiney (Université Paris I), Nathalie Fabbry (Université de Marne la Vallée), Jean-Jacques Gabas (Université Paris XI), Vincent Géronimi (Université de Versailles - Saint Quentin en Yvelines), Charles Goldblum (Université Paris VIII), Béatrice Hibou (CERI), Philippe Hugon (Université Paris X), Sylvy Jaglin (Université Paris VIII), Béatrice Ki-Zerbo (Projet d'appui à la Mécanisation agricole de Ouagadougou), Bruno Lautier (Université Paris I - IEDES), Marc Lautier (Université de Rouen), Michèle Leclerc-Olive (CNRS), Anne Le Naëlou (Université Paris I - IEDES), Bernadette Madeuf (Université Paris X), Régis Mahieu (Université de Versailles - Saint Quentin en Yvelines), Claire Mainguy (Université Paris XI), Jean Masini (Université Paris I - IEDES), Philippe Méral (Université de

Versailles - Saint Quentin en Yvelines - IRD), Annik Osmont (Université Paris VIII), Claude Pottier (Université Paris X), Marc Raffinot (Université Paris IX), Denis Requier-Desjardins (Université de Versailles - Saint Quentin en Yvelines), Alain Rochegude (Université Paris I), Gilles Saint-Martin (Ministère de l'Éducation nationale, de la Recherche et de la Technologie, DRIC), Patrick Schembri (Université de Versailles - Saint Quentin en Yvelines), Michel Vernières (Université Paris I), Sylvain H. Zeghni (Université de Marne la Vallée).

Les traductions ont été respectivement assurées par : Ana Barthez (pour l'espagnol) et Harriet Coleman, Jeanne Disdero et Tilly Gaillard (pour l'anglais).

Développement / conflits :
quels chemins vers la paix ?

Catherine CHOQUET
Université Paris VIII
GEMDEV

« Les enjeux liés à la paix », tel était l'un des thèmes en débat proposés aux participants à la 9ᵉ Conférence générale de l'EADI. L'appel à communication publié à cette occasion précisait « *On ne sait pas grand chose de la paix, des moyens de la promouvoir. (...)* » ; les organisateurs de la Conférence appelaient les participants à traiter de sujets comme le droit d'ingérence, les outils politiques de l'Europe pour prévenir les conflits, la place de l'aide humanitaire, des Droits de l'homme ou encore la politique de coopération militaire, etc.

Force est de constater que les contributeurs ont peu parlé de paix ou des moyens d'y parvenir et ont beaucoup traité de guerre, de violence armée, de relations internationales de plus en plus complexes, etc.

En effet, les thèmes abordés à travers les contributions présentées ici portent sur :

- l'analyse des rapports de force internationaux ou du système international : H. Abrahamsson, M. Duarte, D. Frisch, B. Hettne ;

- le rôle de l'Union européenne (UE) dans les politiques d'aide et de prévention de conflits : M. Duarte, D. Frisch ;

- l'évolution des rapports entre sécurité et développement : H. Abrahamsson, M. Duarte, B. Hettne, S. Liwerant et C. Eberhard ;

- l'apparition des groupes armés privés, de milices et la criminalisation internationale : H. Abrahamsson, R. Degni-Ségui, B. Hettne ;

- le problème des victimes civiles des conflits : R. Degni-Ségui, M. Duarte, S. Liwerant et C. Eberhard ;

- la demande de justice internationale : M. Duarte, S. Liwerant et C. Eberhard.

Introduisant les débats, **Dieter Frisch**, ancien directeur général du développement à la Commission européenne, s'interroge sur la compréhension par les responsables politiques en exercice du lien entre paix et développement et regrette le peu de place accordé à la politique de coopération au développement dans l'échelle des priorités politiques. Il s'étonne que la paix semble toujours être le domaine réservé des diplomates et des militaires, souvent plus doués pour gérer les conflits que pour les prévenir et que la coopération au développement soit peu souvent considérée sous l'angle de la motivation politique. Les raisons profondes des conflits - inter ou intra-étatiques - n'a-t-elle pas sa source dans les déficiences du développement, dans l'utilisation des différences ethniques ou religieuses par des hommes cherchant à consolider leur pouvoir, dans l'influence non négligeable de facteurs économiques exogènes, dans le surendettement des pays pauvres qui a conduit ceux-ci à la quasi-liquidation des services publics dans les domaines de la santé, de l'éducation, etc., entraînant des troubles sociaux ?

Combien de temps encore allons-nous ignorer que l'instabilité des pays du Sud a des retentissements sur la stabilité au Nord et que ce n'est pas en construisant des forteresses qu'on réglera le problème ?

L'arsenal d'instruments créé par les Traités de Maastricht et d'Amsterdam avec la mise en place de la politique étrangère et de sécurité commune (PESC) permettra-t-il à l'Union européenne de jouer enfin le rôle qui devrait être le sien dans la prévention des crises et la promotion du développement ? Souvent bailleur des fonds, elle est rarement apparue comme un acteur politique réel sur la scène internationale. Mais, il faudra certainement aussi réfléchir à certaines incohérences : par exemple, comment préconiser la paix et en même temps favoriser l'exportation d'armes et de matériel militaire ?

L'UE doit-elle ou non privilégier le dialogue politique dans ses relations avec les pays tiers, en faire une voie privilégiée pour transmettre des messages clairs quand il en est besoin ? Comment faut-il utiliser l'arme des sanctions ?

Enfin, **Dieter Frisch** propose quelques lignes prioritaires d'action pour l'UE permettant de relancer l'effort d'aide et d'en accroître l'efficacité, de mieux cibler la coopération de manière à satisfaire en premier lieu les besoins les plus fondamentaux des populations. N'est-ce pas le meilleur moyen d'assurer aussi la promotion des libertés fondamentales et de l'État de droit ? Mais ce qui reste déterminant pour promouvoir la paix et la coopération, c'est la volonté politique des décideurs politiques qu'ils appartiennent à l'UE ou aux pays du Sud.

À son tour, **Björn Hettne**, du *Department of Peace and Development Research* de l'Université de Göteborg (Suède), affirme que développement et paix sont les deux faces d'une même pièce. À l'heure de la globalisation, les liens entre développement et paix ou sécurité ont évolué. N'est-on pas passé de la théorie du développement à celle du conflit ? Dans un monde de plus en plus chaotique, le développement est considéré comme un moyen de sécurité et on prend plus en considération les questions de sécurité que celles de développement.

La théorie classique du développement appartient au monde bi-polaire de l'après-guerre, avec un ordre mondial hiérarchisé, organisé en centres et en périphéries, avec des guerres « labellisées » et un modèle à suivre, celui de l'Europe d'après-guerre, version ouest ou version est.

Mais, dans les années quatre-vingts, c'est l'impasse, on voit se développer la globalisation et le chaos, le triomphe de l'idéologie néo-libérale qui laisse de côté des millions de citoyens. On voit se développer des économies « locales », coupées du contrôle étatique, dirigées par un nouveau type d'entrepreneurs, soutenus par des organisations militaires privées, liant des connexions internationales.

Ne voit-on pas apparaître différentes formes d'États : fondamentaliste, ethnique, militariste, des seigneurs de guerre, etc. ? D'ailleurs, néo-libéralisme et seigneurs de guerre ont l'air de faire bon ménage. Il est même parfois difficile de faire la différence entre l'État et les nouveaux entrepreneurs militaires. Avec ce désordre durable, apparaît une forme de nouveau « médiévalisme » devant lequel la théorie du développement reste silencieuse.

Existe-t-il des scénarii alternatifs à ces nouveaux rapports de force internationaux ? Le politique revient-il sur le devant de la scène à travers les nouveaux mouvements sociaux ? Un nouveau multi-latéralisme est-il en train de naître ? Quel rôle peuvent jouer les instances onusiennes dans ce paysage déstructuré ? La réponse ne serait-elle pas dans un dialogue inter-civilisationnel à base régionale permettant à l'histoire de prendre un nouveau départ, éloigné du relativisme post-moderne, de la thèse de « la fin de l'histoire » ou du scénario du « clash des civilisations » ?

Hans Abrahamsson, également membre du *Department of Peace and Development Research* de l'Université de Göteborg (Suède), propose de repenser les études consacrées à la paix et au développement. S'appuyant sur une recherche réalisée à partir du Mozambique visant à comprendre quel espace existe pour une action nationale dans l'ère post-guerre froide, il analyse une réaction sociétale face aux contradictions de l'ordre mondial. Outre des conflits, ces contradictions ne créeraient-elles pas des opportunités de changement ? Mais les forces politiques et sociales capables de s'en saisir existent-elles ?

Après avoir rappelé les théories (Braudel, Cox, Gramsci, etc.) permettant d'analyser le changement de l'ordre mondial, les paradoxes et contradictions qui en découlent, il montre comment, dans les années soixante-dix, le projet d'État-Nation post-guerre froide et l'universalité des valeurs occidentales prônées par les institutions de Bretton Woods se sont trouvés en contradiction. Le passage d'un monde bi-polaire à un monde a-polaire n'aurait-il pas accru l'instabilité sociale et économique, ouvert un espace au crime international organisé, déplacé les intérêts sécuritaires du national vers le global ? En même temps qu'apparaissaient dans l'agenda international un besoin de stabilité et de régulation des transactions financières, la nécessité de lutter contre le développement des inégalités... pour sauvegarder les intérêts d'une élite transnationale décidée à conserver son style de vie, mais en opposition avec des groupes d'élites nationales rivales. La coupure entre élite et société civile a contribué au développement de la dépolitisation et la dureté économique de la globalisation a creusé l'écart avec des citoyens exclus, conduits, par frustration, à un repli nationaliste, conservateur.

L'auteur se demande si la théorie du développement n'aurait pas manqué l'analyse des contradictions en cours au plan international et, au bout du compte, omis l'espace d'action possible au plan national. Ne serait-il pas envisageable, aujourd'hui, d'élaborer des stratégies adéquates et cohérentes, de tendre vers une dynamique globale progressive, de repenser une autre approche de l'économie politique internationale en matière de théorie du développement ?

Traitant « Les causes des guerres en Afrique noire », *René Degni-Ségui*, professeur à la Faculté de Droit d'Abidjan et ancien rapporteur spécial de l'ONU sur le Rwanda, constate que la violence armée devient un phénomène courant et général et qu'il y a démultiplication de conflits localisés ou « périphériques » dans les années quatre-vingt-dix sur l'ensemble du globe mais particulièrement en Afrique. Il note les changements de nature des conflits intervenus après la chute du mur de Berlin. Puis, il effectue un décompte sinistre des conflits du continent et de leur cortège de pertes en vies humaines chiffrées par millions, dénonce les conséquences de ces conflits amenant plus de 20 millions de personnes au déracinement (réfugiées ou déplacées), rappelle que plus de 30 millions de mines anti-personnelles piègent le sol africain et ses habitants et s'interroge sur les causes de ces guerres. Sont-elles dues à la lutte pour le pouvoir qui entraîne généralement la suppression des libertés fondamentales, un état permanent d'humiliation et de violence contre les populations, sont-elles le fruit du refus de l'alternance politique ? Quel est le rôle des ingérences externes, qu'elles viennent d'États, de groupes armés ou de sociétés multinationales ? Quelle place occupent les divisions régionales, ethniques, religieuses ? La pauvreté endémique, le poids du marché des matières premières mais également la détérioration des termes de l'échange, le fardeau de la dette, les trafics d'armes et de drogues ne doivent pas être oubliées. Finalement, *René Degni-Ségui* soulève la question de la réalité de la volonté politique des partenaires du développement afin de résoudre cette situation tragique.

Quant à *Mafalda Duarte*, étudiante au *Development and Project Planning Centre* de l'Université de Bradford (Grande-Bretagne), elle s'interroge sur les politiques d'aide dans des pays déchirés par la guerre. Constatant l'évolution des rapports entre sécurité et développement après la guerre froide, elle s'étonne du glissement des fonds auparavant consacrés à l'aide vers les secours d'urgence et se demande si l'assistance humanitaire ne serait pas devenue la réponse occidentale favorite aux situations de crise. Après la période de la guerre froide et une certaine forme de prévention des conflits visant à empêcher qu'ils dégénèrent en conflit mondial, un « laisser-faire » en matière de violence ne s'est-il pas fait jour avec l'apparition de zones d'instabilité et de crises liée à la globalisation, à la répartition du monde en regroupements régionaux forts d'un côté et fragmentés de l'autre ? Elle s'interroge également sur la gestion des conflits en Afrique, posant à son tour le problème du contrôle du pouvoir, de la faiblesse de la démocratie et de la bonne gouvernance, de l'injustice sociale et économique, des tensions ethniques, etc.

Les conflits ayant fortement détourné les ressources internationales prévues à l'origine pour le développement, ne serait-il pas souhaitable de créer un système de surveillance précoce des conflits potentiels afin de les anticiper vraiment et d'y répondre effectivement ? L'aide d'urgence ne pouvant pas répondre aux causes des conflits, ne faut-il pas orienter certaines actions en direction de couches représentatives de la population civile pour une meilleure efficacité ?

La prévention de conflit doit-elle être seulement diplomatique ou militaire ou ne devrait-elle pas aussi s'adresser aux causes profondes des conflits ? Partant du volume de ses interventions financières et de son poids politique, le rôle de l'Union européenne ne devrait-il pas être plus important ?

Enfin, **Sara Liwerant** et **Christoph Eberhard**, jeunes chercheurs du Laboratoire d'Anthropologie juridique de l'Université Paris I, nous amènent sur le terrain du droit international confronté aux crimes contre l'humanité et aux génocides. La violence et la gravité des conflits qui ont marqué ces dernières années exigent que justice soit rendue aux victimes. Mais comment traiter de l'indicible ? Avant tout, ce sont les populations directement concernées qui doivent surpasser le traumatisme des violations et réinventer un futur partagé. La question qui se pose alors est celle des représentations de la justice dans une société donnée.

La manière dont le droit international aborde ces questions, dans la droite ligne des tribunaux de Nuremberg et de Tokyo, se traduit dans les juridictions *ad hoc* mises en place pour l'ex-Yougoslavie et le Rwanda. Mais, ces tribunaux ne répondent-ils pas plus aujourd'hui au problème de la sécurité internationale qu'à celui de la justice pour les victimes ? La globalisation du modèle occidental de justice est-elle la meilleure solution ?

Il faut souligner qu'un changement important est intervenu dans la typologie des conflits mis en cause dans ce cadre. En effet, si auparavant il s'agissait de conflits inter-étatiques, aujourd'hui nous avons souvent à faire à des crises ou guerres intra-étatiques, ce qui « complique » ensuite la démarche de réconciliation.

Si l'on considère la demande de justice émise par les victimes, si l'on considère que dire le droit est un discours de vérité, si l'on considère le besoin de pacification des sociétés au sortir d'une guerre, si l'on veut que le droit soit un élément de pacification de cette société, ne faut-il pas tenir compte des différentes manières de vivre le monde sur la planète et donc repenser le droit en fonction des lieux et des cultures ?

Bien sûr, il est indispensable de mettre en place une coopération judiciaire internationale mais celle-ci ne doit-elle pas se faire dans le respect de l'autre d'où qu'il soit, en tenant compte du pluralisme humain ? Transférer des modèles juridiques, sans adopter une approche pluraliste du droit risque de ne pas donner satisfaction à celles et ceux que la justice cherche à réconforter, à rétablir dans leurs droits ou tout simplement dans leur être. N'est-il pas, dès lors, indispensable d'ouvrir le droit aux métissages afin de construire un dialogue interculturel permettant une approche consensuelle de la paix ?

Migrations et démographies comparées

Audrey AKNIN
Université de Versailles - Saint Quentin en Yvelines, Centre
d'Économie et d'Éthique pour l'Environnement
et le Développement (C3ED)
GEMDEV

Au cours de la décennie quatre-vingt, les Nations unies estimaient que plus de 100 millions de personnes vivaient hors de leur pays d'origine[1] quels qu'en fussent les motifs. Elles étaient réparties entre l'Asie, le Moyen-Orient et l'Afrique du Nord (36 millions), l'Europe occidentale et orientale (plus de 23 millions), le continent nord-américain (plus de 20 millions), l'Afrique subsaharienne (10 millions), l'Amérique latine et les Caraïbes (6 millions) et enfin l'Océanie (4 millions).

En 1997, environ 90 millions de personnes ont quitté leur pays, parmi eux, 75 millions étaient des travailleurs migrants et environ 15 millions, des réfugiés.[2] Ces chiffres ne peuvent rendre compte des mouvements

---

[1] RUSSELL S. : "International migration : implications for the World Bank" in *Human Capital Development and Operations Policy Working Papers*, n° 54, 1995.

[2] À l'instar du Haut Commissariat aux Réfugiés des Nations unies, nous définissons les réfugiés comme « *des personnes qui craignent, avec raison, d'être persécutées du fait de leur race, de leur religion, de leur nationalité, de leurs opinions politiques ou de leur appartenance à un certain groupe social et qui ne peuvent ou ne veulent pas retourner dans leur pays* ». En 2000, le nombre de personnes relevant de la compétence du HCR atteignait 22,3 millions soit 1 personne sur 269 habitants. Ils étaient 21,5 millions en 1999.

clandestins et ne permettent pas de différencier, au sein des migrants légaux, les migrations temporaires des migrations de moyen et de long terme. Dans ce « spectre » de migrants, beaucoup partent pour échapper à la pauvreté et au chômage, et près de la moitié sont des femmes et des enfants.

Si les pays du Nord[3] ont été pendant longtemps une zone d'accueil pour les travailleurs migrants, des pôles d'attraction émergent également dans les pays du Sud : les pays du Sud-Est asiatique, les pays producteurs de pétrole du golfe arabo-persique, l'Afrique du Sud, les pays du « Cône Sud », le Mexique et le Venezuela en Amérique latine. Par ailleurs, le Haut Commissariat aux Réfugiés (HCR) estime que 75 % des migrants forcés sont actuellement accueillis dans les pays du Sud. Cet afflux de population s'inscrit dans un contexte de pauvreté, de conflits ethniques ou civils, et fait craindre un accroissement des flux migratoires entre les pays en développement et les pays du Nord.

Ces craintes viennent soutenir les arguments en faveur des politiques d'immigration restrictives dans des pays tels que les États-Unis, la Grande-Bretagne, la France ou l'Allemagne. Néanmoins, ces politiques demeurent toujours plus favorables aux travailleurs « qualifiés »[4]. Dans un contexte de globalisation, il est assez intéressant de mettre en perspective les attitudes politiques envers les migrations et celles envers les capitaux et les biens.

L'analyse des migrations internationales ne constitue pas un corps unifié mais, plutôt, un ensemble fragmenté d'éléments relevant de plusieurs disciplines (démographie, géographie, sociologie, anthropologie, économie, etc.). L'économie s'attache majoritairement aux migrations de travail et aux politiques de limitation ou de contrôle des déplacements de main-d'œuvre ; nous pouvons identifier, en suivant D. Massey [Massey *et*

---

[3] Europe, États-Unis, Canada, Australie, Japon.
[4] Un phénomène de « fuite des cerveaux » (*Brain Drain*) est souvent évoqué.

al., 1993][5], les théories qui expliquent les motifs des migrations internationales et celles qui analysent leur pérennité.

Les premières analyses économiques des migrations se sont focalisées sur le rôle des déplacements internes de main-d'œuvre dans le processus de développement [Lewis, 1954 ; Fei ; Ranis, 1961][6]. Dans cette optique macro-économique dualiste[7], les migrations de travail sont déterminées par un écart dans la dotation en facteurs (travail et capital) entre les activités « traditionnelles » (essentiellement agricoles et caractérisées par un excédent structurel de main-d'œuvre) et les activités « modernes » (industries manufacturières qui sont la source de l'accumulation du capital au niveau national et doivent, pour se développer, être alimentées en main-d'œuvre). Les migrations internationales sont induites par une disparité géographique entre offre et demande de travail, par une différence de taux de salaire entre les pays du Sud (pays pauvres relativement plus dotés en facteur travail qu'en facteur capital, la rémunération d'équilibre du travail est donc faible) et les pays du Nord (pays plus riches en capital qu'en travail, le salaire y est plus élevé). La disparition de cet écart met un terme aux mouvements de la main-d'œuvre. Le marché du travail étant le seul et unique élément explicatif des migrations internationales, les recommandations de politiques économiques visent à limiter les migrations par le jeu de politiques interventionnistes sur les marchés nationaux du travail, marchés en situation de plein-emploi.

---

[5] MASSEY D. ; ARANGO J. ; HUGO G. ; KOUAOUCI A. ; PELLEGRJNO A. ; TAYLOR E. : "Theories of international migration : a review and appraisal" in *Population and Development Review,* vol. 19, 1993, pp. 431-466.
[6] LEWIS A. : "Economic development with unlimited supplies of labor" in *The Manchester School of Economic and Social Studies*, vol. 22, 1954, pp. 139-191 / FEI J. ; RANIS G. : "A theory of economic development" in *The American Economic Review*, vol. 51, 1961, pp. 533-565.
[7] Le terme de dualisme qualifie tout système qui admet la coexistence de deux principes opposés et irréductibles. En Sciences économiques, le dualisme revêt une signification particulière puisqu'il définit une démarche analytique fondée sur l'existence de deux secteurs qui sont asymétriques de par leur production et leur organisation.

Il existe également des modèles micro-économiques « *standards* »[8] de choix individuels [Sjaastad, 1962 ; Todaro, 1969 ; Harris ; Todaro, 1970][9] dans lesquels l'individu se déplace vers le pays qui lui offre les rendements attendus[10] de la migration les plus importants. Les facteurs qui contribuent à un accroissement des flux migratoires en provenance des pays en développement sont notamment : les caractéristiques de l'individu en capital humain (elles augmentent la probabilité de trouver un emploi) et l'existence de certaines infrastructures (elles peuvent réduire les coûts de déplacement). Les conclusions de cette approche se fondent également sur le marché du travail : il existe un déséquilibre entre les marchés nationaux. La taille de l'écart entre les salaires attendus influençant directement le volume des flux migratoires, il suffit que le différentiel de salaires disparaisse pour que cessent les migrations.

La « Nouvelle économie des migrations de travail » [Stark, 1991 ; Stark ; Levhari, 1985 ; Stark ; Bloom, 1985][11] considère les unités de

---

[8] « *Convenons d'entendre par théorie standard, tout ce qui en théorie économique s'appuie, pour sa validité formelle ou son interprétation analytique, sur la théorie de l'équilibre général ; par conséquent, si l'on suit la démonstration d'Arrow, la théorie standard n'est ni plus ni moins que le «modèle néoclassique», en tant qu'il repose sur ces deux «piliers» : la rationalité des comportements individuels - réduite à l'optimisation, la coordination des comportements individuels - réduite au marché* » : FAVEREAU O. : « Marchés internes, marchés externes » in *Revue économique*, vol. 40, 1989, pp. 243-328.

[9] SJAASTAD L. : "The costs and returns of human migration" in *The Journal of Political Economy,* vol. 75, 1962, pp. 80-93 / TODARO M. : "A model of labor migration and urban unemployment in less developed countries" in *The American Economic Review,* vol. 59, 1969, pp. 138-148 / HARRIS J. ; TODARO M. : "Migration, unemployment and development : a two-sector analysis" in *The American Economic Review,* vol. 60, 1970, pp. 126-142.

[10] Le rendement attendu de la migration rend compte du taux de salaire mais aussi de la probabilité de se trouver en situation de chômage et des coûts de la migration. Pour un migrant clandestin, il faut inclure la probabilité d'expulsion.

[11] STARK O. : "The Migration of Labor" - Oxford : Basil Blackwell, 1991 / STARK O. ; BLOOM D. : "The new economies of labor migration" in *The American Economic Review,* vol. 75, 1985, pp. 173-178 / STARK O. ; LEVHARI D. : "On migration and risk" in *Less Developed Countries Economic Development and Cultural Change,* vol. 31, 1982, pp. 191-196.

consommation et de production rurales (familles, ménages, communautés). Ce courant théorique récuse l'idée d'un individu décideur isolé. De plus, le différentiel de salaire et la situation sur le marché du travail ne sont pas les facteurs explicatifs des migrations : les ménages agissent collectivement pour minimiser le risque et assouplir les contraintes liées à l'inexistence de certains marchés dans les pays en développement (en particulier les marchés du crédit et de l'assurance, les marchés à terme et le marché du capital), la migration d'un ou de plusieurs membres de la famille est, donc, un instrument de diversification des risques. Il est alors envisageable d'assister à des migrations de travail en l'absence de tout différentiel de salaire, la migration constitue une forme d'assurance qui se matérialise par des transferts (en argent ou en biens) entre le migrant et sa famille. Les recommandations en matière de politique économique sont alors davantage orientées vers la mise en place de marchés de l'assurance ou du capital dans les pays en développement afin de réduire les migrations.

La théorie du marché du travail dualiste [Piore, 1983 ; 1986][12] soutient que les migrations internationales de travail sont influencées par la demande, en particulier par les politiques d'emploi (publiques et privées) dans les zones de destination. Ces politiques visent principalement à attirer une main-d'œuvre étrangère bon marché (ce qui assure une certaine flexibilité du facteur travail). Une fois encore, l'existence d'un écart de salaire ne conditionne pas les flux.

Enfin, l'approche en termes de systèmes mondiaux [Sassen, 1988 ; 1991][13] se concentre sur la structure du marché au niveau international :

---

[12] PIORE M.: "Labor market segmentation: to what paradigm does it belong ?" in *The American Economic Review,* vol. 73, 1983 - pp. 249-253 / PIORE M. : "Can international migration be controlled ?" in "Essays on Legal and Illegal Immigration: Papers presented in a Seminar Series conducted by the Department of Economies at Western Michigan University" - Kalamazoo, Michigan : WE Upjohn Institute for Employment Research, 1986 - pp. 21-42.

[13] SASSEN S. : "The Mobility of Labor and Capital : A Study in International Investment and Labor Flow" - Cambridge : Cambridge University Press, 1988 / SASSEN S. : *The Global City* - Princeton : Princeton University Press, 1991.

« *Dans ce schéma, la pénétration des relations économiques capitalistes dans des sociétés périphériques non capitalistes rend la population mobile et plus encline à migrer à l'étranger. Conduits par un désir de profit et de richesse, les propriétaires et les directeurs des firmes capitalistes investissent les pays pauvres à la périphérie de l'économie mondiale à la recherche de terre, de matières premières, de travail et de nouveaux marchés de consommation. Dans le passé, cette pénétration des marchés était soutenue par les régimes coloniaux qui administraient les régions pauvres au bénéfice des intérêts économiques des sociétés colonisatrices. De nos jours, ce sont les gouvernements néo-coloniaux et les firmes multinationales qui perpétuent [ce] pouvoir...* »[14] En adoptant ce point de vue, la migration internationale est bien plus affectée par les politiques d'investissements à l'étranger et les flux internationaux de biens et de capital que par un différentiel de salaires.

Conjointement à ces théories économiques focalisées sur les motifs de migration, il existe des analyses de la pérennité des mouvements migratoires internationaux.

La théorie des réseaux de migrants [Carrington *et al.*, 1996][15] explique que les coûts de déplacement de la main-d'œuvre sont une fonction décroissante du nombre de migrants déjà installés dans le pays de destination. L'existence de réseaux de migrants permet de réduire les coûts de la migration et de canaliser les mouvements vers une ou plusieurs zones sélectionnées. Une fois commencée, la migration développe sa propre dynamique et crée un sentier, elle s'est affranchie des facteurs originels qui l'ont provoquée. Le différentiel de salaire ne détermine plus le volume du flux migratoire, puisque la migration est « institutionnalisée » par la formation et le maintien des réseaux. Ce processus de formation des réseaux dépend de facteurs souvent hors du

---

[14] MASSEY *et al.* - *Op. cit.* - p. 448.
[15] KANAROGLOU P. ; LIAW K. ; PAPAGEORGIOU Y. : "An analysis of migratory system : Theory" in *Environment and Planning,* vol. 18, 1986, pp. 913-928.

champ d'action des politiques économiques, les mesures restrictives ont donc peu d'effet.

La théorie institutionnelle, rejoint l'approche précédente : une fois que la migration internationale a été impulsée, des organisations privées et volontaires se développent pour soutenir et assurer le caractère pérenne des mouvements de migrants. Ces organisations assurent notamment le transport, la recherche d'un emploi, d'un logement, etc.

Les analyses en termes de causalité cumulative soutiennent que les flux de migrations internationales créent des effets de *feedback,* ils augmentent la probabilité de migrations supplémentaires. Ces migrations en chaîne ont des conséquences sur la distribution du revenu et des terres, l'organisation de la production agricole, la distribution régionale du capital humain.

L'approche en termes de systèmes migratoires [Kanaroglou *et al.*, 1986][16] se révèle être assez proche des analyses que nous venons de présenter. Toutefois, elle introduit des éléments de polarisation : les systèmes sont marqués par une relative intensité des échanges (biens, capitaux, personnes) entre certains pays seulement. Un système de migration comprend en général une région d'accueil (un pays ou un groupe de pays) et un ensemble de pays de départ. Les pays du système ne sont pas nécessairement géographiquement proches les uns des autres, même si la proximité est un facteur de renforcement des échanges au sein du système, en outre, des systèmes multipolaires sont envisageables et les systèmes sont évolutifs.

---

[16] KANAROGLOU *et al. - Op. cit.*

Certaines de ces approches apparaissent, parfois en filigrane, dans les deux contributions suivantes :

Leila Farsakh, dans « North African labour flows and the Euro-Med partnership », décrit l'impact du partenariat entre les pays du Maghreb (Maroc, Algérie, Tunisie) et l'Union européenne sur les flux de travailleurs migrants en provenance d'Afrique du Nord. Les pays du Maghreb ont une longue tradition de migration vers l'Europe de par leur situation démographique (population jeune, amorce de transition démographique) et économique (les marchés domestiques du travail ne parviennent pas à fournir un emploi à toute la force de travail). La composition des flux de migrants et leurs destinations n'ont cessé d'évoluer au rythme des politiques d'immigration, de plus en plus restrictives, des États européens. Par ailleurs, les transferts versés par les migrants n'ont cessé de croître. « *Alors que les flux d'investissements directs étrangers (IDE) entre 1985 et 1992 représentaient moins de 2,5 % de l'investissement total au Maroc... , les transferts comptaient pour 35 % de l'épargne nationale brute...* » Cependant, les capacités d'absorption des pays européens se sont réduites. En 1995, l'Union européenne et douze pays méditerranéens signent un accord bilatéral et régional de partenariat : le processus de Barcelone ou le partenariat Euro-Med dont les objectifs sont de créer une zone de paix et de stabilité politique, de rapprocher les cultures et d'instaurer progressivement une zone de libre-échange économique. Quels seront les impacts de cet accord en termes de migrations de travail ? Cet accord de libre-échange pourra-t-il représenter une alternative à la migration ? Quelles seront les politiques économiques en termes d'investissement, de formation, de marché du travail ? Les enjeux sont posés mais des questions demeurent ouvertes.

Si la migration a des effets sur les zones d'accueil, elle affecte également la zone de départ, souvent une communauté villageoise agricole en situation de subsistance, exposée à une forte incertitude qui conduit les populations à adopter des stratégies « conservatrices » (en matière de techniques de production, de choix des semences cultivées, de travail familial). Ainsi, *Catherine Quiminal* dans « Tradition, migration et innovation : le marché de la patate douce dans la région de Kayes

(Mali) » retrace l'évolution induite par les migrations de travailleurs maliens en France depuis vingt ans. À la lumière d'une analyse anthropologique, l'auteur met en exergue le rôle des associations de migrants en France et au Mali dans les processus de développement, compris comme « *l'amélioration des conditions de vie des populations concernées* ». Implantées en France depuis les années soixante, ces associations ont évolué progressivement pour impulser une dynamique locale puis régionale au Mali, à l'exemple de la création d'un marché de la patate douce. Elles apparaissent alors comme un nouvel interlocuteur à intégrer dans les rapports entre les pays en développement et les pays du Nord ; elles assurent une transition vers la modernité grâce à « *des stratégies .fondées sur l'innovation, la création de ressources qui ne ruinent pas pour autant l'agriculture vivrière* ». Elles peuvent permettre une nouvelle réflexion autour de la coopération internationale.

Si ces deux articles diffèrent, sur le plan de la zone géographique étudiée et de la discipline scientifique mobilisée, ils ont en commun d'attirer l'attention sur les nouvelles formes de coopération, à l'œuvre ou à mettre en œuvre, entre zones d'émigration et zones d'immigration, et sur les enjeux économiques (formation, qualification des travailleurs, substitution entre commerce et migrations) et sociaux sous-jacents aux déplacements des populations du Sud vers les pays du Nord.

Les politiques monétaires et financières et les réformes du système financier international

Philippe HUGON
Université Paris X - Nanterre, Centre d'Études et de Recherches
en Économie du Développement (CERED)
GEMDEV

La globalisation financière se traduit par une forte accélération de la vitesse de circulation et par une forte volatilité des capitaux, par une déconnexion de la sphère financière et de la sphère réelle et par un rôle croissant des marchés financiers aux dépens des instruments aux mains des autorités gouvernementales. Elle se traduit par des crises financières et cambiaires pour les pays émergents.

Les textes ci-dessous abordent plusieurs aspects de cette globalisation financière et des crises en se plaçant au niveau des politiques monétaires et cambiaires, des politiques financières nationales et des systèmes financiers nationaux et en analysant les réformes du système financier international.

I. Les politiques monétaires et la monnaie régionale

Les politiques monétaires jouent un rôle déterminant dans un contexte d'instabilité des marchés financiers, de crises de changes et de mise en place de blocs monétaires flottants.

La politique monétaire consiste à accroître ou à réduire le niveau de la masse monétaire par un ensemble d'instruments directs ou indirects. La mise en place de politiques monétaires stables et rigoureuses apparaît comme un des volets principaux permettant de rendre compatibles la convertibilité des monnaies et la compétitivité avec la crédibilité favorisant une attractivité des capitaux. Les politiques monétaires et de change se posent largement au niveau régional.

Françoise Nicolas dans son texte « Une monnaie unique pour l'ASEAN, quelles perspectives ? » débat du bon régime de change pour les économies émergentes après la crise de changes de l'Asie de l'Est en 1997-1998. Elle montre la nécessité d'une initiative collective liée aux effets de contagion régionale. Les coordinations de politiques monétaires voire la création d'une monnaie unique mettraient en phase les interdépendances commerciales et financières au sein de la zone de l'Asie orientale avec la régulation monétaire.

La question de la monnaie régionale est développée également dans le texte de *Anne-Laure Gnassou* sur l'ancrage des monnaies de la Guinée et du Cap-Vert à l'euro respectivement par le biais de la Zone franc pour la monnaie de la Guinée-Bissau et par l'accord de change portugo-cap-verdien. Après en avoir développé les caractéristiques techniques, ce texte met en liaison l'ancrage des monnaies africaines à l'euro avec les accords commerciaux et économiques entre l'Europe et l'Afrique notamment dans le cadre de la Convention de Cotonou.

Ces deux textes renvoient en arrière-plan au régionalisme monétaire et au débat sur les zones monétaires optimales dans le cadre du contexte international de blocs monétaires flottants. Dans les théories anciennes, la monnaie était le reflet des fondamentaux et les volatilités étaient supposées être liées à des chocs exogènes portant sur les fondamentaux. Dans le contexte de blocs flottants, les volatilités du change résultent à la fois de décisions politiques des grandes puissances (agissant notamment par le taux d'intérêt), des garanties apportées par les institutions de Bretton Woods moyennant des conditionnalités et des spéculations dans un contexte de rationalité limitée et d'incertitude. L'ancrage à une monnaie forte et l'appartenance à un bloc flottant accroissent la volatilité des taux de change bilatéraux mais elle réduit celle du taux de change effectif réel dès lors que la monnaie d'ancrage est dominante dans les flux d'échange et de capitaux internationaux.

II. Les politiques financières et les systèmes financiers nationaux

Il existe une interdépendance entre le développement financier et le développement économique même si l'on peut débattre de la causalité. Aux yeux de nombreux analystes, la libéralisation financière accompagnée de réformes des systèmes financiers sont des conditions déterminantes d'une insertion positive dans l'économie mondiale.

Ces questions sont traitées dans les textes de *Gabriel Bissiriou* consacré à « L'intermédiation financière et développement : une revue de la littérature récente » et dans celui de *Henrik Schaumburg-Müller* sur « Fall or survival of the governed business system in the Asian crisis : Malaysia and Thailand » (Les systèmes de gouvernance des affaires dans la crise asiatique : la Malaisie et la Thaïlande).

Le texte de *Gabriel Bissiriou* traite des liens entre l'intermédiation financière et le processus de développement à partir des théories de croissance endogène et de l'intermédiation financière endogène. Il fait un bilan de la littérature théorique et présente les tests empiriques les plus significatifs. Dans de nombreux pays en développement, les arriérés de paiements sont importants, l'endettement est élevé, les banques ont une faible solvabilité et une rentabilité limitée du fait notamment des créances douteuses. Elles privilégient les opérations à court terme.

Il est souhaitable, dès lors, de mettre en place des intermédiaires financiers permettant de mobiliser l'épargne et de faire du crédit à moyen et à long terme. Pourraient être favorisés des systèmes décentralisés d'épargne et de crédit de proximité et être appuyés des liens entre les institutions financières officielles et les réseaux mutualistes et « informels ». Des systèmes financiers assainis doivent gérer les paiements, mobiliser l'épargne, répartir les ressources financières, offrir des moyens de diversification des risques.

Le texte de *Henrik Schaumburg-Müller* sur le système de gouvernance des affaires durant la crise asiatique est révélateur des chevauchements " straddling " entre le monde des affaires et celui de la décision et des pouvoirs politiques et des différents modes de coordination entre les firmes et les décideurs publics.

Pour comprendre l'impact des politiques financières, il est nécessaire de dépasser l'opposition marché / État. Il importe d'analyser les systèmes administrés ou gouvernés des affaires. Les relations entre le monde des affaires et les instances de régulation ou de gouvernance sont multiples. L'auteur illustre son propos en prenant les cas de la Malaisie et de la Thaïlande. Il propose des typologies très éclairantes en distinguant les coordinations fragmentées à Taiwan, l'organisation hiérarchisée sous le contrôle de l'État en Corée, un haut niveau de coordination au Japon et un système managé " governed " en Malaisie et en Thaïlande. Il différencie quatre modes de coordination : la propriété, les relations inter-entreprises, les relations intra-entreprises et vis-à-vis du système institutionnel. Alors que la communauté chinoise représente respectivement 30 % et 10 % de la population de Malaisie et de Thaïlande, elle contrôle respectivement 65 % et 85 % des actifs. L'État n'est pas une autorité supérieure mais un acteur plein de force opérant en liaison avec les autres joueurs.

III. Réformes du système financier international et nouvelle architecture financière internationale

À un niveau global, se pose la question de la régulation financière mondiale réduisant la volatilité des capitaux et permettant d'éviter des crises systémiques.

José Antonio Ocampo dans « A broad agenda for international financial reform » (Un agenda pour les réformes financières internationales) présente l'instabilité financière dans les pays émergents notamment au Brésil et en Argentine. La globalisation financière s'est traduite par un accroissement de la volatilité se traduisant par des crises financières. Les États ont largement perdu leurs moyens de régulation. Il en résulte la nécessité de nouveaux mécanismes régulateurs au niveau international : fonds de stabilisation, mesures de prévention permettant d'éviter des effets de contagion. À côté des Institutions internationales, ce sont les États-Unis qui jouent le rôle de prêteur en dernier ressort vis-à-vis des pays stratégiques. Il importe de développer une appropriation par les autorités gouvernementales et régionales. Les institutions régionales ont, à cet égard, un rôle central dans la prévention des crises et dans la régulation financière.

Valpy FitzGerald développe certains axes permettant de fonder une nouvelle architecture financière internationale. Il note, à côté des risques systémiques liés à la volatilité des capitaux et à la faible régulation internationale, certains signes d'optimisme. Les crises financières du

Mexique, de l'Asie, du Brésil ou de la Russie n'ont pas été des crises systémiques entraînant une contagion mondiale mais les risques demeurent.

Quatre stratégies sont possibles :

- créer un forum de stabilité au sein du G7 ;
- instituer des règles internationales concernant notamment les investissements ;
- restructurer la dette des pays pauvres en approfondissant les mesures de type pays pauvres très endettés (PPTE) ;
- relancer l'aide publique au développement (APD) dans les domaines sociaux prioritaires.

Cette nouvelle architecture financière internationale implique à la fois une croissance favorable aux pauvres, une réduction de l'instabilité internationale et des transferts accrus.

Économie internationale

Vincent GÉRONIMI
Université Paris X, Centre d'Études et de la Recherche en Économie de
Développement (CERED)
Université de Versailles - St Quentin en Yvelines, Centre d'Économie et
d'Éthique pour l'Environnement et le Développement (C3ED)
GEMDEV

La question générale de la 9e conférence générale de l'EADI « L'Europe et le Sud à l'aube du XXIe siècle : enjeux et renouvellement de la coopération » s'inscrit d'emblée dans le champ des relations internationales. À partir d'une lecture économique de ces relations, les différentes contributions se rattachant à l'entrée « économie internationale » peuvent s'organiser autour du thème général de l'insertion des pays en voie de développement dans les dynamiques mondiales actuelles. Dynamiques que l'on peut spécifier à différents niveaux, parmi lesquels :

- le jeu des acteurs au niveau mondial (J. Lesourne) ;

- les théories et pratiques actuelles du développement (P. Jacquemot), avec les interrogations soulevées par l'apparition d'un nouvel outil de coopération : les programmes sectoriels d'assistance (H. Schaumburg-Müller) ;

- les flux de financement, qu'ils soient privés (S. Alessandrini et S. Contessi) ou publics (C. Thoma), avec leurs effets que l'on peut saisir aux niveaux des rémunérations (S. A. Bedi et A. Cieslik), les politiques de soutien des pays du Nord

(B. Campbell), les intégrations régionales (C. Jedlicki). Plus globalement, c'est la question de l'impact des investissements directs étrangers (IDE) sur le développement qui se pose à nouveau (K. Lieten) ;

- l'endettement et sa gestion (J.-Y. Moisseron et M. Raffinot) ;

- les flux d'échange, de produits primaires (V. Géronimi, P. Schembri et A. Taranco), de produits alimentaires (B. Daviron), du tourisme (S. Page) mais aussi des performances des exportations de l'Inde vis-à-vis de l'Union européenne (B. Nag).

Chacune des contributions rassemblées ici s'efforcent de présenter les dynamiques à l'œuvre, susceptibles d'influer les trajectoires futures de la coopération entre l'Europe et le Sud, en partant de l'analyse des expériences des dernières décennies.

Le constat de l'existence de dynamique de changements profonds de l'espace mondial à partir duquel *Jean-Jacques Gabas* introduit le thème général est sous-jacent à l'ensemble des présentations rassemblées ici. Changements que l'on retrouve dans les ruptures aux niveaux des faits, comme au niveau des analyses, et à partir desquels on peut poser la question du devenir des relations Europe-Sud. Ces ruptures marquent la fin des certitudes méthodologiques en appelant à un renouvellement des analyses et des outils mobilisés pour comprendre et guider la coopération. Cette incertitude représente aussi des opportunités pour la rénovation de celle-ci. *Pierre Jacquemot* définit le consensus dominant à travers trois termes qui illustrent les possibles changements de paradigme en cours : durabilité, gouvernance et équité. Au-delà de ces trois termes, réside un potentiel de renouveau de la coopération qui ne se réalisera que si la réflexion à long terme est réhabilitée, et les processus sociaux analysés. Ainsi, *Henrik Schaumburg-Müller* oriente-t-il sa réflexion autour des programmes sectoriels d'aide. Ceux-ci doivent intégrer la participation des acteurs au projet, dans le respect de la « bonne » gouvernance, et assurer la durabilité. Le bilan proposé par l'auteur permet de faire ressortir les difficultés associées à la mise en œuvre d'une approche plus participative, supposant une administration efficace. Du point de vue de la gouvernance, la question de la coordination des différents bailleurs de fonds dans ces programmes sectoriels est cruciale et constitue un champ de rénovation des politiques de coopération.

I. Quelles ruptures ?

Mais quelles sont les principales ruptures ? Concernent-elles les pays du Sud au même titre que l'Europe ? Un des principaux points communs des analyses présentées renvoie au constat des différences de stratégies d'acteurs, d'espaces de références, de temporalités et de modes d'insertion entre l'Europe et le Sud, et donc, fondamentalement, des divergences qui en résultent entre les trajectoires de l'Europe et du Sud.

Les ruptures se déclinent alors selon ces différents axes :

- des acteurs nouveaux apparaissent dont la complexité des stratégies pose la question de la possibilité de voir émerger une gouvernance mondiale ;

- des espaces nouveaux se construisent, au niveau de l'Europe avec la question de l'élargissement de l'Union européenne à de nouveaux membres, comme au niveau du Sud, avec des dynamiques régionales qui constituent un point d'appui essentiel de la coopération ;

- des temporalités différentes se mettent en place, avec des stocks de dettes transmis aux générations futures qui grèvent le développement au Sud alors que les créanciers appartiennent au Nord ;

- des modes d'insertion dans l'économie internationale qui traduisent une certaine inertie des spécialisations, essentiellement primaires pour les pays d'Afrique, des Caraïbes et du Pacifique (ACP), et vis-à-vis desquelles les politiques de coopération passées n'ont pas eu l'impact souhaité de diversification. Dans le même temps, l'Europe continue son intégration interne et dans l'économie mondiale via les flux de marché les plus élaborés.

Évidemment, ces ruptures renvoient les unes aux autres : elles sont intimement liées au sein des dynamiques mondiales à l'œuvre. Les stratégies des acteurs s'expriment selon des espaces et des temporalités différentes (l'enjeu de l'accès au marché européen n'est pas le même pour les exportateurs indiens, dont les marchés sont diversifiés, que pour les exportateurs des pays ACP, les stocks de dette impliquent des transferts inter-temporels de sens opposés entre créanciers et débiteurs, etc.) et selon des enjeux qui sont définis aussi par les avantages comparatifs des zones entre elles. Enfin, les différences d'espaces se traduisent par des divergences de trajectoires temporelles : les spécialisations primaires sont porteuses de régimes dynamiques qui sont fortement différenciés des régimes des pays du Nord.

La redéfinition des politiques de coopération entre l'Europe et le Sud doit apporter des réponses aux interrogations soulevées par ces ruptures. Elles questionnent le devenir de la coopération entre l'Europe et le Sud.

II. Des acteurs nouveaux, aux jeux complexes

Le constat de la complexification du jeu des acteurs dans un espace mondial en mutation est posé par *Jacques Lesourne*. Les trois principaux groupes d'acteurs identifiés (Entreprises, banques, centres de recherche / Groupes sociaux, opinions publiques, mouvements religieux ou idéologiques / États) entretiennent des relations médiatisées par l'information, les marchés, les institutions et accords internationaux, les conflits, l'environnement. À travers ces relations, c'est la question de la gouvernance au niveau mondial qui est posée. Force est de constater aujourd'hui que « le système complexe et non hiérarchisé qu'est l'humanité n'est qu'au début d'un processus d'auto-organisation pouvant conduire à terme à sa maîtrise imparfaite ». Ainsi, le futur reste imprévisible, et les dynamiques repérées aujourd'hui peuvent fournir des indications intéressantes sur l'évolution des processus de gouvernance.

C'est à ce niveau que l'on retrouve les questions définies par **Jean-Jacques Gabas** dans son exposé introductif, à propos des évolutions des rôles respectif de l'État et du marché (et le statut des normes élaborées dans un cadre multilatéral au sein d'institutions telles l'Organisation mondiale du Commerce (OMC), le Bureau international du Travail (BIT), etc.), du rôle des ONG, des organisations confessionnelles ou syndicales dans l'architecture internationale. Ces évolutions dessinent un nouveau paysage qui permet de soulever trois pistes de réflexions :

- la réhabilitation d'une approche du parcours des sociétés en termes de développement ;

- la reconquête d'une légitimité perdue de l'aide au développement ;

- la genèse des règles et normes internationales et leurs conditions d'applicabilité.

Ces différentes questions supposent résolue la question de l'échelle pertinente à laquelle l'analyse doit se situer. Est-ce celle de l'État-Nation, celle des régions ou celle de la planète ? Dans la redéfinition des politiques de coopération entre l'Europe et le Sud, la réponse semble contenue dans la question : le niveau de référence est l'Europe, d'un côté, le Sud de l'autre. Pourtant, **Jean-Jacques Gabas** souligne l'effacement du terme de Tiers monde face à l'éclatement des Suds. Et le même constat existe du côté européen, soumis à une double dynamique d'élargissement (au niveau des marchés) et de recentrage (au niveau monétaire). La dimension spatiale est d'ailleurs au centre des Accords de Cotonou entre pays ACP et Union européenne.

III. L'évolution des flux de capitaux internationaux et la redéfinition des relations entre l'Union européenne et les pays du Sud

La ré-orientation des flux de capitaux en direction des pays de l'Est (alors que pour une partie des pays de l'Afrique subsaharienne, notamment, ces flux demeurent très faiblement significatifs) questionne fortement le devenir de la coopération Europe-pays du Sud. De nouveaux pôles d'attraction des flux de capitaux apparaissent au détriment d'autres zones. Or, ces flux sont les vecteurs privilégiés de la dynamique de mondialisation en cours. À travers l'étude de leur géographie, ce sont les phénomènes de marginalisation ou d'intégration dans l'économie mondiale que l'on aborde. Ces évolutions se lisent notamment au niveau des flux d'investissements directs étrangers (IDE).

Plusieurs questions en découlent :

1. Quels sont les déterminants de la localisation des IDE à l'Est ?

Sergio Alessandrini et *S. Contessi* procédent à une analyse comparative et empirique de la localisation régionale des flux IDE en Europe centrale. Leur travail permet de faire ressortir l'importance des effets d'agglomération dans l'attraction des IDE, ainsi que la concentration des IDE aux frontières. Ces deux paramètres permettent d'expliquer de façon plus spécifique la localisation des IDE au sein des régions d'Europe centrale, par un fort effet de proximité, associé à un effet main-d'œuvre peu chère et qualifiée. Les flux de financement officiels ont participé à cette ré-orientation. Ils ont été complémentaires des flux privés, et éventuellement les ont même précédé, comme le suggère la communication de **Csaba Thoma**, sur la première moitié des années quatre-vingt-dix. Ces deux communications justifient la vision d'une Europe centrale très attractive pour les investisseurs privés comme pour les bailleurs de fonds internationaux. On retrouve ici la problématique de la ré-orientation des flux entre l'Europe, le Sud et les pays de l'Est, phénomène inquiétant pour les relations entre l'Europe et ses partenaires traditionnels du Sud.

2. Quels sont les effets de ces IDE sur les pays de l'Est ?

Les effets des IDE sur les salaires sont analysés par **Arjun S. Bedi** et **Andrzej Cieslik** dans le cas de la Pologne. Les salaires sont comparativement plus hauts et croissent plus vite dans les industries manufacturières à forte présence étrangère, et ce résultat proposé par les auteurs illustre le potentiel de croissance qui réside dans l'accès aux IDE. Par comparaison, cette analyse conduit à s'interroger sur l'attractivité des pays en voie de développement, et plus particulièrement au sein de ceux ci, les pays les moins avancés (PMA).

3. Comment les politiques de coopération doivent-elles alors prendre en compte les flux d'IDE ?

Les conséquences des IDE sur la définition de politiques de coopération sont abordées par **Bonnie Campbell**, à travers l'analyse des IDE canadiens dans le secteur minier africain (Ghana et République démocratique du Congo), tels qu'ils sont promus par des politiques de soutien actif de la part du gouvernement canadien. Il apparaît clairement que de tels flux peuvent avoir des effets à moyen terme négatifs (entre autres, sur l'environnement), dans le contexte de libéralisation des échanges internationaux, en contradiction avec les objectifs affichés de la politique de coopération canadienne, etc. Les flux d'IDE peuvent ainsi n'être que l'expression d'un rapport de force international, et dans le cas de l'Afrique, il faut constater la prééminence du motif d'accès à des matières premières dans la détermination des flux d'IDE contrairement à ce que l'on peut constater ailleurs (dans les pays d'Europe centrale, par exemple). Les firmes multinationales ont-elles alors toujours un impact positif sur le développement ? *Kristoffel Lieten* revisite ce débat des années soixante-dix dans sa communication. En opposition avec les politiques d'attraction des IDE mises en place dans la plupart des pays en voie de développement, avec l'aval de la Banque mondiale et du Fond monétaire international (FMI), comme de l'Organisation mondiale du Commerce (OMC), *Kristoffel Lieten* souligne les effets potentiellement néfastes de flux d'IDE totalement libéralisés. Ceux-ci peuvent apparaître comme des facteurs de blocage du développement plus que comme des facteurs de développement. Effectivement, ces flux participent à la réduction des capacités des états à mettre en place de véritables politiques nationales et conduisent à une perte de souveraineté des états nationaux. En dehors des politiques de régulation et des instances nationales ou internationales de régulation, elles n'ont pas eu un impact positif sur le développement économique mais ont plutôt participé à la désorganisation du système mondial.

4. Les accords d'intégration régionale jouent-ils positivement sur les entreprises transnationales ?

Arjun S. Bedi et *Andrzej Cieslik* abordent cette question dans le cas du Mercosur, à travers l'étude des entreprises transnationales françaises installées dans cette région. Le résultat de l'enquête, menée auprès de ces entreprises, est l'absence de rôle joué par la constitution du Mercosur dans les décisions d'investir de celles-ci. Ce sont plutôt les réformes économiques dans chacun des pays membres qui ont joué un rôle prépondérant. Alors que les entreprises transnationales françaises sont confiantes dans l'avenir de la région sur le long terme, à plus court terme ce sont les interrogations sur la vulnérabilité des économies du Mercosur qui influencent leurs décisions.

Les dynamiques complexes de mondialisation, dont les IDE sont un vecteur privilégié, participent ainsi à la différenciation des trajectoires économiques au sein d'espaces marginalisés ou intégrés. Cette différentiation spatiale s'analyse aussi en terme de temporalités.

IV. Des temporalités différentes

Au sein des pays ACP, les pays pauvres très endettés (PPTE) se distinguent par des contraintes de financement extérieur plus fortes, qui leur ont permis de bénéficier de nombreuses mesures d'annulation de dette. Les nouvelles annulations prévues portent sur les PPTE qui pourront démontrer l'insoutenabilité de leur dette. Sur la base de plusieurs études de cas (Cameroun, Bénin, Côte d'Ivoire, Sénégal et Burkina Faso), *Jean-Yves Moisseron* et *Marc Raffinot* montrent que le diagnostic en terme de soutenabilité est discutable, et ne peut être mené sans tenir compte de la totalité des financements extérieurs futurs. La projection des différents éléments constitutifs des financements extérieurs pose de multiples difficultés qui tiennent à la variabilité des sources de financement extérieur. Au-delà, c'est la question des choix politiques dans la gestion de la dette qui est soulevée. La contrainte posée par l'endettement est une contrainte à fort contenu politique et éthique. Il s'agit là d'une dimension essentielle de la coopération internationale, et la façon dont les relations UE-ACP poseront cette question dans le futur orientera profondément le devenir de ces relations.

Le constat de la variabilité et de l'incertitude qui affectent les déterminants de la soutenabilité de la dette tient pour partie aux évolutions des performances à l'exportation, et au type d'insertion internationale des pays ACP. Ainsi, *Vincent Géronimi*, *Patrick Schembri* et *Armand Taranco* montrent-ils qu'aux spécialisations primaires correspondent des régimes dynamiques particulièrement instables à long terme. L'échec des tentatives de stabilisation s'explique alors en partie par un horizon temporel de court ou moyen terme, non pertinent pour stabiliser et faciliter les anticipations des agents économiques.

V. Les modes d'insertion dans l'économie internationale

La spécialisation primaire de la plupart des pays ACP permet d'expliquer les faibles performances économiques d'une majorité d'entre eux. L'instabilité des recettes d'exportation se reflète dans l'instabilité des taux de croissance, ce qui donne un éclairage aux faibles performances économiques à long terme. L'apparition de « trappes à pauvreté » peut ainsi être reliée au niveau élevé d'instabilité. De cette analyse avancée par *Vincent Géronimi*, *Pierre Schembri* et *Armand Taranco*, il ressort que les politiques de coopération entre l'Union européenne et les pays ACP doivent adresser la question de la gestion des instabilités. L'une des pistes à explorer réside dans le renouvellement du soutien aux politiques de diversification.

De façon complémentaire, l'analyse de *Benoît Daviron*, sur les échanges de produits alimentaires, permet de mettre en avant l'évolution de la place des pays en développement dans la division internationale du travail sur une longue période. Ce qui permet de tenir compte du déclin de l'espace national comme espace central de régulation des marchés agricoles. Cette évolution permet d'éclairer le processus de différenciation entre les pays en développement sur les marchés de produits alimentaires. Ainsi, de grands marchés régionaux régulés par des dispositifs contractuels mis en œuvre par des firmes en position d'oligopsone se substitueraient progressivement aux marchés nationaux. L'Eurafrique, hormis les échanges internes à l'Union européenne, manifeste à cet égard une atonie singulière, renvoyant à la marginalisation de l'Afrique sur les marchés internationaux. Par rapport aux dynamiques des marchés internationaux de produits alimentaires, l'accès au marché européen est central.

À cet égard, le secteur du tourisme peut représenter une opportunité pour les pays à spécialisation primaire. Basé sur l'étude du secteur du tourisme à l'Île Maurice, en Afrique du Sud et au Zimbabwe, la communication de **Sheila Page** met en avant les conditions et les effets du tourisme sur le développement des pays d'accueil. Les effets potentiels du développement du secteur sont fortement positifs mais dépendent directement des politiques mises en œuvre en matière, notamment, de redistribution, de communication et de transport. La diversification de la base productive des économies des pays ACP dans la direction du tourisme suppose donc une politique active d'appui.

La diversification des économies, la prise en compte des cheminements temporels, le jeu des acteurs, l'insertion dans la division internationale du travail, etc., tous ces thèmes interrogent les politiques de coopération nord-sud. En termes de politique économique, une conclusion commune émerge, la nécessité de renouveler l'appui à des politiques de coopération repensées en fonction des nouvelles dynamiques internationales.

Les enjeux de la mondialisation

Claire MAINGUY
Université Paris XI, Centre d'Observation des Économies africaines
(COBEA)
Université Robert Schuman, Groupe de Recherche
sur les Identités et les Constructions européennes (GRICE), Strasbourg
Centre de Recherche Territoires, Institutions et
Politiques économiques en Europe (TIPE)
GEMDEV

Dans son discours d'ouverture, **Philip Lowe**, directeur général du développement à la Commission européenne, propose un panorama de l'aide européenne en présentant les objectifs poursuivis, les principes défendus, les politiques mises en œuvre et les choix des instruments. Il met, entre autres, l'accent sur les appuis que la Commission souhaite apporter aux pays en développement, par différents moyens, pour que leur intégration à l'économie mondiale soit bénéfique.

Comme le montrent les documents suivants, à travers des approches très diverses, la mondialisation représente, en effet, un phénomène majeur et induit des adaptations fondamentales :

- les crises économiques peuvent toucher l'ensemble des pays du globe comme l'a montré, par exemple, la crise asiatique de 1997. J. D. Perdersen, M. Diehl et H. Hveem tirent un certain nombre d'enseignements de leurs analyses des crises financières notamment au regard de la réforme de l'architecture financière internationale et du rôle de prêteur en dernier ressort international ;

- les relations du travail sont aussi touchées par la mondialisation. G. Caire met l'accent sur les atteintes aux droits du travail et fait le point sur les différentes possibilités juridiques se développant ;

- la mondialisation nécessite des adaptations propres à chaque secteur d'activité. D. Requier-Desjardins étudie le cas du secteur agroalimentaire des pays en développement et Ph. Barbet s'intéresse au secteur des services postaux ;

- au-delà des pratiques, la mondialisation nécessite l'adaptation des concepts et des théories comme le montrent H. O'Neill et M. Baaz.

I. La mondialisation des effets des crises financières

Dans un contexte marqué par la mondialisation, quelle est la marge de manœuvre des États de pays en développement en matière de politique économique ou de négociations internationales ? *Jørgen Dige Perdersen* compare les réactions de deux des plus importants pays en développement, le Brésil et l'Inde, face à deux situations : les crises financières du début des années soixante-dix et de 1997 et les négociations commerciales multilatérales, notamment l'Uruguay Round.

Le Brésil faisait partie des pays les plus endettés au début des années quatre-vingts et a dû faire appel aux crédits du Fond monétaire international (FMI). Le programme de stabilisation a conduit à une sévère récession. La libéralisation de l'économie a permis d'attirer des capitaux étrangers mais a aussi intensifié la dépendance de l'économie brésilienne vis-à-vis des fluctuations économiques internationales. Sa vulnérabilité apparaît en particulier au moment de la crise asiatique de 1997. L'Inde n'a pas connu une situation aussi difficile dans les années quatre-vingt en raison de la nature de sa dette extérieure mais aussi en raison des réactions du gouvernement. Le recours au financement du FMI a été moins important que prévu et ce sont uniquement les conditionnalités conformes à la politique du gouvernement qui ont été appliquées. La libéralisation des mouvements de capitaux a été moins rapide qu'au Brésil. Malgré tout, l'Inde aussi a dû prendre en compte le contexte économique international.

Concernant les négociations multilatérales, l'Inde et le Brésil avaient une position commune contre l'introduction des services dans les négociations. Cette position a évolué des deux côtés pour différentes raisons. Étant dans une situation économique et financière vulnérable, le maintien de bonnes relations avec les créditeurs était prépondérant pour le Brésil. L'Inde, de son côté, a veillé à ne pas s'isoler. Mais l'évolution de la position des deux pays a aussi été dépendante de leur situation économique interne.

À titre d'enseignement pour d'autres pays en développement, l'auteur fait ressortir la surdétermination des facteurs structurels, à savoir les contraintes liées à la position économique extérieure des pays et la prise en compte des intérêts nationaux. Dans ce contexte, les marges de manœuvre seraient conditionnées par la capacité des acteurs gouvernementaux à intégrer l'évolution des contraintes.

Pour les deux pays évoqués, les liens commerciaux croissants avec l'Union européenne permettent de contrebalancer les liens avec les États-Unis.

Markus Diehl analyse les erreurs des politiques économiques qui ont conduit, selon lui, à la vulnérabilité des pays asiatiques ayant subi la crise de 1997. Il met l'accent sur le régime de change. Deux objectifs doivent présider aux choix des pays en développement : la capacité d'adaptation aux chocs externes et la crédibilité des politiques économiques nationales. Les pays d'Asie du Sud-Est touchés par la crise avaient fait le choix de limiter la volatilité des taux de change en adoptant un taux de change fixe par rapport au dollar, ancrage non justifié, selon l'auteur, étant donné la diversification des relations commerciales et financières. La surévaluation des monnaies asiatiques n'était pas très importante dans les années quatre-vingt-dix mais elle représentait un facteur supplémentaire de vulnérabilité qui se conjuguait avec le manque de transparence et l'insuffisance des règles prudentielles. Un régime de taux de change flottant aurait conduit à une dépréciation progressive de la monnaie en évitant les comportements de panique des investisseurs étrangers et leurs conséquences.

L'auteur analyse ensuite les conditions de libéralisation des marchés des capitaux. Les asymétries d'informations empêchent le bon fonctionnement du marché et les déficiences devraient être prises en compte avant d'envisager la libéralisation des mouvements de capitaux. Il présente les différentes stratégies possibles (libéralisation progressive des mouvements de capitaux avec développement institutionnel adéquat en parallèle, taux de change avec marges de fluctuations, etc.) tout en précisant qu'en cas de brusque revirement des flux de capitaux aucune de ces stratégies ne peut mettre à l'abri de la récession.

La crise asiatique a été à l'origine d'une large réflexion sur la réforme du système financier international et notamment sur la nécessité d'un prêteur international en dernier ressort. L'auteur définit les conditions dans lesquelles un prêteur international pourrait intervenir ainsi que les risques d'aléa moral liés à son existence. En définitive, il prend position pour un système décentralisé plutôt que pour une institution supra-nationale.

Helge Hveem propose une analyse des débats et des différentes positions sur une nouvelle « architecture financière internationale » discutée à la suite de la crise asiatique de 1997. La crise asiatique est considérée par l'auteur comme un tournant dans la mesure où elle a eu des implications internationales avec des effets de contagion. Elle a aussi eu pour effet de mettre en cause le paradigme monétariste en mettant en évidence les défaillances du marché. Elle montre ainsi, selon l'auteur, la nécessité d'une régulation publique des flux de capitaux.

Il étudie les discours et leurs motivations de même que les propositions de réformes du système financier international. La question du rôle plus ou moins prépondérant de l'État tient une place importante dans son analyse.

Helge Hveem identifie quatre types de positions avec des degrés croissants d'implication de l'État vis-à-vis des mécanismes financiers internationaux. L'école libérale privilégie la régulation par le marché, les crises n'étant que des mécanismes de correction. Les conservateurs (*conservative school*) admettent la possibilité d'intervention ponctuelle du FMI ou de la Banque des Règlements internationaux (BRI). La troisième position est celle des réformateurs (*institutionnal reformers*). Pour eux, les institutions sont indispensables pour coordonner et superviser le fonctionnement du marché. Cette position semble faire l'objet de nombreux débats actuellement. La quatrième position, celle des développementalistes (*nationalist developmentalists*) met l'accent, par exemple, sur la nécessité de contrôle des flux financiers et sur l'épargne nationale comme principal moteur du développement.

En conclusion, l'auteur évoque les difficultés techniques et politiques d'une réforme du système financier international mais confirme la nécessité de cohésion et de coordination pour assurer la viabilité du système. Il pose la question du développement des pays du Sud dans ce contexte global. Des politiques interventionnistes ont pu avoir des impacts négatifs mais il sera néanmoins difficile de faire l'économie d'une certaine politique industrielle.

II. La mondialisation des relations du travail

La mondialisation de l'économie a des conséquences indéniables sur les relations du travail. Les difficultés tiennent notamment au fait que le pouvoir économique est mondialisé alors que le pouvoir politique reste essentiellement dans des frontières nationales et que les marchés du travail sont régis par des réglementations nationales.

Guy Caire met en évidence les différentes formes d'incertitudes et d'atteintes aux droits du travail qui peuvent découler de la mondialisation (pertes d'emplois liées aux délocalisations, baisses de salaires dues à une concurrence déloyale, etc.). Il cite les débats qui opposent partisans de la flexibilité et opposants aux pratiques déloyales d'entreprises dont l'avantage comparatif repose sur le travail des enfants, le travail forcé ou d'autres conditions de travail inacceptables. Il se situe dans une optique institutionnelle considérant que, pour que le marché du travail fonctionne bien, il doit être organisé. Il distingue trois types de droits :

- les droits octroyés concernent des entreprises qui, soucieuses de leur image, peuvent recourir à des codes de bonnes conduite, à des labels ou donner lieu à l'investissement éthique ;

- les droits négociés et accords collectifs représentent la possibilité de négocier collectivement à un niveau supranational, pour la politique salariale ou la réduction du temps de travail, par exemple. Cette possibilité concerne essentiellement l'Europe pour le moment mais selon l'auteur pourrait aussi concerner certains pôles de développement multinationaux ou transfrontaliers ;

- les droits concertés et la réglementation internationale du travail concernent les firmes et les États. Il peut s'agir d'engagements fermes ou de principes destinés à orienter l'action des acteurs concernés. Ils se manifestent sous forme de code de conduite ou de clause sociale. Les premiers concernent plus les entreprises.

Par exemple, les « principes directeurs » de l'Organisation de Coopération et de Développement économique (OCDE) visent à engager les États à être attentifs à la contribution des multinationales au progrès économique et social grâce à des normes définies en commun (représentation syndicale, égalité des traitements des salariés, etc.). Les clauses sociales concernent les États et l'auteur met l'accent sur les plus fondamentales, qui font d'ailleurs de plus en plus le consensus, celles qui concernent les Droits de l'homme. Il s'agit de condamner et d'agir contre le travail forcé, le travail des enfants et l'utilisation de la main-d'œuvre pénitentiaire. Mais les clauses sociales concernent également ce qu'on qualifie de « dumping social ». Cependant, l'élaboration de clauses sociales qui pourrait apporter un début de réponse rencontre de nombreuses contraintes détaillées par l'auteur.

Il conclut son propos en posant la question de l'élargissement du droit d'ingérence humanitaire au domaine des conditions de vie et de travail.

III. Analyses sectorielles de la mondialisation

Denis Requier-Desjardins montre qu'une analyse en termes de systèmes agroalimentaires localisés (SYAL) est bien adaptée aux pays en développement pour mieux comprendre les enjeux de la compétitivité des agricultures paysannes dans un contexte de mondialisation.

Dans un premier temps, l'auteur s'intéresse à l'évolution des analyses des systèmes de production locaux en montrant les apports du concept de district industriel développé à l'origine par Marshall, des analyses en termes de géographie économique, de croissance endogène et de l'économie des organisations. Les relations de proximité jouent un rôle essentiel dans les processus d'innovation. La proximité, caractérisée par

65

exemple, par des relations de confiance, permet la réduction des coûts de transaction.

Ces analyses donnent un autre éclairage aux analyses des facteurs de localisation des activités économiques notamment dans le contexte de la mondialisation.

Dans un deuxième temps, avec la notion de SYAL, l'auteur développe l'approche présentée en montrant son intérêt pour le secteur agroalimentaire dans les pays en développement (Afrique et Amérique latine). En effet, la transformation des produits agroalimentaires locaux aboutit souvent à la concentration territoriale de petites unités de production. Les SYAL évoqués sont caractérisés par des « actifs spécifiques » tels que le partage d'un savoir-faire, la référence à des « conventions de qualité ».

Cette approche spécifique du secteur agroalimentaire dans les pays en développement pourrait ouvrir une nouvelle voie à la coopération entre l'Europe et le Sud.

Les services font désormais partie des objectifs des négociations commerciales multilatérales. À ce titre, les services postaux constituent une illustration des problèmes pouvant surgir et des solutions pouvant être envisagées. Parallèlement aux négociations multilatérales, l'Europe a engagé un processus d'unification du marché postal qui pourrait être réalisé au milieu de la décennie. *Philippe Barbet* définit, dans un premier temps, les particularités de l'activité postale puis il pose le problème de la tarification postale internationale sachant que les coûts les plus élevés sont ceux de la distribution finale et sont donc supportés par l'opérateur de distribution qui n'est pas rémunéré pour cela. Des compensations ont été mises en place à partir de 1969.

L'auteur décrit les difficultés rencontrées pour améliorer le système au niveau européen et au niveau international. Ainsi, malgré l'incompatibilité du système de tarification internationale avec les règles de l'Organisation mondiale du Commerce (OMC), celui-ci devrait perdurer d'après l'accord, ratifié par la plupart des pays développés et certains pays en développement, qui en fait une exception.

En Europe, un Livre vert sur le marché unique dans le domaine postal, rédigé en 1992, décrit les caractéristiques d'un « service postal universel ». Une démarche progressive de libéralisation est envisagée avec des étapes marquées en 2003 et en 2007. Il s'agit, d'une part, de permettre la libéralisation du secteur de façon, notamment, à ne pas entraver le développement du commerce électronique dépendant en partie des services postaux et, d'autre part, de limiter les coûts sociaux et humains d'un processus de libéralisation mal maîtrisé dans un secteur intensif en main-d'œuvre.

IV. Adaptation des concepts et théories

Outre un bilan des évolutions et des enjeux de l'aide au développement, *Helen O'Neill* réalise une confrontation entre des théories majeures des relations internationales et des concepts clés en théorie du développement. Ce rapprochement permet de mieux comprendre l'évolution, voire la redéfinition de concepts tels que la pauvreté ou la notion de pouvoir. L'auteur étudie également la pertinence des notions, ainsi que les différences de significations qui leur sont octroyées, quand elles sont utilisées dans les pays industrialisés ou en développement.

L'évolution des relations entre donateurs et récipiendaires renvoie au problème de la représentation des groupes d'intérêt dans les pays en développement. La capacité de ces acteurs à faire valoir leurs intérêts dépend en grande partie de l'accès à l'information, de leur capacité à s'organiser, de la disponibilité de ressources économiques, etc.

La décentralisation, qui avait été vue comme une possibilité de promouvoir la participation dans de nombreux pays en développement, a finalement déçu les attentes. Cette voie pose de nombreuses questions aux chercheurs et pourrait conduire à la définition de nouveaux concepts et à la reformulation de certaines théories.

Les résultats insatisfaisants obtenus par la coopération nord-sud peuvent être attribués à la primauté qui avait été accordée aux impératifs stratégiques des relations est-ouest. Depuis le début des années quatre-vingt-dix, on s'est attaché à d'autres explications. On peut actuellement se demander si la volonté de prendre en compte les évolutions des interprétations de concepts tels que la pauvreté, l'appropriation ou la démocratie n'a pas créé trop de difficultés pour l'évaluation des projets et programmes d'aide. Ne doit-on pas revenir aux critères d'évaluation suivants (explicités par l'auteur) : rendement, efficacité, pertinence, durabilité et impact de l'aide ?

L'objectif, que s'est donné *Mikael Baaz* dans cet article, est de combler le manque concernant une théorie cohérente et convaincante des relations sociales mondiales (*Global Social Relations*). Il met l'accent sur la non-pertinence de la séparation entre la question du développement et celle des relations internationales.

Son point de départ est le « constructivisme social » et il se limite, dans ce papier, à la dimension ontologique de la relation agent-structure. Sa démarche heuristique a pour objectif de fournir un exemple de ce que pourrait offrir une économie politique internationale du développement basée, sur le « constructivisme social », pour comprendre les relations sociales mondiales.

L'urbanisation des pays du Sud
Un défi pour la coopération européenne

Charles GOLDBLUM
Université Paris VIII, Institut français d'Urbanisme (IFU),
Laboratoire Théorie des Mutations urbaines (LTMU)
GEMDEV

Souvent présentée sous les allures catastrophistes de l'explosion urbaine (à l'échelle planétaire) et de la sous-intégration des citadins (à l'échelle urbaine), l'urbanisation des pays du Sud concerne la coopération européenne tant sous l'aspect de la solidarité que dans l'optique des échanges économiques et des transferts technologiques.

À cet égard, l'ancienneté de l'expérience des pays européens en matière d'aménagement des villes et de gestion urbaine mais également les adaptations qu'imposent à leurs structures urbaines et territoriales les nouvelles exigences économiques et technologiques de la mondialisation ouvrent la voie à un renouvellement des conceptions du développement urbain et des approches de la coopération dans ce domaine.

Les contributions proposées sous le présent intitulé rendent compte, à leur manière, de cette prise de distance par rapport aux approches courantes des problèmes urbains en vigueur dans les organismes d'aide internationaux. Cette série de textes se décompose en trois volets principaux :

- la coopération urbaine face aux enjeux de l'urbanisation et de la métropolisation (A. Osmont ; H. Verschure ; T. Souami ; Ch. Goldblum) : volet associant la thématique générale du développement urbain aux nouvelles conditions de la production urbaine liées à la mondialisation et à leurs incidences en termes de coopération ;

- la décentralisation, moyen et objet de la coopération : volet prenant en compte la décentralisation aux deux extrémités des processus de coopération : la coopération décentralisée et ses perspectives (M. Leclerc-Olive ; F. Lapeyre) d'une part ; la décentralisation comme objectif administratif et territorial de la coopération (J. Howell ; L. Valladares ; S. Jaglin et A. Dubresson) d'autre part ;

- les dispositifs techniques de coopération : volet concernant les aspects instrumentaux de la coopération, l'évaluation des dispositifs de coopération en matière de développement urbain (I. Milbert) étant prolongée par des approches relatives à des domaines spécifiques : transfert de techniques d'analyse spatiale (D. Vukhac), logistique d'appui aux initiatives économiques locales (I. Yepez del Castillo), applications sectorielles des techniques urbaines (P. Hjorth).

I. La coopération urbaine face aux enjeux de l'urbanisation et de la métropolisation

1. Mondialisation / métropolisation : politiques et gestion urbaines

Annik Osmont s'attache à montrer l'ambivalence de l'approche de l'urbanisation comme instrument de la croissance économique, telle que promue par le discours néo-libéral. L'argumentaire, établi notamment à partir de l'exemple de Dakar, repose sur un double constat : d'une part, le processus de mondialisation a des effets directs sur l'urbanisation dans la mesure où il renforce la tendance à la métropolisation ; d'autre part, cette tendance est transformée en stratégie par les grands acteurs de la coopération multilatérale, ceux-ci visant une mise en conformité des villes et des États au nouveau contexte économique mondial (sous les mots d'ordre de « bonne gouvernance » et de « décentralisation ») au détriment d'une prise en compte des aspirations des habitants. Le cas de Porto Alegre apparaît ici en contrepoint, comme incitation à une alternative démocratique dans la gestion urbaine.

2. « Urbanisation takes command »

Constatant qu'en dépit de l'évolution du discours sur les villes du Sud depuis les conférences Habitat I et Habitat II de l'ONU, la coopération des pays européens pour le développement demeure largement orientée vers le monde rural, *Han Verschure* milite en faveur d'une meilleure prise en compte des dimensions urbaines du développement et, singulièrement, de l'identité culturelle des villes. Il rejoint la critique qu'*Annik Osmont* porte à l'optique néo-libérale : pas plus que la colonisation, la globalisation ne joue dans le sens de la reconnaissance des spécificités urbaines locales. *Han Verschure* suggère que c'est là un domaine où la coopération européenne pourrait manifester la spécificité de son apport.

3. « Urban connection » : au-delà d'une décennie de coopération urbaine en Algérie

Taoufik Souami présente cependant la coopération européenne avec l'Algérie comme révélatrice des difficultés d'une coopération dans le secteur urbain : après l'Accord CEE-Algérie de 1976 et son entrée en vigueur en 1978, les crédits ont été largement absorbés par l'aide à l'ajustement structurel puis au développement industriel et par les actions sectorielles concernant l'habitat. ***Taoufik Souami*** décrit ainsi une situation de repli où l'optique prévalante est celle d'une mise à niveau des cadres et des opérateurs de l'aménagement urbain dans la perspective de la privatisation, tandis que les formes et les formules adéquates de coopération urbaine se cherchent encore.

4. Les grandes régions urbaines de l'Asie du Sud-Est entre crise et métropolisation. Enjeux et perspectives de coopération

Charles Goldblum rend compte de la complexification que subissent les contextes et les formes de la coopération urbaine sous l'effet de la métropolisation. Les dynamiques urbaines de l'Asie du Sud-Est ont une valeur exemplaire de ce point de vue : la levée de certains obstacles économiques y favorise l'accomplissement de formes urbaines (centrales et périphériques) caractéristiques de l'intégration à l'économie mondialisée mais les problèmes urbains y gagnent aussi en complexité. Le propos de cette contribution est de montrer que la coopération européenne serait à même d'œuvrer au renouvellement des conceptions de l'intervention urbaine dans de tels contextes, notamment en assurant une meilleure coordination des programmes menés à l'échelle régionale (dans le prolongement d'Asia-Urbs, par exemple) et en renforçant les échanges nord-sud, entre praticiens, experts et chercheurs.

II. La décentralisation, moyen et objet de la coopération

1. Décentraliser la coopération : enjeux théoriques et politiques

La décentralisation occupe une position particulière dans les dispositifs d'adaptation des territoires aux nouvelles donnes de l'économie mondiale dans la mesure où elle concerne tant les pays « donateurs » que les pays

« destinataires » de l'aide au développement ; encore convient-il de faire
la part du « nouveau discours » face aux interventions effectives. Sur ce
point, *Michèle Leclerc-Olive* explore un premier volet, à savoir celui de
la coopération décentralisée, cadre privilégié des programmes européens
de coopération en matière de développement urbain. Prenant pour espace
de référence le Mali, elle s'interroge sur les enjeux politiques attachés à
ce double processus de décentralisation (coopération/institutions des États
partenaires), ainsi que sur le type de « démocratie » dont ces démarches
sont porteuses. Les précisions théoriques et conceptuelles apportées par
l'auteur lui permettent de mettre en question l'assimilation (courante) de
la décentralisation aux visions localistes ou anti-étatistes.

2. Mythe et réalité de la coopération décentralisée

Frédéric Lapeyre prolonge cette démarche critique sur un autre plan : il
met notamment en cause le discours néo-libéral sur la décentralisation, tel
qu'il est promu par les organisations internationales. Il reproche à celui-ci
de viser avant tout une adaptation fonctionnelle des sociétés et des
territoires aux exigences de la mondialisation économique, avec pour
effet de délégitimer le rôle de l'État dans le développement et de
renforcer la logique spatiale transnationale des pôles d'accumulation. Á
cette vision, l'auteur oppose une autre conception de la coopération
décentralisée, fondée sur le dynamisme participatif de la société civile
dans la mobilisation des ressources locales, sur la reconnaissance du rôle
du capital social dans le développement.

3. "Making civil society from the outside : challenges for donors"

Jude Howell ne semble pas partager l'optimisme de *Frédéric Lapeyre*
concernant le rôle de la société civile dans le développement. De son
point de vue, les bailleurs de fonds (et principalement les organismes
internationaux d'aide au développement) sont générateurs de corps

intermédiaires faisant office d'interlocuteurs locaux. Ils sont ainsi à l'origine d'une construction exogène de la société civile (ou de son reconditionnement), au risque de l'instrumentaliser et de la priver de toute capacité d'innovation sociale et politique. Cette « valorisation » des organisations non-gouvernementales puis de la société civile - observable du côté des pays « donateurs » (réorientation stratégique de l'USAID et des fondations philanthropiques aux États-Unis) - est ainsi mise en relation avec la montée en puissance de la rhétorique de la « bonne gouvernance ». Le contexte particulier dans lequel la société civile vient s'adjoindre au binôme État-marché interroge sur la réalité de son autonomie.

4. L'enjeu de la pauvreté urbaine : un des défis de la coopération internationale en Amérique latine

Les observations de *Licia Valladares* concernant les modalités d'intervention en milieu urbain défavorisé de deux catégories d'acteurs de la coopération en Amérique latine : le *Peace Corps* des années soixante et les organisations non gouvernementales des années 1980-1990, semblent corroborer le propos de *Jude Howell*. L'auteur s'attache à montrer ce qui distingue ces deux moments d'investissement des *favelas* brésiliennes par la coopération internationale, tant du point de vue des contextes physiques et sociaux locaux que du point de vue des compétences techniques des acteurs de la coopération. Mais elle pointe également une commune méconnaissance de la scène socio-politique locale (au profit d'une projection naïve des idéalités communautaires et participatives auxquelles l'habitat sous-intégré sert de support), conduisant les interventions soit à des échecs, soit à l'introduction non maîtrisée de disparités au sein des sociétés locales.

5. Les décentralisations au risque de la fragmentation urbaine en Afrique sub-saharienne

Sylvy Jaglin et *Alain Dubresson* donne à la question de la décentralisation une dimension plus spécifiquement urbaine, en référence aux contextes politiques et territoriaux subsahariens. Les réformes décentralisatrices menées dans ces contextes sont-elles de nature à favoriser l'intégration urbaine ou contribuent-elles aux processus de fragmentation socio-spatiale ? Autrement dit, doit-on en attendre des villes plus gouvernables ou plus exclusives ? Cette question - mettant en jeu des projets urbains - est examinée sous l'aspect des dépendances externes (techniques et financières), rejoignant la question de l'autonomie esquissée par *Jude Howell* ; mais elle est également examinée dans ses logiques endogènes : ce qui apparaît comme renforcement des collectivités locales et du secteur privé (privatisation des services urbains) ne relève-t-il pas de mécanismes de retranchement des populations aisées au détriment des solidarités urbaines ?

III. Dispositifs techniques de coopération

1. "Changing international aid to cities"

Dressant un état des lieux concernant les dispositifs techniques de la coopération en matière de développement urbain, *Isabelle Milbert* s'interroge sur les orientations novatrices dans les modalités de l'aide aux villes et sur leur portée. L'aide spécifiquement urbaine demeure certes restreinte, mais la conférence Habitat II a réinsisté sur sa nécessité pour des raisons sociales, économiques et de gestion ; cette reconnaissance tient-elle ses promesses face à la tendance générale à la diminution de l'aide publique au développement ? Selon *Isabelle Milbert*, les contraintes, liées à ce contexte et à la diversification croissante des interventions, conduisent à reconsidérer les méthodes, les outils et les stratégies de coopération urbaine en prenant en compte les logiques distinctes qui animent les agences d'aide bilatérales (assistance technique) et multilatérales (budget d'investissement). De là, la question des nouveaux partenariats : entre agences, avec les municipalités concernées, avec les organisations non gouvernementales du Nord et du Sud, avec les institutions de recherche et de formation, avec le secteur privé. Les trois contributions qui suivent illustrent chacune une dimension spécifique de ces partenariats évoqués par *Isabelle Milbert*.

2. La coopération au sein du VTGEO (Centre de Télédétection et de Géomatique)

Dang Vukhac présente une série de projets de coopération scientifique entre organismes de recherche vietnamiens et européens, situés en amont des actions d'aménagement. Il s'agit notamment de l'Observatoire de la basse vallée du fleuve Rouge, projet mené en partenariat avec l'Université de Bordeaux III et l'Unité mixte de Recherche REGARDS, dont un premier volet est consacré à l'étude de l'impact de l'ouverture économique du Vietnam sur le développement péri-urbain dans la province de Hanoi ; un second volet vise à l'élaboration d'une base de données informatisées (concernant notamment les densités et les formes d'occupation du sol) devant servir d'outil de prévision et d'aide à la décision en matière d'utilisation et d'aménagement de l'espace. L'apport de la coopération concerne principalement le transfert de technologies dans les domaines de la télédétection et des systèmes d'information géographiques.

3. Tisser par l'apprentissage : logiques populaires et logiques d'appui

Prenant pour référence les initiatives économiques locales engagées par les organisations de femmes tant en Afrique qu'en Amérique latine, *Isabel Yepez del Castillo* traite des problèmes d'ajustement que font apparaître les appuis logistiques externes face aux logiques endogènes portées par les associations locales. Le propos concerne certes plus directement les économies villageoises mais l'évaluation des perspectives d'un apprentissage mutuel, notamment dans l'optique du « commerce équitable », mettant à profit l'interaction de logiques et de pratiques distinctes du développement, valent largement pour des contextes urbains ou d'urbanisation en cours.

4. "The challenge of providing water supply, sanitation and solid waste management in an urbanising world"

Faisant état de l'apport de la coopération technique dans le secteur des services urbains, le propos de **Peder Hjorth** est de montrer que les actions sectorielles dans le domaine des techniques urbaines (distribution d'eau potable, assainissement, traitement des déchets) peuvent contribuer à la résolution de problèmes globaux de développement (pauvreté et environnement en particulier), sous réserve de n'être pas conçues de façon isolée, mais d'intégrer de nouvelles pratiques de « gouvernance » et de gestion. L'auteur insiste sur la nécessité de repenser les structures des agences d'aide, des institutions sectorielles et les relations entre techniciens du développement et bénéficiaires de l'aide dans cet esprit, en mettant l'accent non sur la privatisation des services urbains mais sur leur décentralisation en direction des institutions sectorielles locales.

La dimension politique et économique des accords de coopération pour le développement de l'Union européenne

Irène BELLIER

Laboratoire d'Anthropologie des Institutions et des Organisations sociales (LAIOS), Paris
CNRS
GEMDEV

Jean-Jacques GABAS

Université Paris XI, Centre d'Observation des Économies africaines (COBEA), Orsay
GEMDEV

Les accords de coopération pour le développement de l'Union européenne ont des contenus et des priorités assez différents selon les régions et les périodes. Lors de la conférence générale de l'EADI « L'Europe et le Sud à l'aube du XXIe siècle : enjeux et renouvellement de la coopération » ont été présentées plusieurs communications qui permettent de saisir les enjeux de la possible refondation d'une politique européenne de coopération, ce qui suppose que des efforts très nets soient engagés pour adresser sans détour les questions que pose à l'Union européenne la perspective de la coopération au développement.

Ces textes concernent des questions-clés, parmi lesquelles :

- la transformation politique des relations entre l'Union européenne et les pays ACP (J.-J. Gabas et P. Hugon ; O. Castel ; I. Bellier ; H. de Milly ; E. Moustier et R. Teboul ; F. Noorbakhsh et A. Paloni) avec notamment la référence à ce qu'il est désormais convenu de nommer « les conditionnalités politiques» ;

- la construction de nouveaux blocs régionaux (K. Perrody ; G. Vaggi ; M. Schiff ; S. Roceska) et leur impact économique et politique ;

- le changement dans les motivations de l'aide (Z. Dibaja ; L. Siitonen ; J. Koponen ; A. Le Naëlou) et la différenciation des logiques au niveau des bailleurs de fonds ;

- le rapport entre les politiques d'aide et la construction de la compétitivité (P. Farkas ; E. Boiscuvier ; F. Menegaldo ; K. Mounamou-Dulac ; C. Mainguy ; N. Biswajit ; P. Nunnenkamp ; T. Lloyd, M. Mcgillivray, O. Morrissey et R. Osei) ;

- l'incohérence des politiques d'aide (L. Jaïdi ; L. de la Rive Box ; J.-P. Rolland ; F. Leloup ; E. Rugimire-Makuza ; B. Ki-Zerbo) ;

- la mobilisation des nouveaux acteurs de la société civile (C. Freres ; N. Webster ; M. Kaag ; G. Lachenmann ; C. Risseeuw).

Pour l'instant, l'enjeu du développement est relégué dans l'arrière-cour de la politique extérieure et de sécurité commune de l'Union européenne et celui des pays d'Afrique, des Caraïbes et du Pacific (ACP) en particulier paraît bien secondaire par rapport à celui des marches du nouvel empire que représentent les pays d'Europe centrale et orientale nouvel empire que représentent les pays d'Europe centrale et orientale (PECO), promis à rejoindre le club des Européens unis dans un futur proche. Quant aux pays méditerranéens du Sud et de l'Est, la coopération avec l'Europe restera-t-elle limitée à une zone de libre-échange ?

I. Les évolutions du cadre politique

Jean-Jacques Gabas et *Philippe Hugon* exposent les nouveaux enjeux économiques et politiques des Accords de Cotonou. Ils montrent en premier lieu pourquoi le dialogue politique est difficile à construire entre l'Union européenne et les pays ACP et comment le régionalisme qui était une des spécificités des Conventions dites de Lomé, se fond dans le multilatéralisme de l'Organisation mondiale du Commerce (OMC). Ils exposent les raisons pour lesquelles doit être améliorée l'évaluation des politiques d'aide de l'Union européenne, analysent les transformations du paysage mondial qui ne conduit pas seulement à une nouvelle hiérarchisation par polarisation autour des trois puissances les plus grandes mais à la marginalisation des pays ACP par perte de compétitivité.

Ce nouvel Accord de Cotonou ne représente-t-il pas selon *Odile Castel* l'abandon des principes qui ont fait l'originalité et la spécificité de la coopération européenne avec les pays ACP ? Le nouveau contexte mondial est marqué par cinq traits majeurs qui l'inscrivent dans le modèle de l'ultra-impérialisme : la formation d'oligopoles mondiaux, la globalisation financière, le développement du commerce intra-firmes, le partage des marchés mondiaux entre les oligopoles et le développement d'une logique géo-économique dans les relations internationales. Les transformations qu'elle observe dans le passage de Lomé à Cotonou renvoient à l'élargissement des champs d'action des acteurs et de liberté de jeu des acteurs les plus puissants, ce qu'elle considère être une dimension bien réelle de l'ultra-impérialisme qu'elle décrit.

Le contexte mondial selon ***Irène Bellier*** marque la réflexion qui oriente les priorités de l'Union européenne et l'absence de lignes motrices. L'heure est à la concurrence des États, des firmes, des politiques et aussi des modèles ce qui, combiné à la liberté de choix, profondément ancrée dans le schéma directeur des démocraties libérales, induit des conceptions plutôt contradictoires du développement. L'Union européenne ne parvient pas avec ses partenaires ACP, ni avec les autres ensembles de pays avec qui elle est liée par des accords régionaux, à construire un véritable partenariat qui serait fondé sur la reconnaissance des valeurs sociales, la circulation pluri-directionnelle des concepts de développement, la diversification des langues usitées. Or, sur la scène du développement, la dimension linguistique des échanges aux différents niveaux de l'organisation du dialogue devrait faire l'objet d'une réflexion s'il s'agissait de mettre en accord les intentions et les réalités.

Pour ***Hubert de Milly***, l'aide publique au développement et l'État africain entretiennent une relation de vieux couple qui se dispute sans pouvoir se séparer. La déstabilisation que l'on enregistre aujourd'hui ne serait même pas de leur fait mais plutôt le fruit de critiques extérieures, les premières qui s'adressent à l'État dans sa fonction d'écran au développement, doté de surcroît d'un certain pouvoir de nuisance, les secondes qui concernent le dévoiement de l'aide qui résulte de ce fait. Bien qu'il réunisse ces entités distinctes en un seul couple et qu'il personnalise chacun des termes dans une totale abstraction dont il s'écarte un temps pour traiter des États (singularités énonçables) sahéliens, il lui paraît indispensable de revenir sur cette union en s'appuyant sur les forces susceptibles de faire bouger le couple : l'émergence de contre-pouvoirs à l'intérieur de l'État, la réforme de l'aide public au développement (APD) à l'extérieur.

Examinant la manière dont les conditionnalités ont été mises en œuvre dans le cadre des programmes d'ajustement structurel et au vu des piètres résultats, notamment en Afrique sub-saharienne, ***Farhad Noorbakhsh*** et ***Alberto Paloni*** proposent d'identifier les indicateurs pertinents pour redéfinir les réformes et les politiques d'accompagnement dans la direction souhaitée. Les variables qu'ils mettent en évidence concernent la vitesse et l'extension des réformes politiques, la part relative de l'austérité et de la croissance dans l'ajustement à court terme, le caractère central de la baisse de la pauvreté et du rôle du gouvernement dans cette perspective et enfin le mode de financement des programmes.

Enfin, à partir de tests économétriques, **Emmanuelle Moustier** et **René Teboul** estiment qu'il est difficile dans le cas des pays au sud de la Méditerranée de conclure à l'efficacité de l'aide en termes de croissance du produit intérieur brut (PIB), de l'épargne intérieure et de croissance des investissements directs étrangers. L'efficacité est liée au modèle de développement suivi par les États ainsi qu'au caractère très aléatoire de cette aide et à sa distribution répondant le plus souvent à des critères politiques ou stratégiques.

II. La construction des blocs régionaux

L'Union européenne est confrontée à diverses demandes d'élargissement, dans des directions très diverses, du côté des pays d'Europe centrale et de l'Est, et du côté des pays méditerranéens. À côté des accords ACP-UE, émergent ainsi des accords d'association (Maroc, Tunisie, Israël) qui viennent concurrencer les relations ACP-UE, alors qu'au sein même des candidats potentiels à l'intégration dans l'Union européenne, diverses réorientations des flux sont à l'œuvre (filière textile par exemple). Ces évolutions aux marges de l'Union européenne impliquent un retour sur la politique agricole commune et sur les mécanismes de transferts des fonds structurels en direction des régions et des pays les plus pauvres. Ces dynamiques peuvent se traduire à terme par un éclatement de la zone ACP dans ces relations avec l'Union européenne, et notamment à travers une différenciation de plus en plus affirmée de la zone méditerranéenne vis-à-vis des autres pays ACP. L'érosion des préférences prendrait, dans ce cadre, la forme d'une différenciation de plus en plus poussée de la zone ACP dans ses relations avec l'Union européenne.

Pour *Gianni Vaggi* les relations économiques entre l'Union européenne et les pays méditerranéens soulèvent des questions proches de celles rencontrées par les États-Unis dans leurs relations avec le Mexique au sein de l'Accord de libre-échange nord-américain (ALENA) : selon ce modèle, la libéralisation des échanges doit s'accompagner d'un support financier conséquent en direction des pays du Sud.

Kristalna Perrody, examinant les rapports de l'Union européenne avec le Mercosur, le Pacte andin, l'ALENA, et la stratégie qui s'inscrit dans la compétition avec les États-Unis, montre que si la coopération politique va dans le sens du renforcement de l'intégration régionale, les limites de la politique communautaire de coopération oblige à en repenser les modalités. Même si l'Union européenne est le premier partenaire en termes d'aide macro-économique, de soutien au développement économique et social à travers plusieurs programmes concernant l'économie, l'énergie, l'éducation et les réseaux urbains, les procédures sont lourdes et les dysfonctionnements notables, en termes de cohérence, de défaut de coordination avec les politiques des États membres, d'écart vis-à-vis des besoins des populations, dans un contexte de baisse de l'APD et d'accroissement des inégalités entre les pays récipiendaires. L'alternative passerait par l'association des organisations de la société civile à l'élaboration des politiques de coopération qui les concernent, en s'appuyant sur la coopération décentralisée pour promouvoir un véritable partenariat avec les élus locaux.

Les résultats des réflexions menées par la Banque mondiale dans le cadre de son projet de recherche « Intégration régionale et développement » permettent de préciser les enjeux de l'intégration sud-nord. L'intégration régionale renvoie à une analyse en termes d'optimum de second rang, et on ne peut affirmer *a priori* si un accord d'intégration régionale aura des effets globalement positifs ou non. Dans le cadre de la Convention de

Cotonou, l'idée est de redessiner les contours de la coopération avec l'Union européenne en fonction des zones d'intégration régionale qui se porteraient candidates à la création de zones de libre-échange avec l'Union européenne. *Maurice Schiff* souligne que les impacts purement économiques restent très ambigus, et que c'est sur le domaine des gains politiques potentiels (gestion des conflits, démocratie et gouvernance) que la coopération UE-ACP est susceptible d'avoir le plus d'impact positif. Les gains politiques attendus pourraient justifier alors un soutien financier à la mise en place de ces accords.

En effet, les politiques de coopération européenne favorisent l'émergence sur le plan institutionnel d'outils aussi bien économiques que politiques qui peuvent jouer un rôle décisif, comme c'est le cas du Pacte de Stabilité dans les Balkans. *Slavica Roceska* expose de quelle façon les perspectives d'une intégration infra-régionale dans les Balkans, stimulée par les programmes européens et par de profondes transformations des structures économiques, peuvent améliorer les relations entre les États et enrayer le caractère historique des animosités fondées sur les différences ethniques, religieuses, politiques et culturelles, responsables de l'instabilité, du séparatisme et des conflits.

III. Changements dans les motivations de l'aide

La question se pose de savoir comment développer le dialogue politique lorsque les motivations à l'aide sont essentiellement commerciales ? Pour *Zahir Dibaja*, la philosophie sous-jacente au modèle occidental de coopération pour le développement contredit la logique dominant le règne du marché qui s'appuie sur la maximisation du profit. À ses yeux, la méthodologie de l'Occident n'a cure de la dimension humaine des individus ou des nations, et le matérialisme caractéristique de son expansion idéologique qui mit fin à l'intervention de Dieu dans les lois de la nature a seulement nourri un processus d'individualisation des sociétés dans lesquelles les termes de démocratie, de solidarité ou de coopération ne constituent que l'une des conditions de développement du capitalisme. La coopération ne serait pas dans la nature des sociétés capitalistes et il conteste la possibilité même de promouvoir une forme quelconque de partage du pouvoir et des ressources, avec ou sans coopération.

Quelles peuvent donc être pour **Lauri Siitonen** les motivations à l'aide pour de petits États (dont la définition est peu claire mais qui représentent quand même seize États sur les 22 du Comité d'aide au Développement - CAD) ? Celles-ci sont assez différentes : la proximité reste souvent énoncée (par exemple, l'Australie et la Nouvelle-Zélande aident en priorité les pays de la zone pacifique) dans un processus d'identification collective régionale et cela s'accompagne, pour les pays nordiques, de la construction d'une identité sur le plan international (avec le thème de la lutte contre la pauvreté). Mais la motivation commerciale n'est pas totalement absente d'une relation d'aide. **Juhani Koponen** analyse les motivations de l'aide de la Finlande en insistant sur la formation d'une image internationale, qui s'est forgée au fil des ans pour se démarquer de l'ex-URSS. La Finlande a d'ailleurs joué un rôle très important dans la création du CAD et dans la construction d'un consensus international où l'aide devait atteindre 0,7 % du PNB de chaque donateur. Mais les motivations à l'aide au développement sont également commerciales et diplomatiques.

Peut-on mettre sur un même plan les motivations de l'Union européenne en Asie avec celles qui se font jour dans d'autres régions ? Certainement pas. La politique communautaire de développement de l'Union européenne avec les pays d'Asie est analysée par **Anne Le Naëlou** comme oscillant « entre coopération et concurrence ». En Asie, l'Union européenne s'oriente vers de la coopération économique au détriment de la coopération pour le développement. On fonde la logique de la coopération sur la notion d'intérêt mutuel immédiat, en réduisant les obstacles au commerce et aux investissements entre l'Europe et l'Asie.

IV. Aide et compétitivité

Peter Farkas s'interroge sur l'affaiblissement des liens économiques et contractuels entre l'Union européenne et les États ACP et l'Afrique du Nord. Pour lui, quinze années d'ajustement structurel, aggravés par les enjeux de la libéralisation, la baisse des préférences tarifaires, le changement des priorités européennes et le déclin de la valeur de l'aide ne se sont pas traduites par un effet quelconque sur le développement. S'il lui semble clair que l'Union européenne a besoin de l'Afrique à long terme, la renégociation de la Convention de Lomé a montré la fracture des intérêts, autrefois mieux partagés. Alors que l'Union européenne introduit la notion de conditionnalité et de performance, les pays ACP continuent de parler en termes de besoins, notamment en faveur des pays les moins avancés. Le compromis final *qui reflète la relation des pouvoirs entre les deux blocs de négociateurs risque de bénéficier plus à l'Union européenne qu'aux pays ACP. La formation d'une région euro-med, comme un nouvel accord UE-ACP peuvent freiner mais non stopper l'érosion du rôle économique de l'Europe dans la région, qui tient à l'impact positif mais fortement problématique de l'ouverture des marchés, à la résistance des élites locales arc-boutées sur la défense de leurs privilèges et enfin à l'immense difficulté à réaliser un pluralisme politique face aux pressions islamiques.

Eléonore Boiscuvier revient sur l'analyse de la position des pays méditerranéens dans la division internationale du travail pour démontrer, à partir de substantielles études du Maroc, de la Tunisie, de l'Égypte, de la Jordanie, d'Israël que la spécialisation des pays méditerranéens dans les productions à faible valeur ajoutée les conduit à affronter une très forte concurrence tandis qu'elle observe le découragement des stratégies de remontée de filières vers les biens en début de cycle du produit. Dès lors, l'ouverture des marchés et le développement des échanges qu'encourage la politique européenne de coopération au développement accroissent la vulnérabilité de ces pays qui subissent un effet de ciseau de la part des pays d'Europe centrale et orientale qui offrent des produits industriels de meilleure qualité pour un différentiel de coût moindre et de celle des pays asiatiques qui proposent une qualité de marchandise et une productivité du travail équivalentes pour un coût inférieur.

Fabienne Menegaldo analyse que les relations commerciales entre les pays du Sud et de l'Est de la Méditerranée (Égypte, Israël, Jordanie, Maroc, Tunisie et Turquie) et l'Europe sont croissantes depuis la fin des années quatre-vingts. Mais, les déficits de balance commerciale augmentent entre ces pays et la plupart des pays européens ; ils ne peuvent être compensés du fait d'une très faible intégration entre eux et d'une très faible intégration à l'économie mondiale. La création d'une zone de libre-échange indique une nette croissance des importations en provenance d'Europe, supérieure à celle des exportations. Comment cette libéralisation peut-elle profiter à ces États ? Ne faut-il pas en priorité jouer sur l'offre compétitive avant de s'intéresser aux obstacles du marché ?

Karin Mounamou-Dulac analyse l'impact de l'accord de libre-échange entre l'Union européenne et l'Afrique du Sud sur la stratégie industrielle et la répartition des revenus en Afrique du Sud. La libéralisation des échanges avec l'Union européenne sera bénéfique à court terme pour l'Afrique du Sud si le traitement de ses produits primaires est amélioré. Mais une telle stratégie n'aura pas d'effets positifs en termes de création d'emplois et de répartition de revenus. Le commerce avec l'Union européenne entraînera une baisse des salaires les moins qualifiés risquant d'accroître les inégalités de revenus. Pour des gains à long terme il faudrait réorienter les exportations sur les plans géographique et technologique et, pour cela, investir dans la formation de manière à ce que l'Afrique du Sud bénéficie d'un avantage comparatif. Ne faut-il pas trouver un équilibre entre cet investissement pour le long terme qui devrait concurrencer les entreprises européennes et des investissements qui à court terme devraient permettre une compétitivité sur le marché régional africain ?

L'impact de l'aide européenne sur la compétitivité des exportations africaines est analysé par **Claire Mainguy**. Pour améliorer la compétitivité qui se calcule par l'accroissement des parts de marché on joue sur les prix : prix de revient, taux d'inflation ou en rééquilibrant les taux de change. Mais, en prenant en compte les aspects qualité et volume, le champ des politiques s'élargit et c'est là que le rôle de l'aide européenne peut être déterminant et singulier. Inciter à la dévaluation pour favoriser les exportations doit s'accompagner de mesures de développement à long terme par des financements dans les secteurs des infrastructures, de la formation, de la santé dans une optique d'intégration régionale.

L'élargissement de l'Europe vers les pays d'Europe centrale et de l'Est ne devrait pas être source d'inquiétude pour les pays d'Amérique latine. En effet, l'analyse menée par **Peter Nunnenkamp** montre bien que les exportations d'Amérique latine vers l'Europe sont complémentaires de celles effectuées par les pays d'Europe centrale et de l'Est. En conséquence il n'y a pas selon l'auteur de risque d'éviction : l'avenir des relations économiques entre l'Amérique latine et l'Europe dépendra de l'adoption de réformes durables dans les politiques économiques adoptées dans les pays d'Amérique latine ainsi que du rôle de l'Europe dans les négociations multilatérales sur le commerce plutôt que de l'élargissement de l'Europe.

Enfin, les travaux de **Tim Lloyd, Mark Mcgillivray, Oliver Morrissey** et **Robert Osei** portent sur les liens entre commerce extérieur et aide. Ils concluent à partir d'une analyse économétrique sur 26 pays d'Afrique et 4 pays d'Europe au cours de la période 1969-1995 qu'il n'y a que très peu de liens de causalité entre volume de l'aide publique au développement distribuée et volume du commerce international des pays africains sélectionnés dans l'enquête.

Pour finir, l'analyse de l'évolution des exportations de l'Inde vers l'Union européenne permet de faire ressortir les enjeux de l'accès au marché européen pour les pays qui ne disposent pas d'un accès préférentiel. En l'occurrence, *Nag Biswajit* montre à travers la comparaison des indices d'avantages comparatifs révélés dans les différents secteurs d'exportation de l'Inde, que les exportations manufacturières les plus compétitives ne rencontrent pas d'obstacles tarifaires sur le marché européen, mais, par contre, sont soumises à des barrières non tarifaires. La libéralisation des échanges pour porter ses fruits doit évidemment intégrer ces barrières non tarifaires.

V. Incohérence de l'aide

Le défi de l'Union européenne est aussi celui de renforcer la cohérence de ses politiques de coopération. Analysant les évolutions récentes en termes d'orientation, de niveau et de ciblage de l'aide, *Larabi Jaïdi* part du constat confirmé par la plupart des études économétriques qu'il n'existe pas de corrélation directe entre le niveau de l'aide et l'évolution du PIB par habitant. Tout dépend de la mise en place de bonnes politiques économiques nationales. Toutefois on observe un certain nombre d'incohérences dans la politique d'aide européenne réduisant de fait l'efficacité de l'aide sur la croissance du PIB. Il en est ainsi, par exemple entre la levée des obstacles pour l'accès au marché et le soutien au développement rural, la politique agricole commune et l'aide au développement, la volonté de contrôler les flux migratoires et le refus d'utiliser l'aide comme vecteur de co-développement, la faiblesse des ressources affectées aux actions d'intégration régionale et le projet de création d'une zone euro-med, l'aide liée et les stratégies de partenariat et de renforcement des capacités, etc.

Pour *Louk de la Rive Box*, la cohérence des politiques de développement est à analyser non pas du point de vue de l'organisation mais en fonction de leur valeur intrinsèque comme mécanisme d'intégration sociale. L'incohérence ne serait donc pas dans la politique de développement mais dans le conflit avec les autres politiques, ce qui l'amène à proposer une analyse de la politique de développement indépendamment de la théorie des choix rationnels, dans la perspective des rapports avec l'ensemble des valeurs sociales qu'elle mobilise, au Nord et au Sud. Il voit une possibilité de réduire l'incohérence constatée à partir de l'émergence de groupes d'intérêt public au Nord et au Sud faisant référence à des valeurs communes. Il invite donc à rechercher les éléments de « civilatéralité » qui procèdent du développement des relations entre les groupes d'intérêt publics issus des pays donateurs et bénéficiaires. Il constate que la décision européenne conduisant à l'élaboration des politiques de coopération est peu affectée par l'opinion publique européenne, peu fondée sur la notion de valeur en commun, et peu déterminée par les groupes d'intérêt public européens, au contraire de ce qui se passe au niveau national. Le seul changement qui pourrait se produire serait à attendre du développement de la coopération décentralisée et de l'émergence d'un processus d'évaluation conjointe (*covaluation*) des politiques de développement et de leurs effets sur les sociétés du Nord et du Sud.

Jean-Pierre Rolland, analyse les incohérences passées entre la politique de développement communautaire et la politique agricole commune. Le nouveau partenariat commercial, contenu dans l'Accord de Cotonou, et la réforme de la politique agricole commune risquent de dégrader encore la situation. Si l'Europe souhaite conserver son modèle agricole face aux pressions des États-Unis et du groupe Cairns et les pays ACP disposer de marges de manœuvre pour construire leurs politiques agricoles, alors des alliances s'imposent pour construire des intérêts communs au premier rang desquels la sécurité alimentaire et le développement durable. C'est dans ce contexte qu'une meilleure cohérence des politiques devient nécessaire.

L'analyse de la cohérence des politiques est abordée par *Fabienne Leloup* sous l'angle de la construction des entités régionales en Afrique et notamment la Communauté économique des États de l'Afrique de l'Ouest (CEDEAO). Quelle cohérence y-a-t-il entre une construction régionale institutionnelle soutenue par l'ensemble des bailleurs de fonds et la réalité assez différente des relations économiques transfrontalières ? Les incohérences peuvent aussi être saisies entre les différentes politiques. L'illustration est donnée à partir du cas de l'Ouganda présenté par *Emmanuel Rugumire-Makuza*, montrant les incohérences entre les objectifs d'une politique de sécurité alimentaire et l'adoption de programmes d'ajustement structurel.

Enfin, le concept de cohérence est abordé par *Béatrice Ki-Zerbo,* dans le cas du Burkina Faso, en montrant que cette recherche de cohérence entre les différents acteurs de la coopération avec les pouvoirs publics nationaux ne doit pas nier la diversité des logiques de chacun d'entre eux.

VI. Les nouveaux acteurs de la société civile

La lutte contre la pauvreté est le dernier objet des politiques de la Banque mondiale, au vu des chiffres alarmants sur la multiplication des pays les moins avancés (PMA) et l'accroissement des écarts entre les pauvres et les riches dans tous les pays de la planète. *Neil Webster* ne s'intéresse pas à la pauvreté comme object mais à la manière dont on entre et on sort de la pauvreté. À partir de l'étude d'un village du Bengale occidental, il montre que les pauvres ne sont pas de simples bénéficiaires d'une aide potentielle. Leur situation peut être transformée si l'on connaît les processus par lesquels contester les positions économiques, sociales et politiques du pouvoir. Il s'agit donc de reconnaître « les pauvres » comme des acteurs centraux pour orienter à partir des stratégies des ménages la nature et le sens du développement économique. Cela devient possible si l'État s'engage dans les domaines du droit, de l'accès aux ressources, et de la séparation des pouvoirs économique et politique au niveau local.

Christian Freres analyse la capacité de l'Europe à promouvoir dans le monde une forme de diplomatie et de dialogue capable de concurrencer le modèle américain qui domine sur les marchés financiers et de remettre en question, dans l'analyse des rapports de coopération pour le développement des pays du Sud, l'usage des armes d'une part, les principes de la conditionnalité économique d'autre part. Notant la prévalence des intérêts territoriaux et industriels, le poids accru des États membres dans le processus de décision, et les difficultés de mise en place d'un espace public européen, il constate que la coopération avec le Sud s'est développée sans que le Parlement européen n'exerce un véritable contrôle budgétaire ni que la Commission européenne ne maîtrise toujours ses dysfonctionnement internes. Parallèlement au développement des Euro-groupes et à la floraison d'associations transeuropéennes, il s'interroge sur la capacité des ONG à développer les moyens d'une action aux niveaux nationaux et européens et une analyse cohérente articulant leurs positions sur l'intégration européenne à celles sur les pays en voie de développement. La régionalisation de la coopération européenne vient contrer les efforts des ONG pour définir une stratégie globale et des instruments cohérents. Il prend appui sur l'étude de cas du CLONG dont les campagnes lors de la préparation des conférences intergouvernementales, entre 1995 et 2000, ont révélé la dépendance vis-à-vis des plates-formes nationales et la faiblesse des ressources humaines.

Parmi les nouveaux acteurs des politiques de coopération, sont distinguées les femmes, soit parce qu'elles sont l'objet d'une approche de type *Women in Development* (WID), par laquelle elles deviennent les « moyens du développement », soit parce qu'elles sont considérées comme des « objectifs » comme dans l'approche *Gender and Development* (GAD) qui vise à les intégrer dans les politiques comme des acteurs à part entière des structures sociales, politiques et économiques qui n'en tiennent autrement pas compte. *Mayke Kaag*, analysant la contribution des femmes dans un projet de gestion des ressources naturelles au Sénégal, constate que les femmes ont une nette préférence pour les projets concrets aux résultats immédiats plutôt que différés dans le temps, et que leur mobilisation dépend des ressources allouées à l'information et à la communication dans le cadre d'un processus de décentralisation qui doit être conçu comme un exercice politique, non comme un outil technique. ***Gudrun Lachenmann*** invite à renouveler les approches précitées pour « encastrer » les questions de genre dans l'économie de la société et de la culture et changer les paradigmes qui fondent la définition des politiques de coopération développement. Elle fait de la question du genre l'épine dorsale de l'analyse de la structure des marchés et des rapports entre économie formelle et secteurs informels, concernant les fonctions et tâches de reproduction et de subsistance. Elle s'appuie sur l'étude du cas des femmes considérées comme un « groupe vulnérable » au Cameroun dans un projet de lutte contre la pauvreté et de développement de la participation.

Carla Risseeuw, propose de développer de nouvelles recherches sur la double perspective du genre et de l'âge pour suivre une catégorie démographique, les personnes âgées, totalement négligée dans la mise en œuvre des politiques de coopération développement au Sud. Elle suggère de mener une approche comparative au Nord et au Sud, au niveau du citoyen, de la famille et de la parentèle et invite les décideurs qui sont marqués par leurs propres conceptions de la famille et du genre, à ne pas cibler une catégorie de population mais à comprendre la dimension relationnelle dans laquelle s'inscrivent les personnes, ce qui remet en question le recours à la notion de « famille » qui est culturellement très marquée.

Gouvernance

Philippe CADÈNE
Université Paris VII
GEMDEV

Les enjeux posés par le contenu politique des accords de coopération pour le développement de l'Union européenne sont nombreux et ont bien évidemment fait l'objet d'une réflexion de plusieurs auteurs lors de la conférence. Les huit communications présentées dans cette partie montrent que l'aide à l'établissement d'une bonne gouvernance semble être le point majeur des actions engagées par les gouvernements européens, et également ceux extérieurs à l'Europe.

La référence à la **gouvernance** apparaît soit directement, soit en filigrane dans les propos des auteurs. Ce terme, aujourd'hui générique, est cependant ambigu car il définit aussi bien l'ensemble des pratiques politiques, destinées à accompagner les réformes liées aux procédures de libéralisation économique et d'ajustement structurel, que celles visant à établir les conditions du fonctionnement d'une société démocratique.

D'autres termes s'affirment alors comme essentiels dans les exposés. Ils permettent d'expliciter la réalité des enjeux posés par la mise en place de la gouvernance au sein des pays concernés par la coopération. Ils manifestent, de manière concrète, à la fois l'importance et les difficultés des relations de coopération entre pays du Nord et pays du Sud en ce début du troisième millénaire.

État est un terme fréquemment utilisé. Les services publics restent, en effet, essentiels dans le fonctionnement des accords de coopération et dans la gestion de l'aide. Les gouvernements jouent un rôle majeur en ce domaine.

Le terme **société civile** apparaît plusieurs fois. Ces organisations intermédiaires, formelles ou non, maintenant ou créant de nécessaires liens entre institutions publiques et institutions privées, apparaissent indispensables à la mise en place d'une gouvernance.

Le terme **démocratie** est fréquemment cité. La mise en place de régimes politiques, qui accordent le droit aux populations de choisir elles-mêmes leurs dirigeants, est souhaitée par l'ensemble des auteurs mais nombreux sont ceux qui mettent en doute les volontés, aussi bien parmi les dirigeants des pays du Nord que parmi ceux des pays du Sud, à établir effectivement des systèmes démocratiques. Ces termes déterminent les différents questionnements soulevés par les auteurs suivants : A. Saldomando, A. Wittkowsky, E. Braathen, D. Fino, S. S. Eriksen, R. Akinyemi, G. Crawford, M. Koulibaly.

I. Les conditions et le contenu d'une bonne gouvernance

Trois auteurs s'attachent particulièrement à comprendre la signification de cette nouvelle dynamique politique nommée gouvernance dont la mise en place semble aujourd'hui communément souhaitée. Ils cherchent dans le même temps à déterminer les conditions de fonctionnement d'une bonne gouvernance.

Le texte d'*Angel Saldomando*, intitulé « Coopération et gouvernance, une analyse empirique », traite entièrement de cette question. Pour cet auteur, la gouvernance n'est pas une préoccupation récente. Toutes les sociétés ont dû et doivent trouver une organisation et un fonctionnement qui assurent leur reproduction. Les solutions varient selon l'époque et le type de société. L'élément nouveau est que ce problème doit être aujourd'hui réglé dans le cadre des deux structures sociales dominantes : le marché et la démocratie. Le dénominateur commun de toutes les iniatives visant la mise en place d'une gouvernance est la conviction généralisée que si l'organisation de cette relation échoue, la crise interne menace au plan politique ou au plan économique, crise qui porte presque toujours préjudice à la démocratie et, avec elle, aux groupes sociaux les plus nombreux et les plus vulnérables.

Après s'être attaché à développer l'ensemble des définitions données du terme gouvernance, l'article souligne que, généralement, poser le problème de la gouvernance, c'est trouver la façon d'articuler et de conduire la relation entre le marché et la démocratie avec de meilleurs résultats et une meilleure efficacité. La gouvernance démocratique est alors devenue un paramètre important pour mesurer la viabilité de la situation politique d'un pays et les chances de succès des plans nationaux ainsi que pour guider les décisions concernant la coopération et l'investissement privé. Cependant, des tensions apparaissent : la recherche d'une gouvernance a lieu dans le cadre du modèle dominant, celui d'une démocratie conventionnelle de type libéral et d'une économie de marché ouverte, flexible et déréglementée ; les interactions entre le gouvernement et la société ne semblent pas évidentes ; un développement socialement et spatialement équitable n'est pas aisé à mettre en place ; la mondialisation exerce des pressions visant à l'homogénéisation des politiques et des marchés et promeut des modèles d'État et de gouvernance non choisis par les populations.

Angel Saldomando distingue, néanmoins, quatre types de gouvernance correspondant à des besoins spécifiques en matière de stratégies locales et de coopération : la gouvernance de l'ajustement et de la réforme économique dans le cadre des pressions en faveur de la mondialisation ; la gouvernance comme accroissement de l'efficacité institutionnelle donnant la priorité à la réforme de l'État ; la gouvernance comme processus de changement donnant la priorité à la redistribution du pouvoir et à l'intégration des groupes exclus ; la gouvernance pour le développement ayant pour priorité la construction de compromis de fond compatibles avec le progrès économique et social.

L'auteur estime l'évaluation de la gouvernance indispensable. Pour ce faire, il propose quatre présupposés systémiques clés : l'impact social positif de l'économie qui fait progresser l'intégration sociale ; l'amélioration des relations sociales qui se manifeste par une plus grande flexibilité, y compris du système politique ; les capacités institutionnelles et politiques de gérer et de résoudre les conflits ; la crédibilité des institutions et la perception des résultats concrets en ce qui concerne le fonctionnement de la société. Il applique ensuite ces principes à l'analyse de la situation des pays d'Amérique latine.

Andreas Wittkowsky s'intéresse également à ce sujet dans son article « Transition, governance and aid : the dilemma of western assistance to slowly transforming countries » en effectuant un bilan des aides accordées par les pays occidentaux, et tout particulièrement les pays européens, à différents États du Sud. Selon lui, l'aide occidentale aux pays en transition n'est pas efficace pour cause de mauvaise gouvernance règnant dans ces pays. Il faudrait que l'aide puisse produire une bonne gouvernance. Pour ce faire, les bailleurs de fonds occidentaux cherchent à soutenir des institutions modernes mais la tâche est difficile et en est seulement à son début.

L'article souligne par ailleurs que, dans le cas de la coopération de l'Union européenne, les faiblesses de gestion des pays donateurs contribuent à diminuer encore l'impact de l'aide. Ainsi, dans le futur, l'aide doit : poursuivre des objectifs réalistes, des stratégies à long terme et un enseignement mutuel ; envisager avec attention les stratégies d'acteurs, en particulier, lorsqu'il ne s'agit pas d'activités publiques ; être sélective, accumulatrice et ne pas être dépensée dans un échéancier trop court ; être gérée avec un contrôle politique accru. Dans tous les cas, les pays donateurs doivent accepter un certain risque, un certain niveau d'échec et, surtout, doivent comprendre que l'aspect symbolique de l'aide a également son importance et qu'il semble impossible de réduire ou supprimer l'aide pour cause de mauvaise gouvernance sans risquer d'aggraver encore la situation en la matière.

Le texte d'*Einar Braathen*, « Democracy failure in Africa ? Voter apathy versus bad governance in the first-ever local elections in Mozambique », aborde le thème de la gouvernance à travers une analyse des premières élections locales jamais tenues au Mozambique. Ce pays qui a connu la transition démocratique la plus réussie d'Afrique a vu, après la tenue des premières élections multipartites en 1994, les électeurs se désintéresser des élections locales quatre ans plus tard.

Y a-t-il eu érosion de la démocratisation et, si c'est le cas, quelle est la responsabilité des États donateurs ? L'étude montre que, dès sa mise en place, la démocratisation a été incomplète et dominée par la vieille élite politique et que la libéralisation politique n'a pas été suivie par une restructuration des institutions politico-administratives. L'abstention est, en fait, une protestation de masse, plutôt saine, une réponse logique à une mauvaise gouvernance. Les pays donateurs ont eu un rôle plutôt passif et négatif. L'Union européenne, financier principal, s'est avant tout intéressée à la tenue des élections et non pas au fonctionnement de la démocratie.

Sept leçons pour la démocratisation de l'Afrique sont tirées de cette expérience : la transition vers la démocratie ne doit être considérée comme accomplie qu'après une seconde élection, de préférence locale, et après la construction d'institutions politico-administratives pluralistes à tous les échelons ; l'organisation des élections doit être juste, en particulier dans le cadre d'États patrimoniaux ; plus d'importance doit être donnée à la décentralisation démocratique ; un faible taux de participation peut aussi signifier une maturité politique des électeurs plutôt qu'un désintérêt pour le vote ; l'éducation civique est un besoin ; les partis politiques sont peu développés et peu démocratiques et les populations ont, à juste titre, peu confiance dans le monde politique ; la légitimité de l'administration électorale ne peut venir que de la participation de membres de la société civile et des partis d'opposition à l'organisation des élections.

II. Le rôle des institutions étatiques et des services publics

Daniel Fino, dans son article intitulé « La coopération et le renforcement des services publics africains : atouts et limites » s'attache à démontrer le caractère incontournable des services publics dans l'établissement d'une coopération internationale au développement (CID) efficace. Il montre comment a été effectué le passage d'une coopération avec les États à une coopération avec les organisations non gouvernementales ce qui a conduit à négliger les relations institutionnelles. Pourtant, les États sont incontournables et indispensables pour assurer un cadre juridique, régler les conflits, coordonner les interventions d'intérêt public et fournir les services de base (santé, éducation).

À l'aide de l'analyse de huit programmes de coopération en Afrique, l'auteur définit cinq dilemmes qui sont autant d'enjeux majeurs. Comment concilier les objectifs à court terme et les objectifs visant des changements situés dans le long terme (développement institutionnel) ? Comment monter une organisation d'appui qui soit simple tout en permettant la gestion d'une démarche complexe ? Comment passer d'un modèle de management, venant largement d'une logique du partenaire extérieur, à l'utilisation d'une démarche appropriée par les institutions locales ? Comment naviguer entre confiance et contrôle lors de l'organisation des flux financiers ? Pour la réforme de l'administration, comment agir dans le « concret » et le spécifique tout en influençant le contexte général ?

L'article s'intéresse à comprendre comment la CID peut efficacement contribuer au processus de modernisation auquel les administrations africaines sont confrontées sans pour autant les rendre plus dépendantes.

La coopération au développement peut-elle effectivement jouer un rôle capital pour renforcer cet acteur clé qu'est l'administration publique ? Il faudrait une volonté du partenaire bailleur de fonds et du partenaire local. Il semble possible de rendre plus effective la démarche de renforcement institutionnel, plus efficace l'administration, notamment en ce qui concerne la maîtrise des outils de management et plus ouvertes les relations entre l'administration et la société civile. Une meilleure professionnalisation du service public apparaît possible. Par contre, les possibilités d'influence sont limitées dans le domaine de la situation budgétaire et de la gestion des ressources humaines. Au final, le rôle joué par la CID semble assez modeste, mais l'expérience est utile aux acteurs qui y participent et les pays parviennent toutefois à être moins dépendants.

L'efficacité des pouvoirs publics paraît donc indispensable à tout développement. *Stein Sundstøl Eriksen* a pour objectif de comparer les compétences des administrations locales en Tanzanie et au Zimbabwe. Son article « Comparing council capacity : administrative capacity in a Tanzanian and a Zimbabwean council », basé sur des enquêtes conduites dans un district dans ces deux pays, analyse les compétences des pouvoirs locaux dans leur capacité à mobiliser des ressources économiques et des collaborateurs qualifiés puis à les utiliser de manière efficace. La situation au Zimbabwe semble bien meilleure qu'en Tanzanie. Cela est, certes, lié à la meilleure situation économique du district étudié au Zimbabwe mais la présence, dans les deux cas, de personnels compétents et suffisamment nombreux illustre l'importance, pour le bon fonctionnement de l'administration au niveau local, d'une séparation claire entre intérêts publics et intérêts privés d'une part et entre domaine administratif et politique d'autre part. Cette séparation existe au Zimbabwe alors que la situation est très confuse en Tanzanie. Cette situation est dommageable pour la capacité de développement de ce dernier pays car un accroissement des ressources économiques ne s'y traduirait pas forcément par un développement des activités de l'administration. Toute amélioration passe par l'augmentation des conditions de vie des fonctionnaires de manière à les rendre moins dépendants du secteur privé. Mais d'importants blocages résident, sur le plan politique, dans la difficulté à conduire des réformes risquant de remettre en cause les personnes bénéficiaires de cette situation.

III. L'existence et la place de la société civile

Rasheed Akinyemi, dans son article « Civil society and the struggle for political space. The case of Zimbabwe », s'attache à montrer l'importance de la société civile dans la mise en place d'un système démocratique dans des pays où la vie politique est à construire. L'auteur s'oppose à l'idée que la société civile doit être en constante opposition avec l'État tout en affirmant que celle-ci ne doit pas être cooptée au sein des structures étatiques. Il définit la société civile comme un agent du changement social localisé entre le public, l'État et le privé, d'une part et la société d'autre part, dans une sorte de troisième sphère que certains chercheurs perçoivent comme participant surtout du politique et d'autres, de l'économique.

La société civile est considérée par l'auteur comme un agglomérat d'organisations civiques, formelles ou informelles, représentant les intérêts de ses membres dans les domaines des activités sociales, politiques, économiques et culturelles, sans nécessairement être juxtaposée aux institutions étatiques mais étant prête à peser sur l'État ou à lui apporter un soutien nécessaire. L'ultime but de la société civile est l'établissement de relations pacifiques entre l'État et la société au sens large.

Comme toutes les sociétés, les pays d'Afrique connaissent un grand dynamisme associatif. Ce dernier n'a cependant en Afrique qu'un faible impact sur la dynamique politique. Cette situation est liée à la relation particulière qui se noue entre l'État et la société en Afrique. Un changement est cependant en cours. Les associations tendent à ne plus servir seulement des intérêts particuliers, ethniques ou religieux, pour défendre des thèmes plus universels comme les Droits de l'homme, l'égalité entre les sexes, la protection de l'environnement ou les valeurs démocratiques. Une véritable société civile se met en mouvement, sous la forme d'organisations diverses, traditionnelles, culturelles et religieuses.

Ces organisations ont cependant tendance à s'intégrer au sein des structures étatiques, des partis politiques, des firmes privées. Bien qu'il soit impossible à la société civile de rester totalement autonome, le danger est grand de sa disparition en tant qu'actrice capable de dynamiser la vie politique et la démocratie. Il faut alors s'appuyer sur les organisations agissant dans les quartiers urbains et dans les villages et sur celles dont l'action repose sur les femmes. Le chemin à faire en Afrique est, toutefois, encore long car argent et compétence manquent dramatiquement et les pays restent dépendants d'aides extérieures.

IV. L'ambiguïté des relations entre aide extérieure et démocratisation

Deux articles très différents s'attachent à analyser le contenu politique de l'action de coopération.

Gordon Crawford, dans son article « Promoting democratic governance in the South », analyse la promotion de la démocratie par les gouvernements des pays du Nord au travers des mécanismes de l'aide au développement. L'intérêt est porté sur leurs interprétations de la démocratie et leurs motifs sous-entendus. Cette promotion de la démocratie est-elle limitée à une version étroite et procédurière de celle-ci ? Est-ce un modèle occidental qui est proposé ? Ces programmes participent-ils à un projet global d'hégémonie occidentale ? Pour répondre à ces questions, l'auteur évalue et compare les programmes d'aide de quatre donneurs, les gouvernements suédois et britannique, les États-uniens ainsi que la Communauté européenne.

Les conclusions sont de trois ordres : des sommes, non négligeables, ont été attribuées pour l'organisation d'élections et pour soutenir, entre autres, des institutions émanant des sociétés civiles, mais ces actions manquent de cohérence. Les pays donateurs tendent à promouvoir leur propre système politique. La question des tendances hégémoniques des pays donateurs est plus ambiguë. Si le désir peut exister chez les pays du Nord, il reste largement à l'état de projet. Des stratégies contraires existent d'ailleurs visant particulièrement à accroître la capacité des pays du Sud à déterminer leurs propres programmes d'aide dans le domaine politique, incluant le renforcement du dialogue démocratique au niveau national.

Mamadou Koulibaly traite des enjeux des nouvelles réglementations pour l'Afrique noire dans son article « Nouvelle réglementation internationale : une occasion d'en finir avec l'affection cynique ? ». Au niveau des relations internationales, les règles de fonctionnement et d'action des institutions importent autant que les moyens d'action. L'élaboration de nouvelles règles ne sera bénéfique pour l'Afrique que si elles permettent de rompre avec le cynisme des anciennes réglementations marquées par l'altruisme et par l'affectivité. À la fin du siècle, le constat semble confirmer que, dans les échanges établis depuis les décolonisations avec les pays européens, les économies africaines ont été grugées et condamnées à l'inefficacité. Ces pratiques sont très liées à l'héritage colonial, mal géré au Sud et mal vécu au Nord. L'aide au développement avait pour but de financer le développement africain. Elle a conduit à la crise de l'endettement. Les programmes d'ajustement structurel avaient pour but de trouver des solutions à la crise de l'endettement et de rendre les économies africaines susceptibles de rembourser la dette. Ils ont conduit à faire de l'Afrique un continent d'États assistés, mendiants, violents, médiocres et instables.

Il faut définir un nouveau partenariat après être parvenu à une rupture avec les situations de rentes, aussi bien au Sud qu'au Nord, et en finir avec le protectionnisme administratif et législatif en Afrique. Les nouveaux partenariats devraient définir des relations directes entre les peuples, les populations, les hommes d'affaires, les citoyens, les paysans

sans que des macro-intermédiaires tels les États n'y ajoutent d'autres rôles que celui d'être facilitateur. En effet, le progrès ne peut pas se planifier dans les relations internationales sans conduire aux pires catastrophes. La pauvreté de l'Afrique n'a que trop duré. Sommes-nous prêts à essayer autre chose qui puisse redonner espoir et faire rêver le progrès ? Quelle est cette autre chose ?

Technologies et politiques technologiques

Patrick SCHEMBRI
Institut de Recherche pour le Développement (IRD), Paris
Université de Versailles - Saint-Quentin en Yvelines,
Centre d'Économie et d'Éthique pour l'Environnement
et le Développement (C3ED)
GEMDEV

À l'heure actuelle, face aux défis de la mondialisation, les enjeux en matière de coopération technologique entre l'Union européenne et les pays en développement vont bien au-delà du seul critère de la conditionnalité. Ces derniers sont évoqués dans plusieurs communications présentées à la conférence générale de l'EADI, « L'Europe et le Sud à l'aube du XXIe siècle : enjeux et renouvellement de la coopération ». Ils s'inscrivent dans « *la volonté de développer des engagements contractuels réciproques* », lesquels excèdent l'aide traditionnelle aux plans technologique et financier. Ils évoquent, par ailleurs, « *la nécessité de redéfinir la complémentarité État - marché dans l'exercice de promotion des politiques technologiques* ». Au demeurant, les communications retenues proposent d'orienter la coopération entre l'Union européenne et les pays en développement dans deux directions.

Tout d'abord, cette coopération doit porter sur l'amélioration et la diffusion des connaissances techniques. En effet, les mécanismes qui président à l'innovation, à la diffusion et à l'appropriation des technologies résultent pour une part non négligeable de l'imitation et autres conduites mimétiques ou encore de l'ampleur des effets de report du savoir technique. Nous ajoutons qu'ils ne sont pas le seul fruit des activités de recherche et de développement. Ces mécanismes peuvent aussi découler d'un changement des rôles attribués aux ressources productives de l'entreprise ou encore d'une innovation d'organisation. Enfin, pareils mécanismes prennent source dans des alliances stratégiques entre des entreprises ayant un niveau de compétence différent ou entre des pays connaissant un niveau de développement divergent.

D'autre part, cette coopération doit porter sur l'élaboration de nouveaux moyens de transferts financiers et technologiques au profit des pays du Sud et de l'Europe de l'Est. Même si ces transferts ne sauraient être conçus à grande échelle sans une certaine intégration de ces économies dans les règles de fonctionnement du commerce international. Au plan technologique, il est important de distinguer, dans les relations nord-sud, les conditions nécessaires à la mise en œuvre d'un investissement d'innovation et celles relatives à son absorption par le système socio-économique. Cette distinction demeure, en effet, primordiale dans la mesure où l'absorption constitue elle-même une condition nécessaire à la mise en œuvre des futurs investissements.

I. Transferts de technologies et accords de coopération technologique

Shyama V. Ramani, Mhamed-Ali El-Aroui et *Pierre Audine*t étudient le rôle des transferts de technologies dans le secteur des biotechnologies en Inde. Les transferts ne sont pas ici évoqués sous l'angle traditionnel des firmes multinationales mais sous celui plus original des réseaux auto-organisés de coopération inter-entreprises entre les pays en développement et les pays développés. La problématique que les auteurs souhaitent éclairer apparaît en ces termes : les collaborations technologiques entre les pays en développement et le reste du monde peuvent-elles constituer un vecteur potentiel pour l'intégration des biotechnologies dans le système de production des entreprises indiennes ?

À travers l'exemple de l'Inde, les auteurs révèlent que les incitations à coopérer reposent sur la rareté et la complémentarité des actifs, des ressources et des compétences, lesquels peuvent être combinés dans le cadre d'une collaboration entre les entreprises indiennes et les entreprises étrangères. Si l'on considère que de telles complémentarités existent entre les entreprises indiennes et les entreprises étrangères, on ne saurait mettre de côté les fondements stratégiques qui sous-tendent la coopération internationale. L'examen des fondements stratégiques de la coopération technologique suscite deux recommandations au plan politique :

- l'Europe et l'Inde devraient songer ensemble à la manière d'améliorer la circulation de l'information de façon à faciliter l'échange des compétences internes aux entreprises et à encourager la coopération entre les entreprises ;

- il faut que l'Inde développe une politique d'attractivité visant l'implantation des entreprises étrangères à haut niveau de compétences, ainsi que le développement d'alliances stratégiques entre celles-ci et les entreprises indiennes.

En fait, le développement rapide des technologies nouvelles soumet les entreprises au risque dommageable d'une détention partielle du savoir requis. Celles-ci doivent alors encourager la circulation de l'information en élaborant des rapports de solidarité entre participants et en induisant des convergences technologiques. Par ailleurs, les technologies de l'information favorisent la gestion coordonnée des divers segments du cycle productif permettant de mieux répartir l'incertitude et les coûts fixes de l'innovation parmi les sous-unités du réseau. De cette manière, l'entreprise-pivot réduit les délais d'apprentissage et le coût de mise en œuvre d'un projet technologique. Et son orientation stratégique consiste à promouvoir la recherche d'économies d'échelle et l'articulation d'unités productives verticalement intégrées et financièrement contrôlées.

Il devient alors fondamental d'évoquer la question de la mesure des mécanismes qui président à l'innovation, à la diffusion et l'appropriation des technologies. À cet effet, ***Shyama V. Ramani, Mhamed-Ali El-Aroui*** et

Pierre Audinet mettent en évidence que le savoir technique peut être transmis d'une entreprise à une autre par les effets de report (ou encore les externalités), les transactions marchandes ou les alliances stratégiques. Les transactions marchandes font étroitement référence à l'achat de technologies, tandis que les alliances stratégiques concernent plutôt des formes de coopération technologique. Ces dernières sont bien différentes des achats de technologies puisqu'elles impliquent le contrôle commun des ressources mobilisées sur une période de temps communément acceptée, ainsi que la maintenance des réseaux de coopération entre les différents agents concernés à travers des engagements contractuels formel et informel.

Prenant l'économie hongroise pour cadre d'analyse, *Andrea Szalavetz* questionne avec force la grille de lecture communément employée pour traiter de ces mécanismes. L'auteur relève que la transformation qualitative récente des activités de recherche et de développement dans l'économie hongroise, mais également dans l'ensemble des pays de l'Est européen, ne saurait être décrite à l'aide des seules données à vocation purement quantitative. Ces données sous-estiment, par ailleurs, la capacité d'absorption des technologies d'origine étrangère. Les analyses empiriques réalisées sur ce thème n'évoquent pas les transferts ayant trait au savoir organisationnel, aux méthodes de gestion de la production, lesquels relèvent plutôt du domaine des actifs intangibles. Dans cet ordre d'idée, *Victor Krassilchtchikov* note que les mécanismes d'innovation, de diffusion et d'appropriation des technologies ne sauraient être mesurés par le seul montant des dépenses en recherche et de développement ; l'affectation de ces dépenses, le cadre institutionnel dans lequel elles s'opèrent demeurent des variables tout aussi fondamentales.

Enfin, *Andrea Szalavetz* observe que les investissements directs étrangers s'adressent, pour une bonne part, à des entreprises locales dont les activités demeurent relativement enclavées. Ces transferts sont alors à l'origine de la constitution d'un capital « *gelé* », lequel ne saurait être mobilisé dans l'exercice de promotion des activités locales de production. Ces constatations nécessitent que l'on distingue, parmi les activités des firmes multinationales, celles qui relèvent du transfert de technologies et celles qui concernent le développement des capacités locales d'innovation. De surcroît, en raison d'une certaine séparation géographique entre les activités de recherche et de développement et les activités de production, les innovations à vocation radicale et celles à vocation incrémentale tendent à se développer dans des aires géographiques différentes. L'auteur en déduit que toute forme de coopération nord-sud se doit de prendre en compte la dimension spatiale dans l'exercice d'évaluation de l'appropriabilité des technologies.

II. La complémentarité État - marché dans la promotion des politiques technologiques

Mani Sunil évoque le rôle respectif de l'État et du marché en matière d'innovation technologique. L'auteur montre que nombre d'économies en développement négligent le rôle des politiques d'innovation technologique dans le soutien et l'orientation des activités inventives. Et ce, malgré le fait avéré que ces politiques demeurent fondamentales quant aux performances de croissance des économies développées et émergentes en réussite. Cette négligence résulterait de la manière dont la technologie est perçue, laquelle apparaît comme une externalité issue de la mondialisation économique, sur laquelle l'État ne saurait avoir d'emprise. À cela s'ajoute un mouvement initié depuis plusieurs années, de désengagement des pouvoirs publics quant à l'exercice de régulation de l'activité économique. Or, l'auteur montre que l'action publique, dans le domaine technologique, n'est en aucun cas une forme de substitut de l'initiative privée mais, au contraire, son complément. En effet, tout effort d'innovation technologique doit nécessairement prendre en compte les contingences en matière d'appropriabilité lesquelles concernent l'économie d'accueil. De plus, *Mani Sunil* rappelle que tout engagement d'innovation évoque la longue période. C'est alors en cela que la politique publique revêt un rôle important en réduisant les défaillances du marché et en assurant une relative adéquation entre la demande et l'offre de technologies appropriables.

111

Analysant les modalités d'insertion des technologies de l'information et de la communication dans le tissu socio-territorial des pays d'Afrique sub-saharienne, *Annie Chéneau-Loquay* soulève une question fondamentale : pareilles technologies peuvent-elles être considérées comme le vecteur d'un développement des activités de production de base ou vont-elles, à l'inverse, accentuer encore davantage les inégalités sociales et spatiales internes et externes ? Il est vrai que toutes les organisations internationales ou de coopération régionale ont récemment revu leur politique de manière à présenter ces nouvelles technologies comme une priorité. Si l'on s'accorde sur cette priorité, c'est alors la question critique des modalités de leur insertion qui subsiste.

Dans les pays du Nord, on rencontre assez souvent l'idée selon laquelle les technologies de l'information et de la communication contribueraient au développement économique des pays en développement en facilitant l'accès aux marchés mondiaux. Cette idée conduit toutefois à réduire la problématique de l'insertion à la seule nécessité pour ces pays de s'ouvrir encore davantage au libéralisme, à un désengagement appuyé de l'État et à la privatisation des principaux secteurs d'activité. Une telle orientation s'inscrit aussi dans la volonté d'attirer des flux d'investissements directs étrangers. De sorte que les pays en développement apparaissent, avant tout, comme un marché potentiel pour les pays développés, bien moins comme une opportunité, tout aussi potentielle, de développement. Or, l'auteur observe fort justement que cette nécessité de s'ouvrir aux marchés mondiaux demeure indissociable d'une certaine dotation en biens d'équipement, lesquels contribuent à la capacité d'absorption des nouvelles technologies de l'information et de la communication.

Dans cet ordre d'idée, *Jin W. Cyhn*, lequel décrit les principales caractéristiques du modèle coréen de développement économique, remarque que la capacité d'apprentissage dans l'industrie des biens d'équipement demeure fondamentale. Cette industrie se situe au cœur du système de production. De sorte qu'elle représente le principal vecteur pour la diffusion des technologies, fussent-elles importées de l'étranger via des investissements directs étrangers ou conçues sur le territoire national. À ce propos, *Shyama V. Ramani, Mhamed-Ali El-Aroui* et

Pierre Audinet précisent que l'Inde, favorisant la création de connaissances dans les domaines agricole et agroalimentaire, a quelque peu négligé l'industrie des biens d'équipement. De sorte que l'asymétrie en termes de connaissance entre les entreprises indiennes et les entreprises étrangères demeure patente dans cette industrie. À terme, cette asymétrie pourrait bien être à l'origine d'un véritable coût d'opportunité pour l'économie indienne.

Généralisant quelque peu le propos aux formes éventuelles du capitalisme, *Victor Krassilchtchikov* montre que la période actuelle, qu'il qualifie d'époque post-moderne, est marquée par la rencontre de deux phases de l'évolution technologique. La première, fondée sur un mode de développement économique finissant caractérisé par des technologies intensives en ressources énergétiques et matérielles, encourage la concentration des unités de production et les effets d'échelle. La seconde, symbolisée par les technologies de l'information et de la communication, prend aujourd'hui son essor, déplaçant la production capitaliste vers le savoir et ses diverses déclinaisons : la formation, les activités de recherche & développement, l'organisation, l'exploration des marchés. Le développement de la composante immatérielle des activités conduit à des économies en matière d'énergie, de temps et d'espace. Parallèlement à cela, les dépenses de recherche et de développement, de conception, de publicité, de marketing et de services financiers ne cessent d'augmenter.

Si l'on y regarde de plus près, la montée de l'immatériel dans les activités de production, de consommation et d'innovation induit une triple mutation des systèmes de production. Une mutation **fonctionnelle**, tout d'abord, liée à l'importance de la relation dans les combinaisons productives. Les ensembles intégrés de production remplacent progressivement les ensembles traditionnels enclavés. Une mutation **organisationnelle**, par ailleurs, rattachée aux modalités de circulation et de traitement de l'information dans les entreprises intégrées. Une mutation **structurelle**, enfin, associée à la composition et à la dimension mêmes des industries et autres secteurs d'activité. Si bien que la concurrence prend une dimension plus globale et s'en trouve affermie. Celle-ci, couplée à la politique de libéralisation des échanges internationaux, incite les entreprises à produire encore plus de manière à étaler leurs charges fixes et à diminuer leurs prix de revient unitaires.

Cependant, pour tirer les fruits de cette révolution technologique récente, les pays doivent détenir une certaine capacité d'absorption et d'innovation. Les pays ne disposant pas d'une telle capacité risquent alors de connaître un retard à caractère durable, lequel serait à l'origine d'une forme de polarisation de l'économie mondiale. *Andrea Szalavetz* montre que ce retard dénature grandement la position concurrentielle des pays en développement et contribue, d'une certaine manière, à une forme de marginalisation des unités locales de production sur les marchés mondiaux. C'est en cela que les activités locales en matière de recherche et de développement s'inscrivent dans une logique de pure adaptation.

Par référence au contenu même des accords de coopération technologique entre l'Union européenne et les pays en développement, *Shyama V. Ramani, Mhamed-Ali El-Aoui* et *Pierre Audinet* notent que ces asymétries observées au plan technologique entre le Nord et le Sud, ne s'inscrivent pas seulement dans la dotation en savoir technique des entreprises, elles concernent également le savoir scientifique des laboratoires de recherche publics. De plus, elle révèle le manque de relations entre ces mêmes laboratoires et les entreprises privées, la petitesse du marché des capitaux ou, plus généralement, le niveau insuffisant de ressources investies par l'État et les entreprises dans la création de connaissances. Quant aux modalités d'appropriation des nouvelles technologies de l'information et de la communication, *Annie Chéneau-Loquay* recense les dangers éventuels d'une insertion non maîtrisée. Une telle insertion comporte le risque notable d'un contournement du territoire et de la loi. Au plan territorial, c'est l'échelle même de l'État et de la nation qui est mise en cause. En amont, ces technologies peuvent constituer un élément de contrôle affermi des pays du Nord sur le potentiel de développement des pays du Sud. En aval, ces mêmes technologies peuvent encourager la prolifération d'entités fonctionnant comme des isolats sur leur territoire local tout en étant reliées au monde extérieur.

Environnement

Philippe MÉRAL

Institut de Recherche pour le Développement (IRD), Madagascar
Université de Versailles - St Quentin en Yvelines, Centre
d'Économie et d'Éthique pour l'Environnement
et le Développement (C3ED)
GEMDEV

À l'aube de la célébration du dixième anniversaire de la Conférence des Nations unies sur l'Environnement et le Développement, les débats relatifs à l'environnement et aux ressources naturelles dans les relations entre les pays développés et ceux dits en développement, sont toujours d'actualité. Toutefois, il ne s'agit plus de débattre de l'opportunité, eu égard aux menaces globales, de la mise en place des politiques environnementales dans des pays qui n'en ont pas la capacité ou encore de l'intérêt du concept de développement durable mais bien de discuter des modalités d'application des outils disponibles : le mécanisme de développement propre, la gestion communautaire des ressources, les accords de bioprospection en sont quelques exemples. Il s'agit à l'heure actuelle d'une période de capitalisation des expériences, pour laquelle les conférences scientifiques sont d'un grand intérêt et offre une vision plus technicienne que philosophique. Les communications présentées lors de la conférence générale de l'EADI, présentent toute cette caractéristique qu'elles abordent à travers trois thématiques distinctes :

- la pertinence et la place des outils économiques traditionnels dans la gestion environnementale actuelle (S. Benc, A. Pisarović et A. Farkaš ; B. Jacobsen ; J. Holm-Hansen) ;

- l'importance de la communauté locale dans les modalités de mise en place du développement durable (J. Martinez-Allier ; V. Aguilar Castro ; V. Carabias, G. Cruz, P. Junquera et D. Maselli ; P. d'Aquino) ;

- les opportunités et les limites de la mondialisation dans la mise en place de politiques environnementales (S. Ramani, M.-A. El-Aroui et P. Audinet ; J. Wiemann ; D. C. Karaömerlioglu ; A. Michaelowa et M. Dutschke ; U. Grote).

I. La pertinence et la place des outils économiques traditionnels dans la gestion environnementale actuelle

Sanja Benc, *Anamarija Pisarović* et *Anamarija Farkaš* mettent l'accent sur la dimension économique de la protection de l'environnement. Appliquée aux ressources forestières croates, victimes principalement d'une surexploitation pour les besoins en bois d'œuvre, leur analyse tente d'évaluer économiquement les coûts et les bénéfices d'une protection et d'une gestion durable des ressources. Le bilan que dressent les auteurs est que l'analyse des services de la forêt a souvent porté sur les dimensions hydrologique, climatique, touristique et assez peu sur la dimension économique. Les auteurs ont recours à l'analyse coût-bénéfice et plus particulièrement à la méthode des coûts de transport pour analyser la valeur économique des forêts. Au-delà des résultats, elles discutent de l'intérêt de cette analyse et précisent que les limites de l'analyse coût-bénéfice conduisent à deux conclusions : la méthode économique doit être appliquée non pas en tant que telle mais en tant qu'élément du processus de décision et cela doit pousser les chercheurs à améliorer les procédures.

Birgit Jacobsen analyse le fonctionnement théorique et réel des systèmes de ventes aux enchères du bois. Cette technique dont l'auteur recense quatre variantes, est censée refléter le véritable "cours" du bois et s'inscrit donc dans une optique monétaire de l'environnement et des ressources en prônant une gestion marchande. En prenant appui sur les enchères de lot d'exploitation à court terme du bois, dans la région de Mourmansk en Russie, l'auteur soulève la double difficulté de ce système : lorsqu'il est développé au niveau local, les risques de collusion sont grands, en raison du faible nombre d'acteurs ; lorsqu'il est instauré au niveau régional, son efficacité est réduite par les délais et la lourdeur administrative. L'auteur s'interroge alors sur les conditions de durabilité d'un tel système. Ne vaudrait-il pas mieux contractualiser l'exploitation du bois par des accords de longue durée ? les risques économiques et commerciaux sont tellement grands en Russie, que la réussite de tels contrats ne semblent pas garantie, conclut l'auteur.

Jørn Holm-Hansen propose dans son article de discuter de l'évaluation *ex ante* des politiques publiques environnementales. En prenant appui sur l'exemple d'une ville de Lettonie, l'auteur cherche à évaluer la capacité des instruments de gestion environnementale à accomplir leur objectif à savoir réaliser une modification des comportements en vue d'une meilleure prise en compte de l'environnement. Parmi les instruments des politiques environnementales, deux sont étudiés dans cet article : les instruments économiques et la réorganisation environnementale. Il analyse alors les groupes cibles de la politique environnementale (municipalité incluant les élus, l'administration et les services municipaux) et discute des possibilités et des blocages permettant la mise en place d'instruments de politiques publiques environnementales dans une ville de moyenne importance.

II. L'importance de la communauté locale dans les modalités de mise en place du développement durable

Juan Martinez-Allier propose une grille de lecture des différents courants de pensée dans le domaine de l'environnement, sur la scène internationale. En effectuant une analyse très détaillée, l'auteur se focalise sur l'approche d'écologie politique. Ce courant envisage les rapports homme-milieu différemment de celui de la *Deep Ecology* qu'il considère comme romantique et de celui de l'orthodoxie économique qu'il qualifie de *Gospel of eco-efficiency*. L'écologie politique refuse, quant à elle, de considérer l'environnement et les ressources comme l'objet ultime de la réflexion et préfère porter l'attention sur les rapports entre les individus ou les groupes d'individus ; rapports rendus conflictuels dans leurs relations à l'environnement. L'écologie politique permet, selon l'auteur, d'expliquer l'émergence de l'agroforestrie sociale et de la gestion communautaire.

Vladimir Aguilar Castro aborde la question de la gestion communautaire et des droits des autochtones à travers les négociations autour de la Convention sur la diversité biologique (CDB). La CDB évoque la nécessité d'associer à la sauvegarde de la biodiversité les droits des communautés. Ce faisant, la philosophie de la CDB fait déplacer le débat de la conservation de la biodiversité sur le plan de la juridiction des pays signataires. Or, la question des droits des autochtones, dépositaires de savoirs et d'usages des ressources, n'est pas toujours traitée voire reconnue. Avant de décider de conserver et de gérer durablement les ressources, il faut donc, selon l'auteur, accepter d'élaborer des droits des populations autochtones directement concernées par ces ressources.

Vicente Carabias, Giovanni Cruz, P. Junquera et *D. Maselli* montrent, à leur tour, que l'adhésion des communautés locales au projet est une condition nécessaire à la pérennité de la politique participative menée. Les auteurs illustrent leurs propos en prenant l'exemple de la déforestation d'un écosystème caractérisé par la présence de l'Algarrobo (*Prosopis juliflora*) renfermant un nombre important d'espèces endémiques. Les causes de la déforestation étant essentiellement d'origine anthropique, un projet de coopération nord-sud, débuté dans les années quatre-vingt, a permis d'élaborer de nouveaux produits commerciaux, ceci afin de contre-balancer les bénéfices économiques issus de l'abattage de l'arbre. Cette alternative, très prometteuse selon les auteurs, ne peut s'avérer durable que par une adhésion des communautés locales au projet. À court terme, les populations ont été associées à la pratique de reforestation mais à long terme, l'adhésion implique une redistribution des bénéfices économiques issus de cette valorisation de l'écosystème.

Patrick d'Aquino discute des modalités de pérennisation et d'extension des acquis et expériences de la gestion locale décentralisée. L'enjeu est de transformer ces acquis locaux en une véritable dynamique régionale. D'après l'auteur, ce passage nécessite de modifier sensiblement les perspectives. Il soutient l'idée, premièrement, d'une endogénisation du processus de développement local par les communautés de base et, deuxièmement, la participation active de l'encadrement institutionnel et technique comme garant de la dynamique régionale. L'idée est de tendre vers une appropriation du processus de concertation et d'élaboration de la planification locale par les acteurs locaux tout en redéfinissant le rôle des autres acteurs qui doivent seulement s'assurer de la formation et du conseil de ces acteurs locaux, dans un processus qui favorise l'apprentissage mutuel.

III. Les opportunités et les limites de la mondialisation dans la mise en place de politiques environnementales

Ulrike Grote étudie les liens entre le processus de libéralisation inhérent à la démarche de l'Organisation mondiale du Commerce (OMC) et l'accroissement des standards environnementaux. L'auteur analyse quelques standards de protection environnementale en portant son regard sur leur capacité à éviter de compromettre les principes de libre circulation. Les mesures permettant de limiter les échanges non protecteurs de l'environnement sont étudiées : les sanctions qui sont infligées aux pays qui ne respectent pas les standards et les différentes manières de contraindre les pays en voie de développement à adopter des standards environnementaux. Mais, nous précise l'auteur, ces mesures ne s'attaquent pas à la racine du problème et proposent des solutions qui ne sont que des pis-aller. Par contre, les accords multilatéraux environnementaux sont beaucoup plus probants car ils mettent l'accent sur la coopération entre pays. Ces accords permettent des transferts technologiques et financiers dans des pays à qui on assigne l'adoption de standards environnementaux plus stricts.

Axel Michaelowa et *Michael Dutschke* poursuivent l'analyse des nouveaux enjeux en mettant l'accent sur les instruments de lutte contre le réchauffement climatique et notamment le mécanisme de développement propre (MDP) au regard des potentialités d'application dans les pays en voie de développement. De nombreuses possibilités techniques et institutionnelles existent et elles devraient être sélectionnées en fonction de leur souplesse mais aussi de leur adéquation par rapport aux structures institutionnelles des pays en question. Les critères qui devraient servir de sélection des projets sont : le transfert technologique, l'accroissement des compétences, la création d'emplois et la réduction effective des polluants. L'application des projets MDP doit tenir compte de nombreux paramètres : d'une part, la soutenabilité sociale des projets qui doit intégrer la transparence et la participation et d'autre part, la compatibilité des projets avec les priorités de développement, la capacité à générer des compétences et un transfert technologique sur le long terme dans les pays d'accueil.

Dilek Cetindamar Karaömerlioglu analyse les modes de régulation implicites à l'émergence et la diffusion de technologies environnementales dans le secteur des fertilisants en Turquie, en prenant appui sur l'approche des systèmes nationaux d'innovation. Cette approche permet d'éclairer l'implication des différents acteurs et par conséquent les leviers de l'action. L'auteur étudie, au cas par cas, la manière dont ils réalisent et soutiennent ou pas des initiatives dans ce sens. Le constat réalisé montre que les firmes sont réactives à l'environnement. Il met l'accent sur les éléments pertinents permettant d'accroître la diffusion de ces technologies environnementales : des initiatives pro-environnementales émanant de l'État en tant qu'actionnaire de la plupart des firmes du secteur ; la mise en place d'une véritable politique technologique soutenant le développement d'un marché des technologies propres.

Jürgen Wiemann propose de réfléchir sur le rôle des gouvernements et des agences publiques pour la promotion des liens commerciaux entre les pays développés et en développement dans le domaine des "éco-standards" comme les standards relatifs à l'environnement, au social ou encore à la santé. L'auteur part du constat que dans le cadre de l'OMC, les blocages sont importants entre les pays alors même que les acteurs commerciaux, les firmes en premier lieu, mais également les ONG, les intermédiaires, tentent de faire adopter, pour diverses raisons, les standards occidentaux pour les produits en provenance des pays en développement. Il propose avec un détour fort intéressant par la théorie des biens publics, une illustration à travers une étude de cas portant sur le Zimbabwe. En analysant quatre secteurs significatifs, il identifie les standards existant et constate que les tentatives de respect des normes par les exportateurs de ce pays sont prometteuses mais insuffisantes. Sa conclusion est qu'il est du devoir des gouvernements et des agences publiques de soutenir ce type d'effort notamment à travers l'aide à la certification, la mise à jour des procédures locales, etc.

Shyama Ramani, *Mhamed-Ali El-Aroui* et *Pierre Audinet* mettent en évidence les modalités de transfert technologique entre les firmes dites du Nord et celles dites du Sud en se référant à deux possibilités : l'acquisition de la technologie par l'achat ou par les alliances. Ils proposent tout d'abord une analyse des débats sur le transfert des connaissances technologiques dans le cas indien. Il est clairement mis en évidence le problème lié à la capacité pour les firmes du Sud d'investir dans le savoir plutôt que de l'acheter. Par la suite, les auteurs explicitent leur méthodologie qui repose sur la détermination de cinq variables clés. Les tests statistiques révèlent l'existence de corrélations entre la plupart d'entre elles, ce qui permet aux auteurs de tirer des conclusions très intéressantes sur les liens entre la nature du transfert technologique, les secteurs en question et l'origine géographique du partenariat. Finalement, précisent les auteurs, un des résultats marquants est la faiblesse du partenariat scientifique entre l'Union européenne et l'Inde malgré un potentiel évident.

Finalement, l'ensemble de ces textes montre de manière claire que la réussite des politiques environnementales et de gestion des ressources dépend aujourd'hui de leur capacité à garantir une certaine forme d'équité dans la redistribution et une adhésion des populations c'est-à-dire du libre choix des trajectoires de développement. C'est probablement l'existence de ces deux exigences qui explique le mieux le lien récent entre une logique environnementale classique et le développement durable dont la dimension institutionnelle est aujourd'hui indéniable.

Économie, éthique et coopération

Bruno LAUTIER
Université Paris I, Institut d'Étude du Développement
économique et social (IEDES)
GEMDEV

Les rapports entre l'économie et l'éthique ont toujours été au cœur de la question de la coopération et de l'aide au développement. Le débat sur le passage d'une problématique en termes d'aide à une problématique en termes de coopération, par exemple, est fondé sur la volonté de « démoraliser » les relations nord-sud et de se débarrasser d'une mauvaise conscience issue des débats autour des questions du colonialisme et de l'impérialisme. Les discussions sur le développement durable et l'environnement témoignent du souci de rendre compatibles nécessité éthique (particulièrement vis-à-vis des générations futures) et efficacité économique. Le thème de la « bonne gouvernance » (en premier lieu en ce qui concerne la corruption) est également l'occasion de montrer comment des réformes politiques guidées par la morale peuvent être au fondement de transformations économiquement productives. Et, depuis la fin des années quatre-vingts, la question de la lutte contre la pauvreté est tout à la fois guidée par un impératif moral et désignée comme l'objectif principal de la coopération (tant bilatérale que multilatérale).

Mais le consensus sur ce dernier point laisse rapidement place à une infinie diversité d'objets d'études, de problématiques, de points de vue normatifs et idéologiques. Les neuf textes réunis dans ce chapitre ont peu de choses en commun, sinon de poser la question des inégalités sociales et de la pauvreté, de la contradiction entre objectifs formulés en termes d'équité et en termes d'efficience, et d'insérer ces questions dans une réflexion sur la « soutenabilité » du développement.

Trois ensembles de trois communications peuvent être dégagés :

- les problématiques et les cadres analytiques à mettre en œuvre pour penser et gérer la relation entre développement économique et impératifs ou déterminants non-économiques. On peut regrouper ici les textes de : H. Opschoor (qui porte sur les conditions du développement soutenable) ; F. -R. Mahieu et B. Boidin (dont le thème est le concept de capital social) ; B. Lautier (à propos de la problématique de la Banque mondiale dans la lutte contre la pauvreté) ;

- les conséquences de certains aspects de la mondialisation sur des situations sociales particulières. Textes d'E. Berner (sur la fragmentation sociale et spatiale dérivée de la relation avec la mondialisation) ; de J. Clancy, M. Skutsch et I. Van der Molen (à propos de la contradiction entre équité et efficacité dans les politiques *gender-sensitive*) ; de H. H. Abdelbaki et J. Weiss (sur les conséquences en termes de répartition des revenus de l'ouverture commerciale égyptienne) ;

- les instruments mis en œuvre pour réduire ou contrôler les effets sociaux du jeu des mécanismes économiques. Textes de C. Pietrobelli et R. Rabellotti (sur la fonction de l'auto-emploi : néo-entrepreneuriat ou stratégie de survie ?) ; de J. Jütting (à propos de la répartition des rôles de l'État et des organisations civiles en matière de services sociaux) ; de F. Kern et F. -R. Mahieu (qui analysent un programme de troisième cycle interuniversitaire africain, le PTCI).

I. Problématiques et cadres analytiques

Hans Opschoor, « Sustainable human development in the context of globalisation », plaide pour une remise en cause complète des stratégies de développement et pour une réorientation de celles-ci vers ce qu'il appelle, à la suite du Programme des Nations unies pour le Développement (PNUD), le « développement humain soutenable ». Sans remettre en cause le principe selon lequel celui-ci ne peut reposer que sur une croissance économique forte, il plaide pour une réforme profonde des institutions, qui est la seule à pouvoir réduire une double insécurité : environnementale et sociale. Le rôle des États est alors réévalué (comme la notion de *good governance*), si on leur assigne cet objectif de produire (en particulier à travers la « revitalisation de la société civile ») les conditions d'un développement soutenable. Les objectifs sociaux (la redistribution des revenus), environnementaux et politiques n'apparaissent, alors, plus comme contradictoires mais comme complémentaires. Pour *Hans Opschoor*, le dilemme mondialisation / intervention de l'État est vain puisque seuls les États peuvent définir et infléchir le cours de la mondialisation, particulièrement en ce qui concerne l'environnement. La soutenabilité du développement requiert, certes, un consensus éthique. Mais, elle nécessite aussi la reformulation d'un cadre réglementaire supra-national qui ne se bornerait pas à encadrer les relations commerciales et financières.

François-Régis Mahieu et *Bruno Boidin*, « Capital social, capital humain et principe de précaution », développent la définition du concept de « capital social », concept issu de la sociologie critique qui est devenu central dans la « nouvelle micro-économie de l'altruisme ». On peut résumer cette définition comme une « accumulation de bienveillance et de malveillance ». Ceci lui confère sa particularité, à savoir que l'efficacité du capital social est à double tranchant puisque l'altruisme peut se muer en un véritable « spectre », du fait des obligations engendrées. Le capital social est peu susceptible de mesures directes. Par contre, on peut mesurer les avances en capital social, et certaines formes du revenu social, ce qui peut permettre une mesure indirecte. Le capital social est alors bien différencié du capital humain, et se pose le problème de la conversion d'une forme de capital en une autre. Cette conversion repose sur des conditions très strictes et le principe de précaution exigerait de ne pas prendre des mesures politiques qui dégraderaient irréversiblement le capital social au nom d'une maximisation incertaine d'un rendement global des capitaux.

Bruno Lautier, « Pourquoi faut-il aider les pauvres ? Une étude critique du discours de la Banque mondiale sur la pauvreté », interroge le paradoxe selon lequel bien que la lutte contre la pauvreté soit présentée comme l'objectif principal des institutions internationales de développement, jamais cette priorité n'est justifiée autrement que par l'évidence morale. Il cherche à mettre en lumière certaines contradictions internes de cet appel à la morale, les objectifs qui peuvent être dissimulés par celui-ci, et les effets politiques de cette stratégie. Tout d'abord, il rappelle que cette focalisation sur les motifs moraux n'est en rien contradictoire avec les fondements du libéralisme tel qu'il s'exprime en économie du développement, dans sa version walrassienne. Ensuite, sont examinés deux problèmes classiques des débats sur la pauvreté : la question de sa définition et de sa mesure, et celle du partage entre « bons » (dignes d'aide) et « mauvais » pauvres. Dans ces deux débats, les exigences morales jouent un rôle tout à fait subordonné, quoi qu'en dise la Banque mondiale. Enfin, est traitée la question des effets des politiques concernant la pauvreté. Les effets en matière d'évolution réelle de la pauvreté ne sont pas mesurables, ni mesurés au niveau « macro » (même si on peut accumuler les monographies, qui toutes passent sous silence les effets pervers de ces politiques). Par contre, les effets politiques recherchés sont la création d'un nouveau type de citoyen et d'un nouveau mode de gouvernement. L'appel à la morale débouche sur l'utopie politique.

II. Les conséquences de certains aspects de la mondialisation sur des situations sociales particulières

Le débat sur la mondialisation (*globalization*) est souvent confus, parce qu'excessivement manichéen : il y aurait les « branchés » et les « exclus », les gagnants et les perdants, ceux-ci étant souvent assimilés à des États ou à des régions. *Erhard Berner*, « World marketplaces and citadels : globalization and social exclusion in Cebu City, The Philippines », conteste cette vision. C'est au sein même des villes où l'on perçoit des effets positifs de la mondialisation (en termes de croissance et d'emploi) que se manifestent avec le plus d'évidence des phénomènes de désintégration, de fragmentation, et les conflits sociaux directement issus de la globalisation. La constitution de « citadelles » gardiennées, sinon militarisées, en est un symptôme. L'exemple de Cebu, aux Philippines, où le boom touristique a été fortement producteur d'exclusion sociale, est particulièrement éclairant. Certes, des emplois ont été créés mais les immigrants sans ressource (culturelle et sociale), relégués dans de véritables ghettos, voient leur nombre croître beaucoup plus vite. L'absence de régulation politique fait que la mondialisation produit une société de véritable apartheid, les habitants des ghettos n'ayant d'autre destin que de former la domesticité des citadelles.

Le divorce entre efficacité présumée de la mondialisation économique et équité a été mis en avant par nombre de critiques de cette mondialisation. La « participation » locale aux projets de développement, particulièrement celle des femmes, a été présentée comme le moyen d'y répondre, depuis les années soixante-dix. *Joy Clancy, Margaret Skutsch* et *Irna Van der Molen,* « Equity versus efficiency : gender versus participation. Contests in the arena of donor paradigms », montrent que, bien que l'objectif d'équité soit généralement mis en avant lors de la mise en place de projets de développement (particulièrement ceux qui s'adressent aux femmes) c'est le plus souvent un objectif d'efficacité qui dirige l'intervention des agences et des organisations non gouvernementales. En s'appuyant sur trois études de cas (l'eau, la gestion des forêts, l'énergie au Sri Lanka et en Inde) les auteures montrent les divergences et les conflits entre l'attitude des organisations non gouvernementales internationales (qui prônent l'*empowerment* des femmes et l'égalité entre les genres) et celle des pouvoirs publics (particulièrement au niveau local) qui n'appellent à la participation des femmes que contraints et forcés. En définitive, l'absence d'adhésion du personnel politique local fait que les conditions en termes d'équité envers les femmes ne sont réellement remplies que quand ce personnel est sûr d'y trouver son compte en termes d'efficacité et de préservation de son pouvoir.

Hisham H. Abdelbaki et *John Weiss*, « Assessing the impact of higher exports on income distribution : the case study of Egypt », examinent les conséquences de l'ouverture commerciale sur la répartition des revenus en Égypte. Ce pays a rejoint le cycle de négociations de l'Uruguay Round en 1991, en même temps qu'était conclu un accord de stabilisation et d'ajustement avec le Fond monétaire international (FMI) et la Banque mondiale. En 1995, la quasi-totalité des barrières tarifaires et non-tarifaires était démantelée, et l'Égypte rejoignait l'Organisation mondiale du Commerce (OMC). Les auteurs analysent les effets de cette ouverture en bâtissant un modèle sur la base des *Social Accounting Matrix* (SAM). En supposant - comme le veut la vulgate de l'OMC - que l'ouverture commerciale ait des effets positifs en matière d'emploi et de salaires dans le secteur des produits exportables, les auteurs bâtissent trois scénarii (en fonction des différents types de répartition des gains issus du secteur exportateur). Les résultats sont significatifs : les ménages urbains sont toujours favorisés par rapport aux ménages ruraux et les ménages les moins pauvres sont toujours favorisés par rapport aux plus pauvres. En termes de répartition entre les facteurs, la répartition se fait en faveur du capital et en défaveur du travail et de la terre. L'ouverture commerciale a aggravé tous les types d'inégalités sociales.

III. Les instruments mis en œuvre pour réduire ou contrôler les effets sociaux du jeu des mécanismes économiques

Carlo Pietrobelli et *Roberta Rabellotti*, "Emerging entrepreneurship or disguised unemployment in manufacturing ? An empirical study of the determinants of self-employment in developing countries », confrontent les deux thèses dominantes à propos du rôle de l'auto-emploi (*self-employment*) depuis deux décennies : celle qui y voit le lieu du déploiement de capacités entrepreneuriales qui, sans cela, demeureraient stériles ; et celle qui le considère comme un emploi de survie. Bien que cela pose des problèmes méthodologiques redoutables (puisque, par exemple, cette catégorie « attrape-tout » mêle dans les statistiques travailleurs indépendants et micro-patrons), les auteurs mènent une comparaison sur le long terme (1960-1991) sur un échantillon de 64 pays en développement. L'hypothèse classique, dérivée de Kuznets, est confirmée pour environ la moitié des pays : il y a bien une relation négative entre taux d'auto-emploi et développement économique. Cependant les exceptions sont si nombreuses qu'elles ne peuvent conduire à abandonner sans examen les politiques d'aide aux micro-entreprises. Certes, celles-ci ne seront jamais à la base d'un développement de l'industrie manufacturière (a fortiori exportatrice) mais elles peuvent contribuer fortement à la croissance de l'emploi et des revenus, sous certaines conditions (particulièrement fiscales ; l'éducation jouant pour sa part un rôle non significatif).

Le rôle de la société civile, palliatif des défaillances de l'État et du marché, en matière de sécurité sociale, a déjà fait couler beaucoup d'encre. *Johannes Jütting*, « Strengthening social security systems in rural areas of low income countries: what role for civic organisations ? », après avoir fait un bref panorama de la littérature (économique) sur la question, développe deux exemples : les organisations mutuelles de santé en Afrique centrale et occidentale ; une association fournissant un certain nombre de services d'assurance et de crédit à 200 000 femmes auto-employées du Gujarat (en Inde). Les résultats de l'action de ces associations sont largement positifs, particulièrement en zone rurale, du fait de la réduction des coûts de transaction ou, tout simplement, en permettant l'accès au marché. Mais, les limites sont également évidentes : difficulté à changer d'échelle et à gérer des risques co-variants, risque de sélection adverse et de mise à l'écart de la partie la plus pauvre de la population, forts coûts d'opportunité. L'auteur plaide alors pour une coopération public-privé, l'État se chargeant de fournir un environnement favorable aux « organisations civiques », au lieu d'y voir des concurrentes. Le rôle majeur, conclut-il, revient en définitive à l'État, pourvu qu'il soit capable de déléguer et de contractualiser les services sociaux à des organisations privées, à but lucratif ou non.

Enfin, *Francis Kern* et *François-Régis Mahieu*, « Approche nationale des programmes et *Dutch disease intellectuel* : le cas du Programme de troisième cycle interuniversitaire - PTCI », analysent un programme particulier de « renforcement de capacités » : le PTCI, fondé en 1994, - centré sur les disciplines de l'économie et de la gestion - avait pour but de réunir une masse critique d'étudiants africains au niveau du DEA et de mettre en réseau un grand nombre d'universités africaines pour monter un enseignement de troisième cycle en coopération avec des universités étrangères. Mais, malgré des intentions initiales louables (réduire graduellement la dépendance vis-à-vis des enseignants non-africains ; développer des économies d'échelle), les effets pervers sont vite apparus : un nombre infime d'étudiants s'engagent dans une thèse. Et, surtout, les enseignants utilisent leur carte de visite pour se consacrer essentiellement à des activités d'expertise. Cette « *rente mandarinale* » est à l'origine d'un appauvrissement paradoxal des universités que l'on peut analyser en termes de « *Dutch disease intellectuel* », finalement très coûteux (puisqu'il faut surpayer les enseignants pour éviter leur fuite vers les activités de consultation). Si, la conclusion des auteurs reste optimiste, il est difficile de voir dans le PTCI une franche réussite.

Coopération et recherche universitaire

Michel VERNIÈRES
Université Paris I, Laboratoire d'Économie Sociale (LES)
GEMDEV

Les six textes rassemblés dans cette partie consacrée à la coopération en matière de recherche et de formation soulignent l'importance décisive pour le développement économique de ces deux domaines et, par conséquent, pour les politiques de coopération internationale. La mise en parallèle de ces contributions, pourtant fort diverses quant à leur objet précis, permet de mettre en lumière quelques enjeux fondamentaux pour la détermination des objectifs et la conduite des politiques de coopération en ces domaines. Mais, avant de présenter ces enjeux, une brève présentation de chacune des contributions sera réalisée.

I. Présentation des contributions

Les six textes retenus ici peuvent se regrouper en trois groupes. Le premier, composé des textes de P. Hugon et de G. Saint-Martin, porte, à partir de l'exemple européen, sur les problèmes généraux de la coopération en matière de recherche. Un deuxième ensemble, regroupant les contributions de F. Chaparro et d'I. Egorov à partir des cas très différents de la recherche agricole pour le développement et de l'utilisation du potentiel de recherche des pays de l'Europe de l'Est et de l'ex-Union soviétique, invite à une réflexion sur les conditions auxquelles doit répondre la coopération internationale pour s'adapter efficacement à la diversité des réalités des pays ou des secteurs. Le troisième groupe, comprenant le texte de F. Kaufmann et celui de M. I. Al-Madhoun et de F. Analoui, portent sur la création d'une université privée au Mozambique et sur les programmes de formation des petits entrepreneurs à Gaza. Ces deux derniers textes permettent d'illustrer les difficultés de la mise en oeuvre effective d'actions de coopération internationale.

Mohamed I. Al-Madhoun et *Farhad Analoui* consacrent leur texte à l'analyse des programmes de formation à la gestion des petits entrepreneurs de Gaza. Après avoir rappelé les conditions très spécifiques de la bande de Gaza, les auteurs soulignent que les nombreux programmes de formation existant se heurtent à de nombreuses difficultés, en particulier le manque d'exercice pratique, de manuel adapté et l'absence de processus d'évaluation pertinent. De plus, les nombreux et divers programmes lancés manquaient de coordination et ont touché relativement peu de personnes. Les améliorations à venir doivent porter sur les critères de sélection des participants et l'identification plus précise de leurs besoins de formation.

Friedrich Kaufmann, en partant du cas du Mozambique, pose la question du choix entre enseignement supérieur public et privé à partir d'une analyse des rendements sociaux et privés de l'éducation et des déterminants de la demande d'enseignement supérieur dans les pays en développement. Il en déduit que les arguments en faveur du recouvrement des coûts dans l'enseignement supérieur sont particulièrement forts. Du point de vue de la gestion des établissements universitaires, il insiste sur la plus grande souplesse dont disposent les établissements privés en matière de gestion, en particulier pour leurs financements et la rémunération des personnels. À ses yeux, un deuxième point mérite une attention soutenue c'est le lien des universités avec leur société et sa culture. Ce lien est, trop souvent, réduit du fait de la coopération avec les universités du Nord qui exportent leurs manuels et leurs approches des disciplines enseignées.

Igor Egorov traite de l'utilisation du potentiel de recherche et de développement des pays d'Europe de l'Est et de l'ancienne Union soviétique. En premier lieu, il souligne la nécessité de distinguer les évolutions très contrastées de trois groupes de pays. Les pays d'Europe de l'Est, candidats à l'Union européenne qui, en faisant appel aux technologies occidentales, ont peu utilisé leur potentiel local de recherche. Dans les pays d'Europe issus de l'ancienne Union soviétique le maintien de structures de recherche se heurte, sauf dans le secteur pétrolier, à de graves difficultés financières. Aussi, leur avenir y apparaît très incertain. Quant aux pays d'Asie centrale et du Caucase, la disparition de l'appui de l'ex-URSS entraîne le dépérissement de leurs appareils de recherche et de développement. Globalement, tous les indicateurs indiquent un fort ralentissement de cette activité, une sous-utilisation du personnel scientifique et, à moyen terme, un déclin de la position scientifique relative de ces pays.

Fernando Chaparro consacre son étude au partenariat et aux réseaux dans le cas de la recherche agricole pour le développement. Après avoir souligné l'importance de l'enjeu en matière de développement du devenir de l'agriculture, il consacre la première partie de sa contribution aux défis générés par l'évolution rapide et la diffusion des nouvelles technologies, tant dans le domaine de la biotechnologie que dans celui de l'information. Insistant tout particulièrement sur ce dernier domaine, il montre que l'influence de ces nouvelles technologies concerne tous les aspects de l'agriculture et du développement rural : la recherche, la production, la commercialisation, la gestion des ressources naturelles et les actions de développement rural. À partir de l'examen du cas sud-américain du réseau régional de recherche et d'information sur la « *panela* » (une variété de sucre brun), il souligne la nécessité de construire des systèmes de connaissance qui relient la recherche, la formation, la diffusion de l'information et l'innovation au niveau de l'exploitation agricole.

Gilles Saint-Martin traite des enjeux liés à la coopération scientifique entre l'Europe et le Sud. Constatant que les décideurs internationaux, dans un contexte de diminution de l'aide publique au développement, ne privilégient pas la coopération scientifique, il recherche les moyens d'accorder à celle-ci, la priorité que semble justifier son importance reconnue pour le développement économique et son caractère de thème récurrent de la politique extérieure de l'Union européenne. Partant d'une critique de la coopération scientifique comme un simple transfert à sens unique de technologies et soulignant l'importance de la recherche pour la définition même des politiques, il propose plusieurs pistes de réflexion pour l'action : faire participer les décideurs à la démarche de recherche, définir par le dialogue des priorités nationales ou régionales de recherche, dégager des sources alternatives de financement, négocier des régimes internationaux favorables à la recherche pour le développement, mobiliser les chercheurs du Sud émigrés au Nord.

Philippe Hugon, pour sa part, s'interroge sur l'apport d'une conception de la recherche en tant que bien public international. Après avoir précisé la notion de recherche en développement, il souligne l'ampleur des déséquilibres nord-sud en matière de recherche scientifique et la place de l'Europe dans la recherche en développement. Pour mieux préciser les objectifs de la coopération scientifique et technique de cette dernière, et plus généralement de toute politique de coopération, il souligne que la connaissance et la recherche ne sont pas des biens ordinaires. De par leurs caractéristiques, marquées par des indivisibilités, des externalités et des rendements croissants, il n'est pas possible au marché de réaliser une affectation optimale de ces derniers. Le problème essentiel est, alors, celui de l'incitation à produire ces biens spécifiques et des modalités d'intervention des agences d'aide afin de diffuser, à travers des contrats de partenariat, ces biens nécessaires à la satisfaction des besoins essentiels des pays du Sud.

II. Les enjeux fondamentaux des politiques de coopération

Par-delà la diversité des développements des différentes contributions concernant cette partie, quatre grands thèmes apparaissent constituant autant d'enjeux fondamentaux pour les politiques de coopération. Il s'agit de l'importance relative des actions de recherche et de formation, de la nécessaire combinaison d'actions publiques et privées, de la constitution de réseaux de recherche et de formation, de la mise en place d'un véritable partenariat entre les divers acteurs de la coopération.

Relativement à l'ensemble des actions de coopération, **l'importance de celles consacrées à la recherche et à la formation est fortement soulignée par tous**. Nos sociétés contemporaines sont, de façon croissante, caractérisées par une concurrence accrue entre les agents économiques des divers pays. Dès lors, la qualification de la main-d'oeuvre et sa capacité à maîtriser des technologies de plus en plus complexe et en évolution constante sont les éléments clés de la compétition internationale. La capacité des pays en développement à former leurs travailleurs et à adapter des techniques novatrices aux caractéristiques propres de leurs structures productives conditionne leur avenir et leur capacité à améliorer leur position relative au sein de l'économie mondiale. L'accent mis sur la réduction de la pauvreté et le développement de la formation primaire ne doit pas conduire à la diminution de la place de la coopération en matière de recherche adaptée aux besoins de ces pays et à la formation de leurs cadres techniques. À long terme, c'est même la condition à leur développement et donc à la réduction durable de la pauvreté.

La nécessaire combinaison d'actions privées et publiques apparaît comme le deuxième point de convergence des textes de cette partie. En effet, les auteurs s'accordent à reconnaître la nécessité de favoriser les initiatives privées qu'il s'agisse de la création d'universités nouvelles ou de capacités de recherche au sein des entreprises. Mais, ils soulignent également les dangers d'une appropriation privée du savoir et du vivant qui limiterait l'accès aux connaissances existantes. Des négociations et des accords internationaux doivent donc permettre cette libre utilisation du savoir scientifique, reconnaissant ainsi l'existence de biens publics internationaux permettant l'exercice d'une véritable solidarité internationale. Celle-ci suppose l'attribution prioritaire de moyens financiers à la recherche en coopération et à la formation scientifique et technique peu compatible avec la tendance actuelle à la baisse de l'aide publique au développement (APD).

La **constitution de réseaux de recherche nord-sud** apparaît dès lors comme un moyen privilégié de la coopération en ce domaine. Celle-ci ne saurait, en effet, être réalisée à sens unique par le biais de transferts purs et simples de technologies. Cette coopération doit être transformée en fonction des spécificités productives locales par des chercheurs implantés dans le pays considéré. À l'inverse, développer des recherches sur et pour les pays en développement dans les pays du Nord ne peut qu'accentuer la fuite des cerveaux formés dans les pays du Sud. Par leur aptitude à faciliter les échanges d'informations et le dialogue scientifique, des réseaux regroupant plusieurs équipes de recherche, tant du Nord que du Sud, permettent, dans le cadre d'accords de coopération de longue durée, tout à la fois de compenser les moyens limités des équipes du Sud, de maintenir le contact scientifique avec les chercheurs expatriés et de mieux intégrer dans les programmes de recherche les différences de culture et de terrain.

C'est dans le même esprit que les textes de cette partie insistent sur **l'importance du partenariat**. Celui-ci doit être conçu comme une coopération sur un pied d'égalité entre des partenaires très différents. C'est le cas d'équipes de recherche de force inégale. Mais, il s'agit principalement d'inciter à coopérer, à partir d'objectifs de recherche et de formation bien finalisés, des instituts nationaux de recherche et d'autres structures telles que les entreprises, les groupements de producteurs ou les organisations non gouvernementales. C'est donc un développement des formules de recherche / action que la coopération internationale doit tendre à encourager.

Europe and the South in the 21st Century

Challenges for Renewed Cooperation

English version

Contents

Introduction

Jean-Jacques GABAS
Université Paris XI, Centre d'Observation des
Économies africaines (COBEA), Orsay
Chairman, GEMDEV (1997-2002)

GEMDEV hosted the 9th General Conference of the EADI in Paris on 19-22 September 1999, on the subject of **Europe and the South in the 21st Century: Challenges for Renewed Cooperation**. The scientific community, experts, political and administrative decision-makers and representatives of civil society all contributed their ideas about the challenges facing Europe and the South, and about the much-needed redefinition of development cooperation policy.

Counting in centuries or millennia is perhaps not the best way to mark the high points in the evolution of human society. There were two major events in the second half of the 20th century: decolonisation and the end of the cold war. Today, tension is high in Europe: its political structure is changing, it is looking for an identity and its stability is by no means guaranteed. What used to be called the Third World has split into groups of Southern countries that are developing in very different ways. For historical reasons, Europe is at the centre of interactions between continents, interactions with the South in particular. Today, these relations are undergoing profound changes, changes in reality, and in scientific analysis.

In a word, international relations now involve new actors whose respective roles and powers on the international scene are changing traditional hierarchies and producing new rules and rights while leaving some areas with neither.

What is the composition of this international architecture? There are of course the public powers at various levels: States and supra-national entities like the European Union, which have dominated development cooperation relations over the past thirty years. Now local and regional authorities are also involved. Less "traditional" actors such as non-governmental organisations, religious organisations and trade unions now also play more of a part than in the past. Groups of experts and the scientific community also play an essential role in formulating policy; they also generate their own value system and have a significant influence on both public and private actors. And lastly there is what we call "public opinion", which is emerging ever more forcefully and also has an impact on relations between North and South. All these actors play their part in development cooperation and have an increasing role in the political construction of our societies, in Europe and in the South, creating a whole mesh of relationships between these societies.

With the financialisation of the economy other new actors are emerging, and their formidable international power should not be ignored. Their existence, and their strategies, have such a major effect on the development of countries in Europe and the South that they undermine the traditional development cooperation models. Comparisons have their limits, but two statistics show the contrast here: financialisation, often encouraged by the existence of tax havens, generates stock market trading worth 1,500 to 2,000 billion dollar a day, without any ethical or prudential rules, while official development aid gets 50 billion dollars a year, subject to strict conditions. Financialisation and development can no longer be examined independently of each other[1].

With globalisation and fast-increasing freedom of trade between the world's economies, market forces play an ever more important role; the role traditionally played by Nation-States must therefore be re-examined.

Politically, all these changes involve negotiation, consultation, co-ordination or cooperation; but they also involve armed conflict and certain spheres bereft of law and rights. Through negotiation and co-ordination, rules are defined and agreements signed, helping to regulate relations between actors for a certain length of time. There are well-

---

[1] COUSSY J.; GABAS J.- J.: « Crises financières et modèles de coopération » in *Revue de l'Économie Politique*, no. 2, April 1999, Paris.

known agreements such as the Lomé Convention and the more recent Cotonou Convention, there are the Euro-Mediterranean agreements, bilateral cooperation agreements and decentralised cooperation agreements. There are also structures like the World Trade Organization (WTO) and the International Labour Organization (ILO) where other rules are laid down. The questions that arise are as follows: Should we not examine the institutions where rules, standards and conventions are made and see what their real contribution is? Is it not time to ask ourselves whether a **single** European policy is possible in view of the multilateralism that seems now to be the rule? Can policy on trade, currency, finance and development aid between Europe and the Southern groups, and also policy on migration and technology transfer, be analysed and understood independently of each other? At all events, reality will force these structures to consider whether their respective aims are compatible. That is perhaps one of the main difficulties for thought and action today.

But scientific research also has a part to play in understanding the world system with which relations between Europe and the Southern groups are so intimately bound up. First of all, perhaps the lessons of past development experiences and the causes of success and failure in implementing development policy have not yet been sufficiently identified. But at a more fundamental level, analysts have not yet entirely grasped all the dimensions of what are called development cooperation relations - a "total social phenomenon", to take an expression from Marcel Mauss. The scientific debate is not over. On the contrary: it is the age of methodological certainty that has ended. Disciplines must break down their dividing walls and work together, while each keeping their own identity. They need to compare their respective visions of the same object, allow influences to filter between them. And one of the scientific aims of this General Conference was precisely to further such dialogue. Several currents of thought prompt us to weave this conceptual fabric where economics, political science, social science and the humanities join in analysing international reality together. Examples are the heterodox analyses of international political economy, the approaches of the institutionalist school and the depth of Amartya Sen's thinking.

To analyse international relations in a historical perspective so as to understand the genesis of power and its forms, politics[2] must be described anew and ethics[3] given a central place.

In the new landscape taking shape, in reality and in research, there are at least three avenues for continuing reflection. The first is the question of rehabilitating an approach to society's evolution that focuses on development, because development is a challenge to the European countries as much as to those of the South. The second concerns development aid[4], which must regain the legitimacy it has lately lost[5]. This depends on redefining aid practices, taking better account of its political dimension and looking for greater consistency and complementarity with other policies. Thirdly, as already mentioned, some thinking is required on the genesis of international rules and standards and the conditions for applying them.

The 9th EADI General Conference attracted a large number of researchers and students from all over the world, and the resulting debates were lively and fertile. The proceedings we publish here are from the 310 papers selected by the review panel - 198 in English and 112 in French.

---

[2] *In particular*:
• CHAVAGNEUX C.; COUSSY J.: « Études d'économie politique internationale » in *Économies et sociétés*, no. 4, 1998;
• GABAS Jean-Jacques; HUGON Philippe: « Les nouveaux enjeux politiques et économiques de Lomé » - Paper presented at the 9th EADI General Conference, Paris, September 1999;
• KEBABDJIAN G.: « Les théories de l'économie politique internationale » - Paris: Seuil, 1999;
• HUGON Philippe: « Économie politique internationale et mondialisation » - Paris: Économica, 1998;
• GEMDEV: « La mondialisation. Les mots et les choses » - Paris: Karthala, 1999;
• GEMDEV: « L'état des savoirs sur le développement » - Paris: Karthala, 1993.
[3] MAHIEU F. R.; RAPOPORT Hillel : « Altruisme. Analyses économiques » - Paris: Économica, 1998.
[4] *See the following*:
• GEMDEV: « La Convention de Lomé en questions » - Paris: Karthala, 1998;
• GEMDEV: « L'Union européenne et les pays ACP. Un espace de coopération à construire » - Paris: Karthala, 1999.
[5] Se particularly VAN DE WALLE Nicolas: "Aid's crisis of legitimacy: current proposals and future prospects" in *African Affairs*, no. 98, 1999.

These are cross-cutting issues, and for this reason we have divided this publication into twelve topics:

- topic 1: Peace and conflicts
- topic 2: Comparative migrations and demographies
- topic 3: Monetary and financial policies
- topic 4: International economics
- topic 5: Globalisation and Europe
- topic 6: Decentralization and urbanization
- topic 7: The European Union aid policy
- topic 8: Governance
- topic 9: Technology and its policies
- topic 10: Environment
- topic 11: Social capital and poverty
- topic 12: Cooperation and university research

In this book we publish a summary review on each theme, in English, French and Spanish, and all the selected papers at the conference can be found on the accompanying CD-ROM, in their original languages (English or French).

Acknowledgements

● The secretariats of GEMDEV and EADI wish to express their sincere thanks to all the institutions that gave financial or logistic support in the preparation of this General Conference.

First and foremost, the European Commission's Development Directorate General and in particular Rosa de Paolis, Dominique David and Gérard Vernier whose close attention to the preparation of the conference was a major contribution and had its effect on the conclusions.

In France, our thanks to the Ministry of Foreign Affairs for the aid and logistic support that facilitated the attendance of non-European academics and students, the Ministry of Education, Research and Technology, Research Division, and particularly the International Relations and Cooperation Delegation (DRIC) and Minister Claude Allègre for the high patronage he agreed to give the conference, as testimony to its high scientific quality.

We would also like to thank the Dutch Ministry for Foreign Affairs, the Île-de-France Regional Council, the Municipality of Saint-Denis, the MOST Programme (UNESCO), the Rector of the Paris education authority and Chancellor of the Universities, and all the Paris universities that assisted the conference, Paris XI (Institut universitaire de technologie d'Orsay), Paris XIII and especially Paris VIII, which hosted the conference.

Besides supporting the conference, these institutions helped establish or confirm relations of trust among participants, producing a fruitful dialogue between the research and political decision-making communities - two worlds that still too rarely communicate.

• The 9th EADI General Conference was organised under the auspices of GEMDEV. The organising committee members were:

For GEMDEV: Catherine Choquet, Olivier Dollfus, Jean-Jacques Gabas, Philippe Hugon.

For EADI: Claude Auroi, Giulio Fossi, Bruno Lautier, Irène Norlund, Helen O'Neill, Sheila Page, Fernando Rodriguez de Acuña, Peter Stanovnik, Jürgen Wiemann.

Our thanks to the secretariats of GEMDEV and EADI, especially Catherine Choquet, Stéphanie Cocherel, Carole Sébline, Alexandra Assanvo, Laurence Deguitre, Rachida Maouche, Sylvie Boisier, Agnès Lainé, Élisabeth Méchain-Diarra (GEMDEV); Claude Auroi, Elaine Petitat-Côté, Corinne Chevallier-Guignard, Nicolas Schwab (EADI).

• These proceedings could not have been published without the valuable work of the referee panel, who assessed all 310 papers. The panel members were Vladimir Andreff (Université Paris I), Pierre Audinet (International Energy Agency - OECD), Irène Bellier (CNRS), Marguerite Bey (Université Paris I - IEDES), Marc Bied-Charreton (Université de Versailles - Saint Quentin en Yvelines), Daniel Bourmaud (INALCO), Laurence Bonko-Sagna, Jacques Charmes (Université de Versailles - Saint Quentin en Yvelines - IRD), Catherine Choquet (Université Paris VIII - GEMDEV) Jean Coussy (CERI), Ahmed Dahmani (Université Paris XI), Michel Delapierre (Université Paris X), Isabel Diaz (GEMDEV), Alain Dubresson (Université Paris X), Barbara Despiney (Université Paris I), Nathalie Fabbry (Université de Marne la Vallée), Jean-Jacques Gabas (Université Paris XI), Vincent Géronimi (Université de Versailles - Saint Quentin en Yvelines), Charles Goldblum (Université Paris VIII), Béatrice Hibou (CERI), Philippe Hugon (Université Paris X), Sylvy Jaglin (Université Paris VIII), Béatrice Ki-Zerbo (Projet d'appui à la Mécanisation agricole de Ouagadougou), Bruno Lautier (Université Paris I - IEDES), Marc Lautier (Université de Rouen), Michèle Leclerc-Olive (CNRS), Anne Le Naëlou (Université Paris I - IEDES), Bernadette Madeuf (Université Paris X), Régis Mahieu (Université de Versailles - Saint Quentin en Yvelines), Claire Mainguy (Université Paris XI), Jean Masini (Université Paris I - IEDES), Philippe Méral (Université de Versailles - Saint Quentin en Yvelines - IRD), Annik Osmont (Université Paris VIII), Claude Pottier (Université

Paris X), Marc Raffinot (Université Paris IX), Denis Requier-Desjardins (Université de Versailles - Saint Quentin en Yvelines), Alain Rochegude (Université Paris I), Gilles Saint-Martin (Ministère de l'Éducation nationale, de la Recherche et de la Technologie, DRIC), Patrick Schembri (Université de Versailles - Saint Quentin en Yvelines), Michel Vernières (Université Paris I), Sylvain H. Zeghni (Université Marne la Vallée).

Our translation was composed of Ana Barthez (Spanish version), Harriet Coleman, Jeanne Disdero and Tilly Gaillard (English version).

Development and conflicts:
finding the road to peace

Catherine CHOQUET
Université Paris VIII,
GEMDEV

"Challenges related to peace" was one of the themes suggested for the 9th EADI General Conference. The call for papers for that meeting stipulated that *"we do not know much about peace and how to promote it (…)"*. The Conference organisers wanted to have the participants deal with subjects such as the right of intervention, Europe's political tools for conflict prevention, the role of humanitarian assistance, human rights, policies for military cooperation, etc.

Unfortunately the speakers did not focus very much on peace and how to achieve it, but spoke extensively about war, armed violence, increasingly complex international relations, etc.

The papers dealt with the following themes:

- the analysis of the international power play or the international system: H. Abrahamsson, M. Duarte, D. Frisch, B. Hettne;

- the role of the European Union (EU) in aid and conflict prevention policies: M. Duarte, D. Frisch;

- changes in the relationship between security and development: H. Abrahamsson, M. Duarte, B. Hettne, S. Liwerant and C. Eberhard;

- appearance of private armed groups, militia and international criminalisation: H. Abrahamsson, R. Degni-Ségui, B. Hettne;

- the problem of civilian victims of conflict: R. Degni-Ségui, M. Duarte, S. Liwerant and C. Eberhard;

- the demand for international justice: M. Duarte, S. Liwerant and C. Eberhard.

To introduce the discussion, **Dieter Frisch**, former Director General for Development at the European Commission queried the current political leaders' understanding of the link between peace and development, and regretted that political priorities did not rank the development cooperation policy high enough. He was perplexed that peace always seems to be a domain reserved for diplomats and military authorities who are often better qualified for conflict management than for conflict prevention, and that development cooperation is seldom broached in terms of political motivation. The true reasons for both inter- and intra-state conflict might be traced to shortfalls in development, how authorities use ethnic and religious differences to consolidate their power, the non negligible influence of external economic factors, and overindebtedness of poor countries which leads them to almost folding up public services in the field of healthcare, education, etc. and thereby triggering social unrest.

How much longer will we continue ignoring that instability in countries of the South has repercussions on stability in the North, and that building fortresses is no way to settle the problem?

Will the arsenal of instruments created by the Maastricht and Amsterdam treaties, and the establishment of the Common Foreign and Security Policy (CFSP), at last enable the European Union to play its proper role in crisis prevention and development promotion? The EU is often a source of funding but has rarely appeared as a real political stakeholder on the international scene. Thought must also be given to certain inconsistencies, e.g. advocating peace while facilitating the export of weapons and military equipment.

Should the EU prioritise political dialogue in its relations with third party countries and use it to transmit explicit messages, when need be? How should sanctions be meted out?

In conclusion, *Dieter Frisch* proposes certain priority lines of action that will allow the EU to reenergise aid, (and make if more effective), and better target development cooperation actions to fulfil the basic needs of the resident populations first. Isn't this also the best way to ensure the advancement of basic freedoms and rule of law? But, ultimately, promotion of peace and cooperation depends on the political determination of the political leaders, whether they come from the EU or a state of the South.

Thereafter, *Björn Hettne*, of the Department of Peace and Development Research at the Göteborg University (Sweden), stressed that development and peace are two sides of the same coin. In this era of globalisation, the links between development and peace or security have changed. Have we passed on from the theory of development to the theory of conflict? In an increasingly chaotic world, development is seen as a tool of security, and more attention is given to the problem of security than development.

The classical development theory belongs to a bipolar post-World War, with world order dictated by a hierarchy organised into centres and peripheries, and "labelled" wars, and a model to emulate, namely, the European post-war model, with a choice between the 'western' and the 'eastern' version.

But things hit a dead end in the 1980s. Globalisation and chaos developed, and the neo-liberal ideology won the day, leaving millions of people off the road. "Local" economies started growing, without state control. They were led by a new type of entrepreneur who was supported by private military organisations that established various types of international connections.

Different forms of statehood entered the scene: fundamentalist, ethnic, military, warlords, etc. Neo-liberalism and warlords seem to be quite compatible. It was even sometimes difficult to distinguish between the state and the new military entrepreneurs. This context of lasting disorder gave rise to a new form of "medievalism" to which the theory of development had no response.

What alternative scenarios are this to this new international power play? Are politics taking the limelight again through new social movements? Is a new multilateralism being born? What role can the United Nations (UN) agencies play in this deconfigured landscape? Can the answer be found in a regional, inter-civilisational dialogue that will allow history to make a new start, far from post-modern relativism, "the end of history" thesis or the "clash of civilisations" scenario?

Hans Abrahamsson, who is also from the Department of Peace and Development Research at the Göteborg University (Sweden), proposes rethinking studies on peace and development. Referring to research carried out in Mozambique to better understand the room for national manoeuvre in the post-Cold War era, he analyses societal reactions to world order contradictions. Setting aside conflicts, he wonders whether these contradictions can create opportunities for change. But are the political and social forces capable to seize them?

After mentioning the theories (Braudel, Cox, Gramsci, etc.) that can be used to analyse world order changes, and the resulting paradoxes and contradiction, he brings out the contradiction between the post-Cold War

Nation-State project and the universality of Western values advocated by the Bretton Woods institutions in the 1970s. Didn't the world's passage from bi-polarity to a-polarity increase social and economic instability, open the door to organised international crime, and transfer security interests from the national to the global level, just as a need for financial stability and re-regulation of financial transactions was emerging on the political agenda, accompanied by the need to combat the development of inequality... in order to protect the interests of a transnational elite determined to hold on to its life style, but in opposition with the rivalling national elite groups. The break between the elite and the civil society has contributed to the development of de-politisation, and the economic barbarism of globalisation has increased the gap between (them and) the excluded citizens, driven by frustration into nationalist, conservative withdrawal.

The author asks whether the development theory has not failed to analyse contradictions on the international level and, ultimately, has eliminated space for action at the national level. Might it be possible to design adequate, coherent strategies, to strive towards progressive global dynamics, to work out a different politico-economic approach for the development theory?

Speaking on the causes of war in Black Africa, **Prof. René Degni-Ségui**, of the Faculty of Law of the *Université nationale de Côte d'Ivoire* in Abidjan, and former UN Special Rapporteur on Rwanda, indicated that armed violence had become commonplace and that there were increasing numbers of local or "peripheral" conflicts in the 1990s around the world, especially in Africa. After explaining that the nature of the conflicts changed after the Berlin Wall collapsed, he gave a sinister list of conflicts on the continent and the cortege of human lives lost, the figure being in the millions. He castigates the consequences of conflict that has uprooted (refugees, displaced persons) over 20 million people, deplores that over 30 million land mines trap the African soils and people, and goes on to query the causes of war. Can they be traced to the fight for power, which usually means elimination of basic rights, and a permanent state of humiliation and violence against the people? Is this what comes from rejection of changes in political power? What role does external intervention play, be it from states, armed groups or multinational companies? What is the impact of regional, ethnic and religious strife? Endemic poverty, the weight of the raw materials market, the deteriorating terms of trade, the burden of the debt, the arms trade and drug sales must not be forgotten. At the end, the author wonders whether the partners working for development have a genuine political determination to solve this tragic situation.

Mafalda Duarte, a student at the Development and Project Planning Centre of the University of Bradford (Great Britain), wonders about aid policies in war-torn societies. After taking note of changes in the relation between security and development following the Cold War, she shows surprise that funds previously devoted to humanitarian assistance are being reallocated to emergency aid, and asks whether this type of assistance has become the West's favoured response to emergency situations. After the Cold War period and a certain type of conflict prevention designed to avoid escalation in world war, hasn't a certain "laisser-faire" for violence developed accompanied by the emergence of zones of instability and crises linked to globalisation, the breakdown of the world into strong regional groupings on the one hand, and fragmented regional groupings on the other? The author also brings up the question of conflict management in Africa and, in turn, points to the problem of government control, the weakness of democracy and good governance, social and economic injustice, ethnic tensions, etc.

Since conflicts increasingly diverted international resources initially allocated to the development mission, wouldn't it be advisable to create a system of monitoring early signals of potential conflicts as a way to anticipate trouble in time to respond effectively? Since emergency assistance cannot respond to the causes of conflict, greater effectiveness may be obtained by directing certain actions to representative groups of the civil society.

Should conflict prevention be limited to diplomatic and military actions or should it also address the underlying causes? Considering the EU's volume of financial interventions and its political weight, shouldn't its play a greater role?

Last, **Sara Liwerant** and **Christoph Eberhard,** young researchers at the *Laboratoire d'Anthropologie juridique* of *Université Paris I,* dwelt on the subject of international law vis-à-vis crimes against humanity and genocide. Because of the violence and severity of conflicts these last years, the victims are entitled to justice. What should be done about what is too horrible to speak about? First and foremost, the people directly concerned by these violations must overcome their trauma and decide how to share the future. When this happens, the outstanding question is how justice is to be meted out in different societies.

International law deals with these questions along the lines set out by the Nuremberg and Tokyo courts, i.e. by setting up *ad hoc* jurisdictions such as the ones set up for former Yugoslavia and Rwanda. But aren't these tribunals focusing more on the problem of international security than on the problem of justice for the victims? And is the globalisation of the western model of justice the best solution?

An important change has been made in the typology of conflicts dealt with in the aforementioned framework. Formerly the concern was about inter-state conflicts, but now we often have to deal with intra-state crises or wars, which "complicates" the reconciliation procedure.

If we consider the victims' demand for justice, if we feel that speaking in terms of law means speaking the truth, if we want the law to be one element of settlement for post-war societies, shouldn't we take account of differences in ways of life around the world and thus rethink law in terms of locations and cultures?

Of course, international cooperation in judicial matters must be established, but shouldn't this be done with due respect for the other party regardless where he be, and with due regard for human pluralism. Transferring juridical models without adopting a pluralist approach to law may mean that the service of justice is not satisfactory when seeking to provide solace, restore rights or simply human fortitude. In such instances, it is essential to respect the right to draw on a variety of sources in order to build up intercultural dialogue that can lead to a consensual approach to peace.

Comparative migrations and demographies

Audrey AKNIN
Université de Versailles - Saint Quentin en Yvelines, Centre
d'Économie et d'Éthique pour l'Environnement
et le Développement (C3ED)
GEMDEV

The United Nations estimated that over 100 million people lived outside their country of origin[1] for one reason or another during the 1990s. They lived in Asia, the Middle East and North Africa (36 million), western and eastern Europe (over 23 million), North America (over 20 million), Sub-Saharan Africa (10 million), Latin America and the Caribbean (6 million) and, last, Oceania (4 million).

In 1997, some 90 million people left their home country, (75 million migrant workers and about 15 million refugees).[2] This figure does not include clandestine migrants and, among the legal migrants, does not distinguish between temporary and medium or long term migrants. In this "spectre" of migrants, many leave to escape poverty and unemployment;

---

[1] RUSSELL S.: "International migration: implications for the World Bank" in *Human Capital Development and Operations Policy Working Papers*, no. 54, 1995.

[2] Like the UN High Commission for Refugees, we define a refugee as *"a persons who, owing to a well-founded fear of being persecuted for reasons of race, religion, nationality, membership in a particular social group, or political opinion... cannot or do not want to return to their country"*. In 2000, there were 22.3 million people who fell within the jurisdiction of the HCR, in other words, 1 out of every 296 inhabitants. There were 21.5 million in 1999.

close to half of them are women and children. The countries of the North[3] have long been countries of destination for migrant workers, but poles of attractions are also emerging in the countries of the South, e.g. South-east Asia, oil-producing countries in the Arabo Persian gulf, South Africa, the "South Cone", as well as Mexico and Venezuela in Latin America. Furthermore, the High Commission for Refugees estimates that 75% of the forced migrants now go to the countries of the South. The context surrounding these population flows is characterised by poverty and ethnic or civil strife, and creates fear of increased migratory flows between the developing countries and the countries of the North.

These are the fears that support arguments in favour of restrictive immigration policies in countries such as the United States, Great Britain, France and Germany, policies that, however, are always more favourable to "skilled workers"[4]. In these times of globalisation, it would be interesting to look at political attitudes to migration in relation to political attitudes towards capital and goods.

The analysis of international migration is not a one-piece subject, but rather a collection of fragments from various disciplines such as demography, geography, sociology, anthropology, economics, etc. Economics focuses mainly on labour migration and on policies that limit or control the movement of labourers. By following D. Massey [Massey et al., 1993][5], we can identify, on the one hand, theories that explain the reasons for international migration and, on the other, theories that explain their permanency.

The first economic analyses of migration focused on the role of domestic labour movement in the development process [Lewis, 1954; Fei; Ranis,

---

[3] Europe, United States, Canada, Australia, Japan.

[4] The "brain drain" phenomenon is often mentioned.

[5] MASSEY D.; ARANGO J.; HUGO G.; KOUAOUCI A.; PELLEGRJNO A.; TAYLOR E.: "Theories of international migration: a review and appraisal" in *Population and Development Review*, vol. 19, 1993, pp. 431-466.

1961][6]. From this dualist macro-economic vantage point[7], labour migration is described by the difference in factor endowment (labour and capital) between "traditional" activities (mainly agricultural, characterised by a structural labour surplus) and "modern" activities (industrial goods which are the source of capital accumulation at national level and which need labour in order to grow). International migration is impelled by geographical differences between labour supply and demand, by wage differences between countries of the South (poor countries with relatively more labour than capital, hence a poor equilibrium market wage) and the countries of the North (countries with more capital than labour, where wages are higher). Migrant labour stops when this gap is closed. Seeing the labour market as the one and only explanation for international migration, economic policies recommend curtailing migration through interventionist policies for the national labour markets, where jobs are readily available.

There are "standard" micro-economic models[8] on individual choices [Sjaastad, 1962; Todaro, 1969; Harris; Todaro, 1970][9] in which the

---

[6] LEWIS A.: "Economic development with unlimited supplies of labor" in *The Manchester School of Economic and Social Studies,* vol. 22, 1954, pp. 139-191 / FEI J.; RANIS G.: "A theory of economic development" in *The American Economic Review,* vol. 51, 1961, pp. 533-565.

[7] The word dualism means any system that recognises the coexistence of two opposite, irreducible principles. In economics, dualism has a special meaning since it defines an analytical approach based on the existence of two sectors that are asymmetric because of their production and organisation.

[8] Standard theory refers to everything that in economic theory draws formal validity or analytical interpretation from the theory on overall equilibrium, and, consequently, if we follow Arrow's demonstration, standard theory is nothing more or less than the 'neoclassical model' in so far as it is based on the following two 'pillars': the rationality of individual behaviour, (limited to mean 'optimisation'), and the coordination of individual behaviour (limited to mean the 'market'). [Favereau, 1989, p. 279].

[9] SJAASTAD L.: "The costs and returns of human migration" in *The Journal of Political Economy,* vol. 75, 1962, pp. 80-93 / TODARO M.: "A model of labor migration and urban unemployment in less developed countries" in *The American Economic Review,* vol. 59, 1969, pp. 138-148 / HARRIS J.; TODARO M.: "Migration, unemployment and development: a two-sector analysis" in *The*

individual migrates to the country that best fulfils his/her expectations of gains from migration[10]. Factors that contribute to increasing migratory flows from developing countries essentially include: the qualities of an individual expressed as human capital (they may increase the chance to find employment) and the existence of infrastructure (which could reduce the cost of the migration). Conclusions drawn from this approach are also based on the labour market itself: there is an imbalance among national markets. The size of the difference between expected wages has a direct effect on migratory flow volumes; if the wage differential is eliminated, so is migration.

In the article *The New Economies of Labor Migration* [Stark, 1991; Stark; Levhari, 1985; Stark; Bloom, 1985][11] focus is given to the rural production and consumption units. This theoretical rationale challenges the idea of the individual as an isolated decision-maker. Furthermore, the wage differential and labour market opportunities are not factors that explain migration; households act collectively to minimise risk and lighten constraints connected to the non-existence of certain markets (in particular credit facilities and insurance, future markets, and financial markets). The migration of family members, thus, is a tool for diversifying risks. In the absence of salary differential, labour migration may occur as a type of insurance which is expressed through transfers of money and goods between the migrant and his family. In response to this vantage point, economic policy tends more to recommend the introduction of insurance and financial markets in the developing countries as a way to curtail migration.

American Economic Review, vol. 60, 1970, pp. 126-142.

[10] Gains expected from migration include wage level and the probability of having to cope with unemployment and the costs of migration. For the clandestine migrant, the probability of expulsion has to be included.

[11] STARK O.: "The Migration of Labor" - Oxford: Basil Blackwell, 1991 / STARK O.; BLOOM D.: "The New economies of labor migration" in *The American Economic Review,* vol. 75, 1985, pp. 173-178 / STARK O.; LEVHARI D.: "On migration and risk" in *Less Developed Countries Economic Development and Cultural Change,* vol. 31, 1982, pp. 191-196.

The dualist labour market theory [Piore, 1983; 1986][12] holds that international labour migration is affected by demand, more specifically by (public and private) employment policies in countries of destination which mainly seek to attract cheap foreign labour (thereby allowing for a certain flexibility in the labour factor). Here again, movement does not predicate on the existence of a wage differential.

Last, the global systems approach [Sassen, 1988; 1991][13] focuses on the structure of the international market. *"In this scheme, the penetration of capitalist economic relations into peripheral, noncapitalist societies creates a mobile population that is prone to migrate abroad. Driven by a desire for higher profits and greater wealth, owners and managers of capitalist firms enter poor countries on the periphery of the world economy in search of land, raw materials, labor, and new consumer markets. In the past, this market penetration was assisted by colonial regimes that administrated poor regions for the benefit of economic interests in colonizing societies. Today, it is made possible by neocolonial governments and multinational firms that perpetuate [this] power..."*[14] From this point of view, international migration is affected far more by investment policies abroad and international flows of goods and capital than by the wage differential.

Alongside these economic theories that are focused on the motives of migration, there are analyses of the ever-lasting international migratory movement.

---

[12] PIORE M.: "Labor market segmentation: to what paradigm does it belong?" in *The American Economic Review,* vol. 73, 1983 - pp. 249-253 / PIORE M.: "Can international migration be controlled?" in "Essays on Legal and Illegal Immigration: Papers presented in a Seminar Series conducted by the Department of Economies at Western Michigan University" - Kalamazoo, Michigan: WE Upjohn Institute for Employment Research, 1986 - pp. 21-42.
[13] SASSEN S.: "The Mobility of Labor and Capital: A Study in International Investment and Labor Flow" - Cambridge: Cambridge University Press, 1988 / SASSEN S.: "The Global City" - Princeton: Princeton University Press, 1991.
[14] MASSEY *et al. - Op. cit. -* p. 448.

In the theory of migratory networks [Carrington *et al.*, 1996][15] the cost of labour mobility is a decreasing function of the number of migrants who are already installed in the country of destination. The existence of migratory networks makes it possible to reduce the cost of migration and to channel movement towards selected zones. After getting started, migration develops its own dynamic and pathway, having freed itself of the original launching factors. The wage differential no longer determines the volume of the migratory flow once migration is "institutionalised" through the creation of networks. Since the network formation process is underpinned by factors that are often unrelated to economic policies, restrictive measures have little impact on it.

The institutional theory is much akin to the preceding approach: after international migration has been started, private and voluntary organisations are developed as a source of support and to ensure the continuity of the migratory movement. These organisations work especially on transport, job-hunting, housing, etc.

Analyses of cumulative causality assert that international migratory flows create a feedback effect and increase the probability of additional sequential migration, which impacts the distribution of revenue and land, the organisation of agricultural production, and the regional distribution of human resources.

The migratory systems approach [Kanaroglou *et al.*, 1986][16] turns out to be rather close to the preceding analysis, although it introduces a certain polarisation. The systems are marked by relative intensity of exchanges (goods, capital, people), but only between certain countries. A migratory system usually is composed of a region of destination (one country or a group of countries) and a series of countries of origin. The countries in

---

[15] KANAROGLOU P.; LIAW K.; PAPAGEORGIOU Y.: "An analysis of migratory system: 1. Theory" in *Environment and Planning*, vol. 18, 1986, pp. 913-928.
[16] KANAROGLOU *et al. - Op. cit.*

the system are not necessarily geographically close to each other, although proximity is a factor that enhances exchanges within the system. Furthermore, multipolar systems also may exist, and systems change over time.

Some of these approaches appeared between the lines in the following two papers:

Leila Farsakh, in "North African labour flows and the Euro-Med partnership", describes the impact of partnership between the Maghreb countries (Morocco, Algeria, Tunisia) and the European Union on migrant labour flows from North Africa. The Maghreb countries have a long tradition of migration to Europe because of their demographic situation (young population, beginning of a demographic transition) and their economic situation (domestic labour market is unable to offer enough jobs). The composition of migratory flows and the migrants' destinations have changed as European immigration policies become stricter. Furthermore, monetary transfers by migrants have constantly risen: *"while FDI (Foreign Direct Investments) flows between 1985 and 1992 represented less than 2.5% of total investments in Morocco... transfers accounted for 35% of the gross national savings..."* although the absorptive capacity of European countries has gone down. In 1995, the European Union and the twelve Mediterranean countries signed a bilateral and regional partnership agreement called the Barcelona process or the Euro-Med partnership. The aims are to create a zone of peace and political stability, to promote cultural rapprochement and, gradually to establish an economic free trade zone. What impact will this agreement have on labour migration? Could this free trade agreement be an alternative to migration? What will be its economic policies on investment, training, and the labour market? The stakes are clear, but the related questions are still unanswered.

Migration affects both the departure and the destination zones. Village communities living on subsistence agriculture have to cope with such serious uncertainties that they adopt "conservative" strategies (as concerns techniques of production, choice of crop seed, family labour). Hence, **Catherine Quiminal** in "Tradition, migration et innovation : le marché de la patate douce dans la région de Kayes (Mali)" (*Tradition, migration and innovation: the sweet potato market in the Kayes region*) describes changes generated by the migration of Malian workers to France during the last twenty years. Through her anthropological analysis, the author brings out the role of the migrants' associations in France and Mali in the development process, which is understood to improve the living conditions of the targeted population. These associations were created in France in the 1960s and have gradually started propelling local and regional dynamism in Mali, e.g. the creation of the sweet potato market. They are standing out as a new player in relations between the developing countries and the countries of the North by helping to usher in a certain modernity through *"strategies based innovation and resource creation which, however, does not adversely affect the food crop agriculture"*. These associations may open the way to a new line of thought on international cooperation.

These two articles involve different geographical zones and scientific disciplines. Their common denominator is that they draw attention to new forms of cooperation that are already being applied, or should be, between the emigration and the immigration zones, and to the economic (training, workers' qualifications, trade/migration substitution) and social stakes underlying the movement of groups of people from the countries of the South to the countries of the North.

Monetary and financial policies and reform of the international financial system

Philippe HUGON
Université Paris X - Nanterre, Centre d'Études et de Recherches
en Économie du Développement (CERED)
GEMDEV

Financial globalisation has meant a sharp increase in the speed of circulation of capital, a high degree of capital volatility and a disconnection between the financial sphere and the real economy, with the financial markets playing an increasing role at the expense of the regulating instruments available to governments. For emerging countries it has also meant financial and foreign exchange crises.

The papers reviewed below address several aspects of financial globalisation and its attendant crises from the standpoint of monetary and foreign exchange policy, national financial policy and national financial systems and reform of the international financial system.

I. Monetary policy and regional currencies

Monetary policy aims to increase or decrease the money supply using a range of direct or indirect instruments. Establishing a stable, rigorous monetary policy seems to be one of the main ways to reconcile currency convertibility and competitiveness with credibility, making a country or region attractive to capital. Monetary and foreign exchange policies are largely a regional matter.

Françoise Nicolas in her paper "Une monnaie unique pour l'ASEAN, quelles perspectives?" considers what foreign exchange regime would suit the emerging economies in the wake of the East Asian foreign exchange crisis of 1997-1998. She shows the need for a collective initiative to prevent regional contagion. Co-ordinated monetary policies, or even creating a single currency, would harmonise the financial and trade interpendencies in East Asia by monetary regulation.

Anne-Laure Gnassou also addresses the issue of regional currency, in her paper on the pegging of the currencies of Guinea and Cape Verde to the euro, via the French franc area in the case of Guinea Bissau and via an exchange agreement with Portugal in the case of Cape Verde. The paper first examines the technical aspects, then considers the pegging of African currencies to the euro in connection with the economic and trade agreements between Europe and Africa under the Cotonou agreement.

In the background to both these papers are the issues of monetary regionalism and the debate on what the best monetary zones would be in a world consisting of floating currency blocs. Under the old theories, a currency reflected the fundamentals while volatilities were supposed to be linked to exogenous shocks affecting the fundamentals. With floating blocs, currency exchange volatilities result from the policy decisions of major powers (acting through interest rates in particular), from the guarantees provided by the Bretton Woods institutions subject to certain conditions, and from speculation in a situation of uncertainty and limited rationality. A peg to a strong currency and membership of a floating bloc increase the volatility of bilateral exchange rates but, if the peg currency is dominant in international trade and capital flows, they reduce the volatility of the real effective exchange rate.

II. Financial policy and national financial systems

Financial development and economic development are interdependent, although the nature of the causal relation is debatable. In the eyes of many analysts, financial liberalisation accompanied by reforms of the financial systems are determinant conditions for positive integration in the world economy.

Gabriel Bissiriou addresses these issues in his review of recent literature "Intermédiation financière et développement : une revue de la littérature récente", as does *Henrik Schaumburg-Müller* in "Fall or survival of the governed business system in the Asian crisis: Malaysia and Thailand".

Gabriel Bissiriou's paper deals with the links between financial mediation and the development process, in the light of theories of endogenous growth and endogenous financial intermediation. He reviews the theoretical literature and presents the most significant empirical tests. Many developing countries have considerable arrears of payment and are deeply in debt. Their banks, in a state of low solvency and limited profitability owing mainly to bad debts, give preference to short-term operations.

It would therefore be useful to establish financial intermediaries capable of mobilising savings and granting medium- and long-term loans. Decentralised savings and neighbourhood loan systems could be encouraged, and supported by links with official financial institutions, networks of mutuals and "informal" networks. The rehabilitated financial systems should manage payments, mobilise savings, distribute financial resources, and provide ways to diversify risks.

Henrik Schaumburg-Müller's paper on the governed business system during the Asian crisis describes the overlap between the business world and political decisionmakers, and various forms of co-ordination between major enterprises and government decisionmakers.

The author argues that to understand the impact of financial policies, one has to go beyond the market/State dichotomy and analyse governed business systems. There are many linkages between the business world and the decisionmaking bodies that regulate or govern. He illustrates his argument from the examples of Malaysia and Thailand. He suggests a very instructive typology that distinguishes between fragmented co-ordination in Taiwan, hierarchical, State-organised organisation in Korea, a high level of co-ordination in Japan, and a "governed" system in Malaysia and Thailand. He also differentiates between four modes of co-ordination: ownership, inter-firm co-ordination, employment relations and relations with the institutional system. In Malaysia, the Chinese community accounts for 30% of the population and controls 65% of assets; in Thailand, where it accounts for 10% of the population, it controls 85% of assets. The State is not a higher authority but a powerful actor operating in liaison with the other players.

III. Reforms of the international financial system and new international financial architecture

At the world scale, global financial regulation is needed to reduce capital volatility and avoid systemic crises.

José Antonio Ocampo in "A broad agenda for international financial reform" describes the financial instability in emerging countries, particularly Brazil and Argentina. Financial globalisation has led to increased volatility and resulting financial crises. Governments have largely lost their means of regulation. New regulatory mechanisms are therefore needed at the international level: stabilisation funds and preventive measures by which contagion can be avoided. Alongside the international institutions, it is the United States that play the role of lender of last resort to strategic countries. More ownership by regional and governmental authorities is required. In this regard regional institutions have a central part to play in crisis prevention and financial regulation.

Valpy FitzGerald considers lines of action that would establish a new international financial architecture. While noting the systemic risks linked to capital volatility and the low level of international regulation, he identifies some signs of optimism. The financial crises in Mexico, Asia, Brazil and Russia were not systemic crises spreading across the world, but the dangers remain.

There are four possible strategies:

- set up a "stability forum" within the G7;
- establish new international rules on foreign investment;
- restructure poor countries' debts by extending the scope of highly indebted poor countries (HIPC) type measures;
- continued official development aid (ODA) spending in priority social fields.

This new international financial architecture would combine pro-poor growth, reduced international instability and more transfers.

International economics

Vincent GÉRONIMI
Université Paris X, Centre d'Études et de la Recherche en Économie de
Développement (CERED)
Université de Versailles - St Quentin en Yvelines, Centre d'Économie et
Éthique pour l'Environnement et le Développement (C3ED)
GEMDEV

The main theme of the 9th EADI General Conference, "Europe and the
South in the 21st Century: Challenges for Renewed Cooperation" is by its
very nature within the field of international relations. Based upon an
economic reading of these relations, the papers under the heading of
"international economics" can be organised around the general theme of
the insertion of developing countries into the current world dynamics.
These dynamics are situated at different levels, including:

- the interplay of actors at a global level (J. Lesourne);

- current development theories and practices (P. Jacquemot), with
  the questions raised by the advent of a new cooperation tool:
  sectoral programme assistance (H. Schaumburg-Müller);

- financial flows, whether private (S. Alessandrini and S. Contessi)
  or public (C. Thoma) whose effects can be felt at various levels
  wages (S. A. Bedi and A. Cieslik), assistance policies by
  countries of the North (B. Campbell), regional integration
  (C. Jedlicki). More globally, this concerns the renewed impact of
  foreign direct investment (FDI) on development (K. Lieten);

- debt and its management (J.-Y. Moisseron and M. Raffinot);

- trade flows of basic products (V. Géronimi, P. Schembri and A. Taranco), of food products (B. Daviron), of tourism (S. Page), as well as the performance of exports from India to the European Union (B. Nag).

Based upon the analysis of the experiences of the previous decades, each of the papers presented here attempts to identify the dynamics that are capable of influencing the future trajectories of cooperation between Europe and the South.

Jean-Jacques Gabas identifies the dynamics behind profound changes in the world arena, thus introducing the main theme underlying all of the papers presented here. These changes are evidenced in breakdowns at the level of concrete events, as well as at the analytical level, and they lead us to question the future of Europe-South relations. These breakdowns mark the end of methodological certainties by calling for a renewal of the analyses and tools used to understand and guide cooperation. This uncertainty also holds opportunities to renew cooperation. *Pierre Jacquemot* defines the dominant consensus through three terms that illustrate the possible changes of the current paradigm: sustainability, governance and fairness. Beyond these three terms there lies a potential for cooperation renewal that can only occur through a return to long-term planning and via an analysis of social processes. *Henrik Schaumburg-Müller* focuses his paper on sectoral program assistance. It must integrate the participation of project actors, while abiding by "good" governance, and ensure sustainability. The assessment proposed by the author highlights the difficulties associated with the implementation of a more participatory approach, which requires effective administration. From the governance standpoint, coordinating the different donors in these sectoral programs is crucial and constitutes an area for cooperation policy renewal.

I. Which breakdowns?

What are the primary breakdowns? Do they concern the countries of the South in the same way they do Europe? One of the primary points in common in the analyses presented is the observation that there are differences in strategies of actors, areas of reference, time frames and modes of insertion between Europe and the South and therefore, fundamentally, the resulting gaps between the trajectories of Europe and the South.

These breakdowns involve the following areas:

- new actors are arriving on the scene, whose complex strategies question the possibility of the emergence of global governance;

- new areas are being created: in Europe, with the issue of European Union enlargement to new members, and in the South, with regional dynamics as an essential lynchpin of cooperation;

- time frames are shifting as debt burdens are handed down to future generations, placing a strain on development of the South whereas the creditors are in the North;

- modes of insertion in the international economy are revealing a certain inertia concerning specialisation, essentially the primary specialisation of African, Caribbean and Pacific (ACP) countries, upon which past cooperation policies have not had the diversification impact expected. Meanwhile, Europe continues its integration internally and in the world economy via the most elaborate market flows.

Of course, these breakdowns are interrelated: they are tightly intertwined within the global dynamics at work. The strategies of the actors vary according to the areas and time frames (the issue of European market access is not the same for Indian exporters, whose markets are

175

diversified, as it is for ACP countries exporters, because the debt burdens will require transfers over time in opposite directions between lenders and borrowers, etc.) and according to the challenges that are also defined by the comparative advantages of the zones. Lastly, the differences between areas result in divergences of trajectories over time: primary specialisation fosters dynamic regimes that are highly differentiated from the regimes of Northern countries.

The redefining of cooperation policies between Europe and the South must provide answers to the questions raised by these breakdowns. They question the future of cooperation between Europe and the South.

II. From new actors to increasingly complex interplay

Jacques Lesourne notes the increasing complexity of the interplay of actors in a changing world arena. The three primary groups of actors identified (Enterprises, banks, research centres / Social groups, public opinion, religious or ideological movements / States) maintain relationships about which the public is informed through information, markets, institutions and international agreements, conflicts and the environment. These relations pose the question of governance at a world level. It is obvious today that "the complex and hierarchy-free system that is humanity is merely at the beginning of a process of self-organisation capable of leading in the long term to its imperfect mastery". The future therefore remains unpredictable, and the dynamics identified today can provide insightful indications on the evolution of the governance process.

This is the level where *Jean-Jacques Gabas* defines the questions in his introductory article regarding changes in the respective roles of the State and the market (and the status of the norms drawn up in a multilateral framework by institutions such as World Trade Organization, International Labour Organization, etc.), the role of NGOs, of religious or union organisations in the international architecture. These changes sketch out a new landscape, giving rise to three areas of reflection:

- the return to an approach of societies' experience in terms of development;

- the recovery of the lost legitimacy of development aid;

- the genesis of international rules and norms and their conditions of applicability.

These different questions assume that the issue of the relevant scale of analysis has already been resolved. Is it that of the Nation-State, that of regions or that of the planet? In the redefinition of cooperation policies between Europe and the South, the response seems to be contained in the question: the frame of reference is Europe, on the one hand, the South on the other. Nonetheless, **Jean-Jacques Gabas** points out that the term Third World is fading due to the breaking up of the South. And the same observation can be made regarding Europe, which is subject to a dual dynamic of enlargement (at a market level) and of recentering (at a monetary level). The spatial dimension is also at the centre of the Cotonou Agreements between the ACP countries and the European Union.

III. Changes in international capital flows and redefinition of relations between the European Union and the countries of the South

Redirecting capital flows towards countries of the East (while capital flows towards certain countries of sub-Saharan Africa are barely noticeable) seriously challenges the future of Europe-South development cooperation. The development of new poles of attraction for capital flows is having adverse effects on other zones. Yet, flows of this sort give special impetus to globalisation. Studying the geography of these flows entails consideration of marginalisation and integration as phenomena in the world economy. Changes can be noted especially in foreign direct investment (FDI) flows.

This leads to several questions:

1. What are the decisive factors in allocating FDI to the Eastern European region?

Sergio Alessandrini and *S. Contessi* have made an empirical, comparative analysis of the destination of regional FDI flows in Central Europe. Their work has contributed to explaining the importance of the agglomeration effects in attracting FDI, and the concentration of FDI in border areas. These two parameters indicate more precisely why proximity, combined with inexpensive and unskilled labour, have attracted FDI to Central Europe. Official capital flows contributed to this reorientation. They were complementary to private flows and, according to the paper by *Csaba Thoma*, eventually preceded them during the first half of the 1990s. These two papers justify the thesis that Central Europe is very appealing to private investors and to international financial institutions. This brings up the problem of redirecting flows between Europe, the South and the countries of Eastern Europe, which is upsetting relations between Europe and its traditional partners in the South.

2. What are the effects of FDI on the countries of the Eastern European zone?

The effects of FDI on wages in Poland are analysed by *Arjun S. Bedi* and *Andrzej Cieslik*. Wages are relatively high and are going up faster in the manufacturing goods sector, which has a strong foreign component; the authors feel that this situation illustrates the growth potential stemming

178

from access to FDI. Their analysis makes them query the comparative appeal of the developing countries, particularly the low developped countries (LDCs).

3. How should development cooperation policies accommodate FDI flows?

Bonnie Campbell uses Canadian FDI in the African mining sector (Ghana and Democratic Republic of Congo) to analyse the consequences of FDI, as promoted through Canadian government assistance policies, on the definition of development cooperation policies. In the context of international trade liberalisation, flows of this kind can have negative effects in the medium term (e.g. on the environment); this counters the declared objectives of the Canadian cooperation policy. FDI flows, thus, may be nothing more than a manifestation of the international power play and, in the case of Africa, unlike what happens elsewhere, e.g. in the countries of Central Europe, FDI flows are governed mainly by the desire to ensure access to raw materials. Do multinational companies always have a positive impact on development? *Kristoffel Lieten* considers the question in the 1970s, and stresses the potentially adverse effect of fully liberalised FDI flows, which is inconsistent with the FDI promotion policies established in most developing countries and endorsed by the World Bank (WB), International Monetary Fund (IMF) and World Trade Organization (WTO). These flows stand out as obstacles to development rather than the opposite, since they contribute to reducing the states' capacity to introduce truly national policies and lead to loss of state sovereignty. Aside from the regulatory policies and the national/international regulatory bodies, rather than having a positive effect on economic development, they contributed to disorganising the global system.

4. Do regional integration agreements encourage transnational companies?

Arjun S. Bedi and *Andrzej Cieslik* consider this question in the case of Mercosur through a survey of French transnational companies working in the region. The survey showed that the investment decisions of these companies were mainly determined by economic reforms in the Mercosur states, not by the existence of Mercosur. French transnational companies believe in the long-term future of the region, but for short-term investments, their decisions are affected by concerns about the vulnerability of Mercosur national economies.

The complex dynamics of globalisation, for which FDI is a leading instrument, play a role in distinguishing different economic trajectories within both marginalised and integrated zones. This spatial differentiation can also be analysed in terms of time frames.

IV. Different time frames

Among the ACP countries, highly indebted poor countries (HIPC) are characterised by very strong external funding constraints, which have enabled them to benefit from numerous debt cancellation measures. The new planned cancellations involve HIPCs, which could demonstrate the non-sustainability of their debt. On the basis of several case studies (Cameroon, Benin, Ivory Coast, Senegal and Burkina Faso), *Jean-Yves Moisseron* and *Marc Raffinot* demonstrate that the diagnostic in terms of sustainability is arguable, and cannot be carried out without taking into account the entire amount of future outside financing. Projecting the different elements making up outside funding entails numerous difficulties due to the variability of outside funding sources. Beyond this, it is the question of policy choices in the management of debt that is raised. The constraint posed by indebtedness is a highly political and ethical one. Here is an essential dimension of international cooperation, and the way in which EU-ACP relations deal with this issue in the future will have a profound influence on the orientation of the future of these relations.

The variability and uncertainty that affect the determinants of the sustainability of the debt arise in part from the fluctuations in export performance, and the type of international insertion of ACP countries. *Vincent Géronimi*, *Patrick Schembri* and *Armand Taranco* demonstrate that primary specialisation correspond to dynamic regimes that are particularly unstable in the long term. The failure of stabilisation efforts can therefore be partially explained by a short or medium-term time horizon, which is not relevant in stabilising and facilitating forecasts by economic agents.

V. Modes of insertion in the international economy

The primary specialisation of most ACP countries explains the weak economic performances for the majority of them. The instability of export income is reflected in the instability of growth rates, which can clarify some of the reasons behind weak economic performance in the long term. The advent of "poverty traps" can thus be tied into the high level of instability. The analysis put forth by *Vincent Géronimi*, *Pierre Schembri* and *Armand Taranco* demonstrates that the cooperation policies between the European Union and ACP countries must address the issue of managing instabilities. One of the paths to explore lies in the renewal of support for diversification policies.

Benoît Daviron's analysis on the trade of food products centres on the evolution of the position of developing countries in the international division of labour over an extended period of time. He is thus able to take into account the decline of national arenas as central regulation areas for agricultural markets. This evolution sheds light on the process of differentiation between developing countries on food product markets. Thus, large regional markets regulated by contractual tools implemented by firms in oligopsony positions gradually replace national markets. Eurafrica, excluding internal trades within the European Union, demonstrates extraordinary apathy with respect to this process, as is evidenced by the marginalisation of Africa on international markets. Given the dynamics of international food product markets, access to the European market is central.

In this respect, the tourism sector can represent an opportunity for countries with a primary specialisation. Based upon the study of the tourism sector in Mauritius, South Africa and Zimbabwe, **Sheila Page** *focuses* on the conditions and effects of tourism on the development of the country in question. The potential effects of the development of this sector are highly positive, but depend directly on the policies implemented in particular in the areas of redistribution, communication and transportation. The diversification of the productive base of ACP countries' economies in favour of increased tourism therefore requires an active support policy.

The diversification of economies, the taking into account of changes over time, the interplay of actors, insertion in the international division of labour, etc., are all themes that question the policies of North-South cooperation. In terms of economic policy, a shared conclusion emerges: the need to renew support of cooperation policies that are reformulated based upon new international dynamics.

The Challenges of globalisation

Claire MAINGUY

Université Paris XI, Centre d'Observation des Économies africaines (COBEA)
Université Robert Schuman, Groupe de Recherche sur les Identités et les Constructions européennes (GRICE), Centre de Recherche Territoires, Institutions et Politiques économiques en Europe (TIPE), Strasbourg
GEMDEV

In his opening address, *Philip Lowe*, Director General of Development at the European Commission proposes a panorama of European aid by presenting the objectives pursued, the principles defended, the policies implemented and the choice of instruments. He highlights, among others, the support that the Commission would like to provide to developing countries, by various means, so that their integration in the world economy is beneficial.

The following documents demonstrate, through very diverse approaches, that globalisation is a major phenomenon and gives rise to fundamental adaptations:

- economic crises can affect all countries of the globe as seen, for example, in the 1997 Asian crisis. J. D. Perdersen, M. Diehl and H. Hveem highlight several points that can be learned from analyses of financial crises, in particular regarding the reform of the international financial architecture and the role of international lenders of last resort;

- work relations are also affected by globalisation. G. Caire highlights violations of workers' rights and takes stock of the different legal possibilities being developed;

- globalisation requires adaptations specific to each sector of activity. D. Requier-Desjardins studies the case of the food and agricultural sector of developing countries and Ph. Barbet examines the postal service sector;

- beyond practices, globalisation requires adapting concepts and theories as is shown by H. O'Neill and M. Baaz.

I. The globalisation of the effects of financial crises

In a context characterized by globalisation, what is the maneuvering room of States in developing countries as regards economic policy or international negotiations? *Jørgen Dige Pedersen* compares the reactions of two of the largest developing countries, Brazil and India, which have been faced with two situations: financial crises at the beginning of the 1970s and of 1997 and multilateral trade negotiations, in particular, the Uruguay Round.

Brazil was among the most indebted countries at the beginning of the 1980s and had to solicit International Monetary Fund (IMF) loans. The stabilization program led to a severe recession. The liberalization of the economy attracted foreign capital but it also intensified the dependency of the Brazilian economy vis-à-vis international economic fluctuations. Its vulnerability became apparent, in particular during the 1997 Asian crisis. India had not experienced as difficult a situation in the 1980s due to the nature of its external debt but also because of the reactions of the government. The amount of IMF funding needed was less than expected and only the conditions in keeping with the government's policy were applied. The liberalization of capital movements was not as rapid as it had been in Brazil. Nevertheless, India also had to take into account the international economic context.

Concerning multilateral negotiations, India and Brazil held a common stance against the introduction of services into the negotiations. This position evolved on both sides for different reasons. Given its vulnerable economic and financial situation, maintaining good relations with lenders was of the utmost importance to Brazil. India, however, had been careful not to isolate itself. However, the evolution of the position of both countries also depended upon their internal economic situation.

The author draws some lessons for other developing countries, by presenting the importance of structural determinants, namely constraints related to the external economic position of the countries and the taking into account of domestic interests. In this context, maneuvering room apparently depended on the ability government actors had to incorporate the evolution of constraints.

For both countries in question, the increasing number of trade links with the European Union has counterbalanced ties with the United States.

Markus Diehl analyzes the mistakes of economic policies that, in his opinion, have led to the vulnerability of Asian countries that experienced the 1997 crisis. He emphasizes the exchange rate regime. Two objectives must govern choices of developing countries: the capacity to adapt to external shocks and the credibility of national economic policies. The countries of Southeast Asia affected by the crisis opted to limit exchange rate volatility through the adoption of a set exchange rate pegged to the dollar. According to the author, this pegging is not justified, given the diversification of trade and financial relations. The overvaluation of Asian currencies was not very high in the 1990s, but it represented an additional factor of vulnerability that was combined with a lack of transparency and insufficient prudential rules. A floating exchange rate regime would have led to a gradual depreciation of the currency while avoiding the panicked behavior of foreign investors and its consequences.

The author then analyzes the conditions for the liberalization of capital markets. Asymmetries of information hinder the proper functioning of the market and deficiencies must be addressed before any liberalization of capital movements can take place. He presents the various possible strategies (gradual liberalization of capital movements accompanied by adequate institutional development, exchange rates with fluctuation margins, etc.) while pointing out that in the case of a sudden reversal of capital flows, none of these strategies would prevent a recession.

The Asian crisis was the impetus behind a great deal of thought on the reform of the international financial system, in particular the need for an international lender of last resort. The author defines the conditions in which an international lender could intervene as well as the risks of moral hazard related to its existence. In the end, he backs a decentralized system rather than a supra-national institution.

Helge Hveem proposes an analysis of the debates and the various positions on a new "international financial architecture" discussed following the 1997 Asian crisis. The Asian crisis is considered by the author to be a turning point insofar as it had an international impact with contagion effects. It also led to a challenging of the monetarist paradigm by underscoring market failures. It thus showed, according to the author, the need for public regulation of capital flows.

He studies the stances taken and their motivations as well as the proposals to reform the international financial system. The question of the extent of the role of the State plays an important part in his analysis.

Helge Hveem identifies four types of positions with increasing degrees of State involvement in international financial mechanisms. The Liberal school favors regulation by markets, crises being merely correction mechanisms. The Conservative school allows for the possibility of one-time intervention from the IMF or the Bank for International Settlements (BIS). The third position is that of institutional reformers. For them, institutions are indispensable in coordinating and supervising the functioning of markets. This position is apparently the topic of many current debates. The fourth position is that of nationalist developmentalists. It highlights, for example, the need to control financial flows and the role of national savings as a primary motor for development.

In conclusion, the author evokes the technical and political difficulties of reforming the international financial system but confirms the need for cohesion and coordination to ensure the viability of the system. He poses the question of development of countries of the South in this overall context. Interventionist policies have had negative impacts; nonetheless it would be difficult to forego some form of industrial policy.

II. The globalisation of work relations

The globalisation of the economy has undeniable consequences on work relations. The difficulties are due in particular to the fact that the economic powers are globalized whereas political powers remain essentially within national borders and that labor markets fall under national regulations.

Guy Caire highlights the various forms of uncertainty and of violations of workers' rights that can stem from globalisation (job losses related to relocations, salary cuts due to unfair competition, etc.). He cites debates opposing advocates of flexibility and opponents of unfair practices of companies whose comparative advantage is based upon child labor, forced labor or other unacceptable working conditions. He adopts an institutional viewpoint considering that for the labor market to function well, it must be organized. He distinguishes three types of rights:

- the rights granted involve companies who, concerned about their image, can resort to codes of good conduct, labels or ethical investments;

- the negotiated rights and collective agreements represent the possibility of negotiating collectively at a supranational level, for wage policies or the reduction of the working week, for example. This possibility primarily concerns Europe for the moment but according to the author it could also concern certain multinational or transborder areas of development;

- concerted rights and international work regulations concern firms and States. These can be firm commitments or principles intended to orient the actions of the actors involved. They can take the form of a code of conduct or social clauses. The former concern companies more. For example, the "guiding principles" of the Organization for Economic Cooperation and Development (OECD) which attempt to motivate States to be attentive to multinationals' contribution to economic and social progress through commonly-defined norms (union representation, equal treatment of employees, etc.). Social clauses concern States; the author highlights the most fundamental ones, which are gaining increasing support, namely those involving Human Rights. They condemn and act against forced labor, child labor and the use of prison labor. But social clauses also pertain to what can be termed "social dumping". However, the drafting of social clauses that could provide an initial answer is encountering multiple constraints, which are detailed by the author.

He concludes by posing the question of enlargement of the right of humanitarian interference in the area of living and working conditions.

III. Sectoral analyses of globalisation

Denis Requier-Desjardins demonstrates that an analysis in terms of Localized Food and Agricultural Systems (LFAS) is well adapted to developing countries to understand better peasant farming's competitivity challenges in a context of globalisation.

The author begins by addressing the evolution of analyses of local production systems by demonstrating the contributions of the concept of industrial district originally developed by Marshall, analyses in terms of geographical economics, of endogenous growth and the economics of organizations. Relations of proximity play an essential role in the process of innovation. Proximity is characterized, for example, by relations of trust and it enables transaction costs to be reduced.

These analyses shed light on factor analyses of the location of economic activities, in particular in the context of globalisation.

The author then develops the approach presented, with the notion of LFAS, by demonstrating its usefulness for the food and agricultural sector in developing countries (Africa and Latin America). The processing of local food and agricultural products often results in regional concentrations of small production units. The LFAS discussed here are characterized by "specific assets" such as the sharing of know-how, the reference to a "quality conventions".

This specific approach to the food and agricultural sector in developing countries could open a new path of cooperation between Europe and the South.

Services are henceforth part of the objectives of multilateral trade negotiations. Postal services are an illustration of problems that can arise and of possible solutions. In parallel to multilateral negotiations, Europe has undertaken a process to unification the postal market that could be completed by the mid-decade. **Philippe Barbet** begins his article by defining the specificities of postal activity, then he poses the problem of international postal rates while pointing out that the highest costs are those of final distribution and are therefore borne by the non-compensated distribution operator. Compensations were implemented in 1969.

The author describes the difficulties encountered in attempts to improve the system at European and international levels. Despite the incompatibility between the international rate system and the World Trade Organization (WTO) rules, this system should continue to be used according to the agreement. It was ratified by most of the developed countries and certain developing countries, making it an exception.

In Europe, a Green Book on the single market in the postal sector, drafted in 1992, describes the characteristics of a "universal postal service". A gradual process of liberalization has been set forth with intermediary stages planned in 2003 and in 2007. On the one hand, liberalization of the sector is carried out in such a way so as not to hinder the development of electronic commerce, which is partially dependent on postal services. On the other hand, it is intended to limit the social and human costs of a poorly managed process of liberalization in a labor-intensive sector.

IV. Adaptation of concepts and theories

Beyond an assessment of evolutions and the challenges of development aid, **Helen O'Neill** carries out a comparison of major theories of international relations and key concepts in development theory. This analysis enables one to understand better the evolution, even a redefining, of concepts such as poverty or the notion of power. The author also studies the relevance of notions, as well as the differences in meaning that are conferred upon them, when they are used in industrialized countries or in developing ones.

The evolution of relations between donors and beneficiaries goes back to the issue of representation of interest groups in developing countries. The actors' capacity to promote their interests depends for the most part on access to information, their ability to organize themselves, the availability of economic resources, etc.

Decentralisation, which had been perceived as an opportunity to promote participation in many developing countries, has fallen short of expectations. It poses many questions for researchers and could lead to the defining of new concepts and the reformulation of certain theories.

The unsatisfactory results obtained by North-South cooperation can be attributed to the primacy given to the strategic imperatives of East-West relations. Since the beginning of the 1990s, other explanations have been favored. Now one can wonder if the willingness to take into account evolutions in interpretations of concepts such as poverty, appropriation or democracy has not created too many difficulties for the assessment of aid projects and programs. Shouldn't we return to the following assessment criteria (explained by the author): yield, efficiency, relevance, sustainability and impact of aid?

The objective set out by *Mikael Baaz* in this article is to overcome the lack of a coherent and convincing theory of Global Social Relations. He highlights the non-relevance of the separation between the issue of development and that of international relations.

His departure point is "social constructivism" and he limits his analysis, in this paper, to the ontological dimension of the agent-structure relation. His heuristic approach is intended to provide an example of what an international economic policy of development could offer based on "social constructivism", to understand Global Social Relations.

Urbanization of countries of the South A challenge for European cooperation

Charles GOLDBLUM
Université Paris VIII, Institut français d'Urbanisme (IFU),
Laboratoire Théorie des Mutations urbaines (LTMU)
GEMDEV

Often presented as a dire warning regarding the urban explosion (on a global scale) and the under-integration of city-dwellers (on an urban scale), the urbanization of countries of the South concerns European cooperation not only in terms of solidarity but also from the viewpoint of economic exchanges and technology transfers.

In this respect, the extensive experience of European countries in city planning and urban management as well as the urban and regional structural adaptations imposed by the new economic and technological requirements of globalization, pave the way for a renewal of views on urban development and cooperation approaches in this field.

The papers proposed under the present heading examine, each in its own manner, this distancing from current approaches to urban problems currently used by international aid organizations. These texts can be broken down into three main areas:

- urban cooperation in light of the challenges of urbanization and metropolization (A. Osmont; H. Verschure; T. Souami; Ch. Goldblum): area associating the overall theme of urban development with the new conditions of urban production pertaining to globalization and their impacts in terms of cooperation;

- decentralization, as a means and objective of cooperation. This area deals with the decentralization at both extremes of the cooperation process: decentralized cooperation and its prospects (M. Leclerc-Olive; F. Lapeyre) on the one hand; decentralization as an administrative and regional objective of cooperation (J. Howell; L. Valladares; S. Jaglin and A. Dubresson) on the other;

- technical tools of cooperation: area involving the instrumental aspects of cooperation, the assessment of cooperation tools in urban development (I. Milbert) followed by approaches relating to specific fields: spatial analysis of technical transfers (D. Vukhac), support logistics for local economic initiatives (I. Yepez del Castillo), sectoral applications of urban techniques (P. Hjorth).

I. Urban cooperation and the challenges of urbanization and metropolization

1. Globalization / metropolization: urban and management policies

Annik Osmont attempts to demonstrate the ambivalence of the urbanization approach as an instrument of economic growth, as it is promoted by the neo-liberal school of thought. Her arguments, based in particular upon the example of Dakar, are based on a two-fold observation: on the one hand, the process of globalization has direct effects on urbanization insofar as it reinforces the trend towards metropolization; on the other hand, this trend has been transformed into a strategy by the major actors of multilateral cooperation, who aim at bringing cities and States in line with the new global economic context (under the watchwords of "good governance" and "decentralization") rather than taking into account the aspirations of inhabitants. The case of Porto Alegre appears as a counterpoint here, to encourage a democratic alternative in urban management.

2. Urbanization takes command

Noting that despite the evolution in the current debate on the cities of the South since the UN Habitat I and Habitat II conferences, European countries' cooperation in the area of development remains largely oriented towards the rural sector, *Han Verschure* argues in favor of increased consideration of urban dimensions of development and, particularly, of the cultural identity of cities. He echoes the criticism of *Annik Osmont* regarding the neo-liberal viewpoint: globalization does not move towards the recognition of local urban specificities any more than colonization does. *Han Verschure* suggests this is an area where European cooperation could demonstrate its specificity.

3. Urban connection: beyond a decade of urban cooperation in Algeria

Taoufik Souami, however, presents European cooperation with Algeria as revealing of the difficulties of cooperation in the urban sector. Following the European Economic Community-Algeria Agreement of 1976 and its implementation in 1978, loans were for the most part absorbed by structural adjustment aid, then by industrial development and housing-oriented sectoral actions. *Taoufik Souami* thus describes a declining situation where the prevailing viewpoint advocates updating urban planning frameworks and actors in preparation for privatization, although adequate forms and formulas of urban cooperation have not yet been found.

4. The large urban regions of South-East Asia between crisis and metropolization. Challenges and prospects for cooperation

Charles Goldblum analyzes the rising complexity that the contexts and forms of urban cooperation are experiencing under the effect of metropolization. The urban dynamics of South-East Asia are exemplary from this point of view: the removal of certain economic obstacles fosters successful urban forms (central and peripheral) characteristic of integration in the globalized economy although urban problems are also becoming more complex. This paper attempts to demonstrate that European cooperation would be capable of working to renew the concepts of urban intervention in these contexts, in particular by ensuring better coordination of programs carried out at a regional scale (along the lines of Asia-Urbs, for example) and by reinforcing North-South exchanges between practitioners, experts and researchers.

II. Decentralization, means and objective of cooperation

1. Decentralizing cooperation: theoretical and policy challenges

Decentralization holds a special place in the measures to adapt regions to the new global economic order insofar that it concerns "donor" countries as well as development aid "beneficiary" countries. Here it is important, however, to weigh this "new discourse" against what is actually carried out. On this point, *Michèle Leclerc-Olive* explores a first area, decentralized cooperation, which is a favored framework of European urban development cooperation programs. Using Mali as a reference point, she examines the political challenges related to this two-fold process of decentralization (cooperation/institutions of partner States), as well as the type of "democracy" these processes foster. The theoretical and conceptual aspects highlighted by the author enable her to challenge the (widespread) assimilation of decentralization and localist or anti-State visions.

2. Myths and reality of decentralized cooperation

Frédéric Lapeyre extends this critical analysis to another area: he challenges the neo-liberal school of thought on decentralization, as it is promoted by international organizations. He criticizes it for centering above all on the functional adaptation of societies and regions to the requirements of economic globalization, which results in the delegitimization of the role of the State in development and reinforces the transnational spatial rationale of concentrated "poles" of wealth. The author responds to this vision by suggesting another notion of decentralized cooperation, based upon the participatory dynamics of civil society in the mobilization of local resources and on the recognition of the role of social capital in development.

3. Creating civil society from the outside: challenges for donors

Jude Howell does not seem to share the optimism of *Frédéric Lapeyre* regarding the role of civil society in development. In her point of view, donors (and primarily international development aid organizations) are generators of a body of intermediaries acting as local middlemen. They thus are created an exogenous construction of civil society (or one in a different guise), at the risk of instrumentalizing it and depriving it of any capacity for social and political innovation. This "enhancing" of non-governmental organizations and of civil society - observable from the "donor" country side (strategic reorientation of USAID and philanthropic foundations in the United States) - is thus linked to the increasing advocation of "good governance". The specific context in which civil society is added to the State-market raises questions regarding its true autonomy.

4. The issue of urban poverty: one of the challenges of international cooperation in Latin America

Licia Valladares examines the modes of intervention in less well-off urban environments by two types of cooperation actors in Latin America: the Peace Corps of the 1960s and the non-governmental organizations of the 1980s-1990s. Her observations seem to corroborate those of *Jude Howell*. The author strives to demonstrate what distinguishes these two periods of investment of Brazilian *favelas* through international cooperation, not only from the viewpoint of local physical and social contexts but also from the viewpoint of technical competencies of cooperation actors. However, she also points to a common lack of knowledge regarding the local political and social scene (in favor of a naive projection of community and participatory ideals for which the under-integrated housing serves as a basis), causing either the failure of interventions or the introduction of uncontrolled disparities within local societies.

5. Decentralizations at the risk of urban fragmentation in sub-Saharan Africa

Sylvy Jaglin and *Alain Dubresson* add a more specifically urban dimension to the decentralization issue, referring to the sub-Saharan political and regional contexts. Are the decentralizing reforms carried out in these contexts of a nature to foster urban integration or do they contribute to the process of socio-spatial fragmentation? In other words, should one expect more governable or exclusive cities? This question - placing urban projects at stake - is examined from the point of view of external dependencies (both technical and financial), thus echoing the question of autonomy outlined by *Jude Howell*. However, it is also examined according to its endogenous rationale. Isn't what appears to be a reinforcing of local government and of the private sector (privatization of urban services) actually a mechanism of entrenchment for the well off at the expense of urban solidarity?

III. Technical tools of cooperation

1. Changing international aid to cities

While taking stock of the current situation regarding technical tools of cooperation in the area of urban development, *Isabelle Milbert* examines the innovative orientations in aid to cities and their consequences. Specifically urban aid of course remains limited. However, the Habitat II conference re-emphasized the need for this aid for social, economic and management reasons; will this recognition deliver what it promises in light of the general trend of reducing public development aid? According to *Isabelle Milbert*, the constraints, related to this context and the increasing diversification of interventions, have led to a re-examining of the methods, tools and strategies of urban cooperation by taking into account the distinct rationales behind bilateral aid agencies (technical assistance) and multilateral aid agencies (investment budget). Whence the question of new partnerships: between agencies, with the municipalities involved, with the non-governmental organizations of the North and South, with the research and training institutions and with the private sector. The three articles that follow each illustrate a specific dimension of the partnerships outlined by *Isabelle Milbert*.

2. Cooperation within VTGEO (Center of Remote Detection and Geomatic)

Dang Vukhac presents a series of projects of scientific cooperation between Vietnamese and European research organizations, located upstream of actions of land-use planning. In particular, he examines the Observatory of the Low Valley of the Red River, a project carried out in partnership with *l'University de Bordeaux III* and *l'Unité mixte de Recherche "REGARDS"*. Part of the project is dedicated to the study of the impact of the economic opening of Vietnam to the peri-urban development in the province of Hanoi. A second part involves the creation of a computerized database (targeting in particular the densities and forms of land use) intended to serve as a forecasting and decision-making tool for land use and planning. Cooperation contributes primarily by transferring technologies in the areas of remote detection and geographical information systems.

3. Weaving by learning: grassroots rationales and support rationales

Basing her analysis on local economic initiatives undertaken by women's organizations both in Africa as well as in Latin America, *Isabel Yepez del Castillo* addresses adjustment problems arising from the encounter between outside logistical aid and the endogenous rationales of local associations. Of course, this concerns village economies more directly, but the assessment of prospects of mutual learning, especially in view of "fair trade", makes the most of the interaction between differing rationales and practices of development, applicable for the most part to urban contexts or current urbanization.

4. The challenge of providing water supply, sanitation and solid waste management in an urbanizing world

Peder Hjorth examines technical cooperation in the sector of urban services, demonstrating that sectoral actions in the area of urban services (drinking water supply, sanitation, solid waste management) can contribute to the resolution of overall development problems (poverty and the environment in particular), as long as they are not designed in an isolated fashion, but by integrating new "governance" and management practices. The author underscores the need to rethink aid agency structures, sectoral institutions and the relations between development technicians and aid beneficiaries, by placing the accent not on the privatization of urban services but on their decentralization in favor of local sectoral institutions.

Development cooperation agreements: the European Union aid policy

Irène BELLIER
Laboratoire d'Anthropologie des Institutions et des Organisations
sociales (LAIOS), Paris
CNRS
GEMDEV

Jean-Jacques GABAS
Université Paris XI, Centre d'Observation des Économies africaines
(COBEA), Orsay
GEMDEV

The contents and priorities of development cooperation agreements in the European Union differ, depending on the region and the times. During the EADI General Conference, "Europe and the South in the 21st Century: Challenges for Renewed Cooperation", many papers were presented that help us understand the challenges of a potentially redesigned European cooperation policy, assuming that very clear efforts are made to address the EU's problems with the prospects of development cooperation squarely.

The papers dealt with major issues, e.g.

- political transformation of relations between the European Union and the African, Caribbean and Pacific (ACP) countries

(J. -J. Gabas and P. Hugon, O. Castel, I. Bellier, H. de Milly, E. Moustier and R. Teboul, F. Noorbakhsh and A. Paloni) with particular reference to what is henceforth known as "political conditionalities";

- the construction of new regional blocs (K. Perrody, G. Vaggi, M. Schiff, S. Roceska) and their economic and political impact;

- changes in donor motivation (Z. Dibaja, L. Siitonen, J. Koponen, A. Le Naëlou) and differences in the rationale of funding agencies;

- relationship between aid policies and building up competitiveness (P. Farkas, E. Boiscuvier, F. Menegaldo, K. Mounamou-Dulac, C. Mainguy, N. Biswajit, P. Nunnenkamp, T. Lloyd, M. Mcgillivray, O. Morrissey et R. Osei);

- inconsistency of aid policies (L. Jaïdi, L. de la Rive Box, J. -P. Rolland, F. Leloup, E. Rugumire-Makuza, B. Ki-Zerbo);

- mobilisation of new actors in the civil society (C. Freres, N. Webster, M. Kaag, G. Lachenmann, C. Risseeuw).

The stakes of development are being relegated to the back burner of the EU-ACP common foreign and safety policies. Development issues have been greatly outranked by interests in markets of the "new empire", i.e. the countries of Central and Eastern Europe that are slated to join the united Europe club in the near future. As for cooperation between the southern and eastern Mediterranean countries and Europe, the question is whether it will be limited to a free trade zone.

I. Changes in the political scene

Jean-Jacques Gabas and **Philippe Hugon** explained the economic and political stakes of the Cotonou Agreement, showing, first of all, why it is so difficult to construct political dialogue between the European Union and the ACP countries and how regionalism, which was one of the unique features of the so-called Lomé Conventions, is getting absorbed by World Trade Organization (WTO) multilateralism. The authors show the need to improve the EU aid policy evaluation, and analyse changes in the global landscape, which does not only lead to new ranking, through polarisation, around the three strongest global powers, but also the marginalisation of ACP countries as a result of loss of competitiveness.

Odile Castel queries whether the new Cotonou Agreement forsakes principles, which reflected the originality and specificity of European cooperation with the ACP countries. The new global context is marked by five major characteristics which form part of the ultra-imperialist model, *viz.* formation of global oligopolies, financial globalisation, development of intra-company trade, global market-sharing among oligopolies, and development of a geo-economic rationale in international relations. Change between Lomé and Cotonou take one to the expanded field of action for stakeholders, and freedom for the most powerful actors to write the rules of the game. This, the author feels, reflects the very real dimension of the ultra-imperialism that she describes.

Since there are no guidelines, it is the global context that, according to **Irène Bellier,** establishes the line of thought that orients European Union priorities. Presentday times are marked by competition between states, companies, policies and even models. This, combined with freedom of choice, which is deeply anchored in the master plan of liberal democracies, leads to concepts that more or less contradict development. The European Union, in its relations with its ACP partners, and other partners bound through regional agreements, has not been able to build up a veritable partnership based on recognition of social values, multi-directional circulation of development concepts, and diversification of languages. Yet, on the development scene, the linguistic dimension of trade at various levels of organised discussion should be carefully thought out if intentions are to match reality.

For **Hubert de Milly**, official development aid (ODA) and the African states are like an old couple, always fighting but unable to live without each other! Current destabilisation is not even of their doing, but rather the outcome of external analyses; first there are reproaches addressed to the state (which has a certain power to create nuisance) for being an impediment to development, second there is the concern for the resulting aid diversion. The author unites separate entities into a couple, and personalises each of the entities in a totally abstract manner, then he leaves them aside to deal with the Sahelian states (describing singular features). He afterwards feels that it is vital to come back to the "couple image" by referring to the force that may be able to make the couple move forward, *viz.* the emergence of counter-forces within the states and changes in ODA outside.

After examining how conditionalities have been implemented as part of structural adjustment programmes and considering the sorry results, especially in sub-Saharan Africa, **Farhad Noorbakhsh** and **Alberto Paloni** hope that indicators needed to redefine reforms and support policies along appropriate lines will be identified. The variables the authors highlight relate to: the rate and extent of political reforms, the relative role of austerity and growth in short-term adjustment, the central role of poverty reduction and government in this undertaking and, last, programme financing methods.

Using econometric tests, **Emmanuelle Moustier** and **René Teboul** feel that, as concerns the countries south of the Mediterranean, one is hardput to say that aid has efficiently helped grow the gross domestic product (GDP), domestic savings, and foreign direct investment. Effectiveness is connected to the development model used by the states and by the highly uncertain character of aid and aid distribution, which, more often than not, is governed by political and strategic criteria.

II. Construction of regional blocs

The European Union is confronted with applications for enlargement from sources as varied as central and eastern Europe on the one hand, and the Mediterranean states on the other. Thus, alongside the ACP-EU agreements, there are agreements of association (Morocco, Tunisia, Israel), which are competing with ACP-EU relations, and, at the same time, various flows (e.g. textiles) are being reoriented within the EU candidate countries. These changes in the wings of the European Union call for reconsideration of the common agricultural policy and the mechanisms for transferring structural funds to the poorest regions and countries. In time, these trends (in particular the growing distinction between relations with the Mediterranean zone and the other ACP countries) could cause ACP-EU relations to splinter. In this situation, erosion of preferences would mean more and more differentiation in relations between the ACP zone and the European Union.

For **Gianni Vaggi** economic relations between the European Union and the Mediterranean countries have similarities with the US-Mexico relationship in North American Free Trade Agreement (NAFTA): in this model, trade liberalisation should be accompanied by substantial financial support for the countries of the South.

In examining relations between the European Union and Mercosur, the Andin Pact, NAFTA and also the strategy used in competing with the United States, **Krystalna Perrody** shows that political policies may seek to strengthen regional integration but new methods will have to be found because of the limits to the EU development cooperation policy. Although the European Union is the leading partner as concerns macro-economic aid and support for economic and social development through various programmes devoted to the economy, energy, education, urban infrastructure, its procedures are cumbersome and it suffers from functional problems e.g. lack of coherence and coordination with the policies of member states, lack of proper phasing with the people's needs. Furthermore, the present context is marked by drops in ODA and increasing inequality among recipient countries. An alternative solution would be to have organisations representing the civil society participate in formulating relevant cooperation policies and use decentralised cooperation to promote effective partnership with local elected officials.

Work by the World Bank under its "Regional Integration and Development" research project helps explain the stakes of South-North integration. Regional integration leads to an analysis of second-best type policies; it is impossible to state *a priori* whether a Regional Integration Arrangement is beneficial or not. Under the Cotonou Agreement, the idea is to redesign cooperation with the European Union using regional integration zones, which could lead to the creation of zones for free trade with the European Union. *Maurice Schiff* stressed that the net economic impact is still ambiguous, and that EU-ACP cooperation may have the greatest positive impact in the political field (conflict management, democracy, governance). Potential political gains may, then, justify financial support for the implementation of these agreements.

At the institutional level, European cooperation policies favour the development of both economic and political tools that can play a decisive role, as was the case in the Balkans Stability Pact. *Slavica Roceska* explains how the prospects of intra-regional integration in the Balkans as promoted by European programmes, and deep changes in the economic structures, can improve the relations between the states and eliminate historical hostility based on ethnic, religious, political and cultural differences which cause instability, separatism and conflict.

III. Changes in donors' motivations

The question is how to develop political dialogue when motivation for aid-giving is essentially commercial. ***Zahir Dibaja*** feels that philosophy underlying is not compatible with the western model of development cooperation doesn't match the main market logic, i.e. profit maximisation. The author feels that western methodology has no interest in the human dimension of human beings or nations, and that materialism, which characterises its ideological expansion, makes the laws of nature godless, and has nourished a process of societal individualisation in which the words democracy, solidarity and cooperation are merely one of the conditions needed for the development of capitalism. Cooperation is not in the nature of the capitalist society. The author even contests the possibility to promote any form of power- and resource-sharing, with or without development cooperation.

Lauri Siitonen looks at the motivations for the 'smaller' donor countries (whose definition is not very clear but which nonetheless make up 16 of the 22 DAC countries). They are rather different: proximity is often mentioned (e.g. Australia and New Zealand often give priority to aid for the countries in the Pacific region), as part of a process of collective regional identification. For the Nordic countries, this goes with the construction of an identity at the international level (with the theme being poverty reduction), but there are also some commercial interests in aid-giving. ***Juhani Koponen*** analyses motivations for Finnish aid by stressing the construction of an international image forged throughout the years in order to distinguish Finland from the ex-USSR. Furthermore, Finland has played a very important role in the creation of Development Assistance Committee (DAC) and the development of an international consensus that aid should amount to 0.7% of each donor country's gross national product (GNP). But aid is also motivated by commercial and diplomatic interests.

Can EU motivations in Asia and in other regions be sited at the same level? Absolutely not. In the opinion of **Anne Le Naëlou** the EU community development policy in Asia seesaws "between cooperation and competition". In Asia, the European Union is edging towards economic cooperation as it edges away from development cooperation. The logic underwriting cooperation is based on a concept of immediate mutual interests by reducing obstacles to trade and investment between Europe and Asia.

IV. Aid and competitiveness

Peter Farkas wonders about the slackening of economic and contractual links between the EU and the ACP and North African states. He feels that fifteen years of structural adjustment (made more severe by the stakes of liberalisation, declining tariff preferences, changes in European priorities and less aid) have not had a positive impact on development. In the long term, he says, the European Union needs Africa. Renegociation of the Lomé Convention showed the dichotomy in interests that, in former times, were better shared. While the European Union is introducing the idea of conditionality and performance, the ACP countries continue to speak in terms of needs, especially the needs of the least developed countries. The final compromise, as reflected in the power play between the two blocs of negotiators, may be more beneficial for the European Union than for the ACP countries. The creation of a Euro-Med region and a new EU-ACP agreement may curtail, but not halt, Europe's declining economic role in the region, which is due to the positive but highly problematic market openings, the resistance of local elite holding on strongly to their privileges and, last, to the great difficulty in maintaining political pluralism when faced with pressure from the Islamic side.

On the basis of important studies in Morocco, Tunisia, Egypt, Jordan and Israel, *Eléonore Boiscuvier* analyses the position of the Mediterranean countries in the international division of labour to show that the Mediterranean countries specialise in products with little added value and thus have to cope with strong competition. She found little enthusiasm for strategies that look upstream in the sub-sector to goods that are produced at the beginning of the production cycle. Hence, the opening of the markets and the development of trade encouraged by European development cooperation policies heighten the vulnerability of these countries which are caught between the central and eastern European countries, where better quality industrial products are offered at an acceptably higher price, and Asian countries where the same quality of goods and level of labour productivity are offered at lower prices.

In her analysis, *Fabienne Menegaldo* notes that trade relations between the southern and eastern Mediterranean countries (Egypt, Israel, Jordan, Morocco, Tunisia and Turkey) and Europe have been growing since the late 1980s. But the trade deficit between these countries and most European countries is also growing; no compensation is in sight because of the weakness of their regional integration and their very poor integration in the global economy. The creation of a free-trade zone is indicative of net growth in imports from Europe, (higher than exports). How can this liberalisation benefit these states? Shouldn't focus be on preparing a more competitive offer rather than on delving into market-related obstacles?

Karin Mounamou-Dulac analyses the impact of the free trade agreement between the European Union and South Africa on the industrial strategy and on income distribution in South Africa. If primary product transformation is improved, South Africa should soon be able to benefit from trade liberalisation with Europe. But this type of a strategy would not have positive effects on job creation and income distribution. Trade with the European Union will lead to lower salaries for the least skilled workers and may lead to greater income disparity. Long-term gains will require a geographic and technological reorientation of exports, which, in turn, will require investment in training so that South Africa can benefit from a comparative advantage. Should an equilibrium be sought between this type of long-term investment designed to compete with European companies and short-term investments that facilitate competitiveness on the African regional market?

The impact of European aid on the competitiveness of African exports is analysed by **Claire Mainguy** who says that improving competitiveness, which is calculated in terms of market shares, means modulating prices, (i.e. cost price and inflation rate) and readjusting the exchange rate. But if quality and volume are taken into account, policies can involve a wider field. Here is where the role of European aid can be decisive and unique. Encouraging devaluation to stimulate export must be accompanied by long-term development measures, including sectoral funding for infrastructures, training and healthcare, keyed to regional integration.

Expanding Europe to the central and eastern European countries should not be reason for concern in Latin America. The analysis by **Peter Nunnenkamp** shows that exports from Latin America are complementary to those from central and eastern Europe. The author therefore does not fear the risk of diversion: the future of economic relations between Latin America and Europe will depend on the adoption of permanent reforms in the economic policies of Latin American countries and the role of Europe in multilateral trade negotiations rather than on the enlargement of Europe.

Tim Lloyd, **Mark Mcgillivray**, **Oliver Morrissey** and **Robert Osei** focus on the links between foreign trade and aid. With reference to a 1969-1995 econometric analysis of 26 countries in Africa and 4 in Europe, they conclude that, as concerns the African countries in the study, there is very little cause and effect between the volume of ODA and the volume of international trade.

An analysis of changes in exports from India to the European Union brings out the stakes of European market access for countries that do not have preferential access. Through comparative advantage indices, **Nag Biswajit** shows that the most competitive manufactured exports had no tariff barriers to the European market but were subjected to non-tariff barriers. Obviously, trade liberalisation can only be beneficial if it also cover non-tariff barriers.

V. Inconsistency of aid

Making cooperation policies more consistent is another challenge for the European Union. After analysing recent changes in the direction, level and targets of aid, **Larabi Jaïdi** adopts a hypothesis confirmed by most econometric studies, namely, that there is no direct correlation between the level of aid and changes in the per capita GDP. Everything depends on the implementation of good national economic policies. This said, certain inconsistencies in the European aid policy have been observed, thus reducing the positive impact of aid on GDP growth. This, for instance, is the case between removal of obstacles to market access and support for rural development, the common agricultural policy and development aid, the desire to control migratory flows and refusal to use aid as a vector of co-development, the paucity of resources allocated to regional integration and the plan to create a Euro-Med zone, tied aid and strategies for partnership and capacity-building, etc.

For **Louk de la Rive Box,** the consistency of development policies should be analysed in relation to their intrinsic value as a social integration mechanism, not from the organisational viewpoint. Inconsistency, thus, is not internal to the development policy but is to be found in the conflict with the other policies, which leads to the suggestion that it be analysed independent of the rational choices theory. The cooperation policy should be analysed bearing in mind the full range of social values it involves in both the North and the South. The author sees a possibility to reduce inconsistencies through new public interest groups that use the same common values in the North and the South. He, thus, encourages the quest for elements of "civilaterality", which comes from the development of relations between public interest groups from the donor and the beneficiary countries. He notes that European decisions that lead to the formulation of cooperation policies are little affected by European public opinion, seldom founded on the concept of common values, and rarely determined by European public interest groups. The situation is the opposite at the national level. The only change that might be expected is the one that might stem from the development of decentralised cooperation and the emergence of a covaluation process for development policies and their effects on societies of both the North and the South.

Jean-Pierre Rolland analysed earlier inconsistencies between the community development policies and the common agricultural policy (CAP). The new commercial partnership, (set out in the Cotonou Agreement), and the CAP reform may make the situation worse. If Europe wants to maintain its agricultural model, despite pressure from the US and the Cairns groups, and if the ACP countries want to have the leeway needed to construct their agricultural policies, alliances will have to be formed to build on issues of common interest, beginning with food security and sustainable development. This context requires greater political coherence.

Fabienne Leloup examines the consistency of policies from the angle of the construction of regional entities in Africa, in particular, Economic Community of West African States (ECOWAS). What coherence is there between a regional institutional construct, supported by all the donor agencies, and very varied trans-border economic relations? Inconsistencies may also be found in policies. *Emmanuel Rugumire-Makuza* points to inconsistency between the goals of a food security policy and the adoption of structural adjustment programmes.

Last, **Béatrice Ki-Zerbo,** looks at the coherence concept in the case of Burkina Faso, showing that the search for coherence between the various stakeholders of development cooperation and the national authorities, should not refuse to recognise the difference in logic of each of the parties.

VI. The new actors in the civil society

The alarming increase in the number of low developped countries (LDCs) and the increasing gap between the poor and the rich people in the world suggest that poverty reduction seems to be the last target in World Bank policies. *Neil Webster* is not interested in poverty as a goal but in the manner in which one becomes poor and emerges out of poverty. On the basis of a study in a West Bengali village, he shows that poor people are not merely beneficiaries of potential aid, and that their situation can be changed if we know how to contest the authorities' economic, social and political positions. These people must be recognised as central actors in shaping the nature and direction of the economic development through their livelihood strategies. This would be possible if the State would commit itself in the field of law and resource allocation, and agree to the separation of economic and political powers at the local level.

Christian Freres analyses the capacity of Europe to promote a type of diplomacy and cooperation that can compete with the American model, which is dominating the financial markets. In his analysis of development cooperation with the countries of the South, he urges reconsideration of the use of military force and the principles of economic conditionality. Referring to the prevalence of territorial and industrial factors, the re-imposed predominance of member states in the decision-making process and the difficulty in establishing a European public arena, he notes that cooperation with the South is being developed without the European

Parliament having control over the budget and without the European Commission always being able to control internal dysfunctioning. As Euro-groups crop up alongside a multitude of trans-European associations, he wonders about the capacity of the NGOs to develop appropriate means of action at the national and European levels, and the capacity to make a coherent analysis that interconnects their position on European integration with that of the developing countries. Regionalisation of European cooperation counters efforts by NGOs to define a global strategy and coherent instruments. This was illustrated by the case study on the NGO Liaison Committee whose campaigns during the preparations of the 1995-2000 intergovernment conferences portrayed its dependence on national platforms and the weakness of its human resources.

Women rank among the new actors in cooperation policies either as the objective of a Women in Development (WID) type approach, which turns them into a "tool of development" or as the "objectives", such as in the Gender and Development (GAD) approach, which seeks to integrate them in policies as full-fledged actors in social, political and economic entities where, otherwise they are ignored. In analysing the contribution of women in a natural resources management project in Senegal, *Mayke Kaag* notes that they have a clear preference for tangible projects with immediate results, rather projects with longer term results, and, further, that their involvement depends on what resources are devoted to information and communications provided through a decentralised process, a process that should be designed as a political exercise, not a technical tool. *Gudrun Lachenmann* urges renewal of the aforementioned approach in order to embed gender issues in social and cultural analyses, and to change the paradigms underpinning the definition of cooperation development policies. The gender issue is turned into the backbone of the analyses of market structures and of the relationship between the formal economy and the informal sectors, as concerns the functions and tasks of reproduction and subsistence. The author refers to a case study on women who are seen as the "vulnerable group" in Cameroon in a participatory development and poverty alleviation project.

Carla Risseeuw, proposes developing new research from the double angle of "gender" and "age" in order to monitor a category of the population, the aged people, who have been totally neglected in development cooperation policies in the South. She recommends using a comparative North/South approach at the level of the individual citizen, the family, and the relatives, and urges decision-makers, who are marked by their own concepts of family and gender, not to aim at a given category of the population, but rather to understand people's relational context. This challenges recourse to the culturally stamped concept of "family".

Governance

Philippe CADÈNE
Université Paris VII
GEMDEV

The challenges posed by the political content of cooperation agreements for the development of the European Union are numerous and were of course presented by many authors during the conference. The eight papers presented in this section demonstrate that aid in establishing good governance appears to be the lynchpin of actions undertaken by European governments, as well as those outside of Europe.

Reference to **governance** appears either directly, or is inferred in the authors' articles. Governance has become a generic term today that is nonetheless ambiguous. It defines not only all political practices, intended to accompany the reforms linked to the economic liberalization and structural adjustment procedures, but also those meant to outline the conditions necessary for the functioning of a democratic society.

Other terms prove to be essential in these texts. They spell out the reality behind the challenges posed by the implementation of governance in countries concerned by cooperation. They demonstrate concretely both the importance and the difficulties of relations of cooperation between countries of the North and countries of the South at the beginning of this third millennium.

State is a term frequently used. Public services do remain essential in the functioning of cooperation agreements and in the management of aid. Governments play a major role in this area.

The term **civil society** appears several times. These intermediary organizations, formal or not, maintaining or creating necessary ties between public and private institutions, appear to be necessary to the implementation of governance.

The term **democracy** is frequently cited. The implementation of political regimes, that grant the right to populations to choose their own leaders themselves, is advocated by all of the authors. Yet there are many who doubt the willingness, not only among the leaders of countries of the North but also those of the countries of the South, to establish effectively democratic systems. These terms determine the various questions raised by the following authors: A. Saldomando, A. Wittkowsky, E. Braathen, D. Fino, S. S. Eriksen, R. Akinyemi, G. Crawford, M. Koulibaly.

I. The conditions and content of good governance

Three authors concentrate specifically on understanding the meaning of this new political dynamic called governance the implementation of which currently seems to be everyone's goal. At the same time, they are attempting to determine the conditions for the functioning of good governance.

The text of *Angel Saldomando*, entitled "Coopération et gouvernance, une analyse empirique" (Cooperation and governance, an empirical analysis), focuses entirely on this issue. For this author, governance is not a recent concern. All societies have had to and still must find an organization and mode of functioning to ensure their reproduction. The solutions vary according to the era and the type of society. What is new is that today this problem must be settled in the framework of two dominant social structures: the market and democracy. The common denominator of all of the initiatives intended to implement governance is the widespread conviction that if the organization of this relation fails, the internal crisis will be a threat on the political front or on the economic front. This is a crisis that almost always harms democracy and, with it, the most numerous and most vulnerable social groups.

After developing all of the definitions given of the term governance, the article underscores that, generally, posing the problem of governance involves finding a way of articulating and carrying out the relationship between the market and democracy with improved results and increased efficiency. Democratic governance has thus become an important parameter for measuring the viability of the political situation of a country and the chances for success of national plans as well as for guiding decisions regarding cooperation and private investment. Tensions, however, appear: the search for governance takes place in the framework of the dominant model, that of a conventional democracy of the liberal type and of a flexible, deregulated, open-market economy; the interactions between the government and society do not seem obvious; socially and spatially equitable development is not easy to implement; globalisation exerts pressures to homogenize policies and markets and advocates State and governance that are not chosen by the people.

Angel Saldomando distinguishes, nonetheless, between four types of governance corresponding to specific needs in the areas of local strategies and cooperation: governance of adjustment and of economic reform in the framework of globalisation pressures; governance as an increase in institutional efficiency giving the priority to State reform; governance as a process of change giving the priority to the redistribution of power and the integration of excluded groups; governance for development with the priority placed on the construction of basic compromises compatible with economic and social progress.

The author feels that the assessment of governance is indispensable. With this aim, he proposes four key systemic presuppositions: the positive social impact of the economy that enables social integration to progress; the improvement of social relations that manifest themselves through enhanced flexibility, including that of the political system; the institutional and political capacities to manage and resolve conflicts; the credibility of institutions and the perception of concrete results pertaining to the functioning of society. He them applies these principles to the analysis of the situation of Latin American countries.

Andreas Wittkowsky focuses on the same topic in his paper on "Transition, governance and aid: the dilemma of Western assistance to slowly transforming countries" by taking stock of the aid provided by Western countries, in particular European countries, to the various States of the South. In his opinion, Western aid to countries in transition is not effective due to bad governance in these countries. Aid needs to be able to produce proper governance. With this objective, Western donors attempt to support modern institutions but the task is difficult and is only at its early stages.

The article underscores that, in the case of cooperation of the European Union, the weaknesses in the management of donor countries is also a factor that reduces the impact of aid even further. In the future, therefore, aid must: pursue realistic goals, strategies of long term learning; focus on strategic actors, in particular in the non-state sector; favor selectivity, accumulate country funds that must not be spent in too short a timeframe; be managed with increased political control. In all cases, the donor countries must accept certain risks, a certain level of failure and, especially, must understand that the symbolic aspect of aid also is important and that it seems impossible to reduce or eliminate aid for reasons of bad governance without running the risk of aggravating the situation even further.

The text of *Einar Braathen*, "Democracy failure in Africa? Voter apathy versus bad governance in the first-ever local elections in Mozambique", addresses the theme of governance through an analysis of the first local elections ever held in Mozambique. This country experienced the most successful democratic transition of Africa then, following the holding of the first multiparty elections in 1994, saw the voters lose interest in local elections four years later.

Has there been an erosion of democratization and, if this is the case, what is the responsibility of the donor States? This study demonstrates that, at the time of its implementation, democratization was incomplete and dominated by the old political elite and that political liberalization was not followed by a restructuring of political-administrative institutions. The abstention was, in fact, a rather healthy mass protest, a logical response to bad governance. Donor countries had a rather passive and negative role. The European Union, the primary donor, was interested most in the holding of elections and not in the functioning of democracy.

Seven lessons for the democratization of Africa can be drawn from this experience: a transition to democracy should not be considered accomplished until after the second elections, preferably local, and a plurality of political-administrative institutions at all level have been built; the organization of elections must be fair, particularly in the case of patrimonial States; more importance must be given to democratic decentralization; low voter turnout might express voters' maturity rather than disinterest in the elections; civic education is a need; the political parties tend to be underdeveloped and undemocratic and people tend to have little trust in the political society, and rightly so; the legitimacy of electoral administration can only come from the participation of members of civil society and opposition parties in the organization of elections.

II. The role of state institutions and public services

Daniel Fino, in his paper entitled "La coopération et le renforcement des services publics africains : atouts et limites" (Cooperation and the reinforcing of African public service: assets and limits) attempts to demonstrate the necessity of public services in the establishing of effective international development cooperation (IDC). He shows how the transition was made from cooperation with States to cooperation with non-governmental organizations, which has led to a neglecting of institutional relations. Nonetheless, States are unavoidable and indispensable in ensuring a legal framework, settling conflicts, coordinating public interest interventions and the provision of basic services (healthcare, education).

Based upon an analysis of eight cooperation programs in Africa, the author defines five dilemmas constituting major challenges. How to reconcile short term objectives and objectives involving changes in the long term (institutional development)? How to set up a support organization that remains simple while enabling the management of a complex process? How to shift from a management model, based for the most part on the rationale of an external partner, to the utilization of an appropriate method for local institutions? How to navigate between trust and surveillance as financial flows are organized? In reforming the administration, how can we act "concretely" and specifically while influencing the overall context?

The article focuses on understanding how the IDC can effectively contribute to the modernization process with which African administrations are confronted but without necessarily making them more dependent. Can development cooperation truly play a major role in reinforcing this key actor, the public administration? Willingness is needed from the donor partner and the local partnership. It seems possible to make the institutional reinforcement process more effective, the administration more efficient, especially regarding the mastery of management tools and more open relations between the administration and civil society. Improved professionalization of the public service seems possible. However, the influence possibilities are limited in the area of the budget situation and the management of human resources. In the end, the role played by the IDC seems relatively modest, but the experience is useful to the actors who participate and the countries that are, however, able to be less dependant.

The effectiveness of public authorities therefore seems indispensable to any form of development. *Stein Sundstøl Eriksen* sets out to compare the competencies of local administrations in Tanzania and in Zimbabwe. His article "Comparing council capacity: administrative capacity in a Tanzanian and a Zimbabwean council", based upon surveys carried out in a district in both of these countries, analyzes the competencies of local authorities in their capacity to mobilize economic resources and qualified collaborators then to use them effectively. The situation in Zimbabwe seems much better than in Tanzania. This is of course related to the better economic situation of the district studied in Zimbabwe. However, the presence, in both cases, of competent staff in sufficient numbers illustrates the importance, for the proper functioning of the administration at a local level, of a clear separation between public and private interests on the one hand, and between the administrative and political areas on the other. This split exists in Zimbabwe whereas the situation is quite confusing in Tanzania. This situation is harmful for the development capacity of Tanzania because an increase in economic resources does not necessarily lead to the development of activities of the administration. Any improvement involves improving the living conditions of civil servants in order to make them less dependant on the private sector. But large obstacles in the political domain are due to the difficulty in carrying out reforms that might question those benefiting from the situation.

III. The existence and place of civil society

Rasheed Akinyemi, in his article "Civil society and the struggle for political space. The case of Zimbabwe", attempts to demonstrate the importance of civil society in the implementation of a democratic system in countries where political structures are not yet in place. The author is opposed to the idea that civil society must be in constant opposition with the State while affirming that it should not be co-opted within state structures. He defines civil society as an agent of social change located between the public sector, the State and the private sector, on the one hand and society on the other, in a sort of third sphere that some researchers perceive as a participant in politics while others feel it is economic.

Civil society is considered by the author as a conglomeration of civic organizations, both formal and informal, representing the interests of their members in areas of social, political, economic and cultural activities, without necessarily being juxtaposed to the state or state institutions but ready to positively influence state affairs and give it necessary support. The ultimate goal of civil society is the establishment of a peaceful relationship between the state and society at large

Like all societies, countries of Africa have a dynamic associative sector. In Africa, however, this sector only has a slight impact on political dynamics. This situation is related to the special relationship between the State and society in Africa. However, a change is underway. Associations no longer tend to serve only special interests, either ethnic or religious, and instead defend more universal themes such as human rights, gender, environmental and democratic political values. A true civil society is put into movement, in the form of diverse organizations, traditional, cultural and religious.

These organizations, however, have a tendency to become integrated within state structures, political parties and private firms. Although it is impossible for the civil society to remain completely autonomous, the risk is great that it will no longer function as an actor adding vibrancy to politics and democracy. It will then be necessary to rely on organizations acting in urban neighbourhoods and villages and on those whose actions are based upon women. The road that remains to be taken in Africa is, however, still long because it drastically lacks money and competence and the countries remain dependent on external aid.

IV. The ambiguity of relations between external aid and democratization

Two very different articles attempt to analyze the political content of cooperation actions.

Gordon Crawford, in his article "Promoting democratic governance in the South", analyzes the promotion of democracy by the governments of countries of the North through mechanisms of development aid. The focus is on their interpretations of democracy and their underlying motives. Is this promotion of democracy limited to a narrow and procedural version of it? Is a Western model proposed? Do these programs participate in an overall project of Western hegemony? To answer these questions, the author assesses and compares the aid programs of four donors: the Swedish government, the British government, the Americans and the Europeans Community.

The conclusions are of three types: significant amounts of money were allocated to the organization of elections and to support, among others, institutions from civil societies, but these actions lack consistency. Donor countries tend to promote their own political system. The issue of hegemonic tendencies of donor countries is more ambiguous. Although the desire can exist in Northern countries, it remains for the most part in a project stage. Opposite strategies exist as well, aiming in particular to increase the capacity of Southern countries to determine their own aid programs in the political domain, including the reinforcing of the democratic dialogue at a national level.

Mamadou Koulibaly examines the challenges for new regulations for sub-Saharan Africa in his article « Nouvelle réglementation internationale : une occasion d'en finir avec l'affection cynique ? » (New international regulation: an opportunity to end cynical affection?"). In international relations, the rules of functioning and action of institutions are just as important as the means of action. The drawing up of new rules will only be beneficial for Africa if they enable a break with the cynicism of the old regulations characterized by altruism and by emotivity. At the end of the century, it seems it can be confirmed that, in exchanges established since the decolonizations with European countries, African economies have been duped and condemned to inefficiency. These practices are closely related to the colonial heritage, poorly managed in the South and poorly accepted in the North. Development aid was meant to finance African development. It led to the debt crisis. The structural adjustment programs were intended to find solution to the debt crisis and to make it more likely for African economies to reimburse their debt. They helped make Africa into a continent of assisted, beggar, violent, mediocre and unstable States.

A new partnership must be defined once there is a breaking away from the situation of economic rents, in the South as well as in the North, and put an end to administrative and legislative protectionism in Africa. The new partnerships must define direct relations between peoples, populations, businessmen, citizens, and peasants without macro-intermediaries such as States adding any other roles than that of being a facilitator. Progress cannot be planned in international relations without leading to the worst catastrophes. The poverty of Africa has gone on too long. Are we ready to try something else that can give back hope and dreams of progress? What is this something else?

Technology and its policies

Patrick SCHEMBRI
Institut de Recherche pour le Développement (IRD), Paris
Université de Versailles - Saint-Quentin en Yvelines,
Centre d'Économie et d'Éthique pour l'Environnement
et le Développement (C3ED)
GEMDEV

In view of the challenges globalisation brings, there are far more issues to consider in technological cooperation between the European Union and the developing countries than the question of conditionality. Several of the papers presented at the EADI General Conference on "Europe and the South in the 21st Century: Challenges for renewed cooperation" address these issues. These papers argue for developing reciprocal contractual commitments that go beyond the traditional form of technological and financial aid. They also argue for a redefinition of the complementarity between State and market in implementing technology policy. All in all, the papers considered here suggest that cooperation between the European Union and developing countries take two directions.

First, the aim of technology cooperation should to advance and disseminate technical knowledge. To a considerable extent, innovation and the dissemination and assimilation of technologies occur through imitation and other mimetic behaviours, plus the considerable spillover effect of technical knowledge. I would add that these processes are not purely the result of research and development. They can also result from a change in the roles attributed to a firm's productive resources, or from organisational innovation. And they can stem from strategic alliances between firms with different skill levels, or between countries with different levels of development.

Secondly, technology cooperation should involve developing new ways to transfer finance and technology to the countries of Eastern Europe and the South, although these transfers can only happen on a large scale where the receiving countries have adopted the ground rules of international trade. With regard to technology in North-South relations, it is important to distinguish between the conditions required to invest in an innovation and those required to integrate it into the socio-economic system. This distinction is crucial, since such integration is a necessary condition for making future investments.

I. Technology transfers and technical cooperation agreements

Shyama V. Ramani, Mhamed-Ali El-Aroui and *Pierre Audinet* examine the role of technology transfers in the biotechnology sector in India. Rather than considering transfers from the traditional angle of multinational corporations, they take the more unusual angle of examining self-organised inter-firm cooperation networks between developed and developing countries. The specific problem the authors address is whether technological collaboration with the rest of the world is a potential vector for bringing biotechnology into the production systems of enterprises in developing countries?

Taking the example of India, the authors show that the motivation to co-operate is driven by scarcity of and complementarity of assets, resources and skills that can be pooled through collaboration between Indian and foreign enterprises. Assuming that there are such complementarities between Indian and foreign enterprises, the strategic basis of international cooperation must also be considered. The authors' examination of the

228

strategic basis of international cooperation leads to two policy recommendations:

- Europe and India should consider together how to improve the circulation of information so as to encourage inter-enterprise cooperation and make it easier for them to exchange their respective skills;

- India should adopt a policy of attracting high-skill foreign companies both to set up in India and to develop strategic alliances with Indian firms.

The new technologies are developing so rapidly that firms risk possessing only a part of the knowledge they need. States should therefore encourage the circulation of information by establishing solidarity between participants and inducing technological convergence. Also, information technology favours co-ordinated management of various parts of the production cycle so that the uncertainty and overheads of innovation can be shared more evenly among the sub-units in the network. In this way the pivotal enterprise reduces both learning time and the cost of implementing a technological project. And its strategic orientation is to promote the drive for economies of scale and interconnection between vertically integrated, financially controlled production units.

At this stage the question arises of how to measure mechanisms governing innovation and the dissemination and assimilation of technologies. In this connection *Shyama V. Ramani, Mhamed-Ali El-Aroui* and *Pierre Audinet* show that technical knowledge can be transmitted from one firm to another by a spillover effect (or externalities), by market transactions or strategic alliances. Market transactions mean purchasing a technology, whereas strategic alliances involve technological cooperation. This is very different from purchasing technology because it involves joint control of the resources mobilised over a jointly accepted period and requires cooperation networks to be maintained among the different agents concerned, through formal and informal contractual commitments.

Andrea Szalavetz takes the case of the Hungarian economy and severely criticizes the analysis framework usually applied to these mechanisms. She shows that recent qualitative transformations in research and development activities in Hungary (and also in the rest of Eastern Europe) cannot be described in purely quantitative terms. The quantitative data also under-estimate the absorption capacity for foreign technologies. Empirical analyses on the subject do not cover transfers of organisational knowledge and management and production methods, which are intangible assets. Along the same lines, *Victor Krassilchtchikov* notes that the mechanisms for innovation, dissemination and assimilation of technology cannot be measured simply in terms of research and development expenditure; the allocation of this expenditure and the institutional framework within which it is spent are equally fundamental variables.

Andrea Szalavetz also observes that much direct foreign investment goes to local firms whose activities remain relatively isolated. These transfers become "frozen" capital that cannot be mobilised to advance local productive activities. These observations mean that a distinction must be made between multinational companies' activities that transfer technology, and those that develop local innovation capacities. Furthermore, because there is a certain geographical separation between R&D and production, radical innovations and incremental innovations tend to occur in different geographical areas. Salavetz concludes that any form of North-South cooperation should take the spatial dimension into account in assessing how far a technology can be assimilated.

II. Complementarity between State and market in promoting technology policies

Mani Sunil considers the respective roles of state and market in technological innovation. He shows that many developing economies ignore the potential role of technological innovation policy in stimulating and orienting invention, even though such policies are still considered essential for growth performance in developed and successful emerging economies. ***Mani Sunil*** considers that this neglect is because innovation is thought to be inherently globalising, making national policies ineffective, and because most developing countries have been paring down the role of their governments in most areas of economic activity in recent years. But as the author shows, where technology is concerned, government action is not a substitute for private initiative but complementary to it. Indeed, any technological innovation effort must take into account the extent to which the host economy is capable of appropriating the technology. Sunil also points out that any commitment to innovation implies the long term. It is in this regard that public policy has an important role to play in combating private underinvestment in Research and Development (R&D) and ensuring a relative match between supply and demand for appropriable technologies.

Analysing the ways in which information and communication technology are absorbed into the socio-territorial fabric of sub-Saharan African countries, ***Annie Chéneau-Loquay*** raises a fundamental question: can such technologies be regarded as the vector for the development of basic production activities, or will they exacerbate internal and external social and spatial inequalities even more? All international and regional cooperation organisations have recently revised their policies, making the new technologies a priority. While there is agreement on that priority, there remains the critical question of how these technologies are to be integrated.

In the countries of the North, there is a fairly widespread idea that information and communication technologies will help developing countries' economic development by facilitating access to world markets. But this idea tends to reduce the problem of integrating technology in these countries to a need for even greater trade liberalisation, further government withdrawal and more privatisation in the main branches of the economy. This is also considered the best way of attracting foreign direct investment. In this way, developing countries appear primarily as a potential market for the developed countries, and much less as an (equally potential) development opportunity. **Annie Chéneau-Loquay** quite rightly points out that opening up to the world market will only work if a country possesses a sufficient stock of capital goods to absorb the new information and communication technologies.

In this connection, **Jin W. Cyhn**, describing the main features of the Korean model of economic development, points out that learning capacity in the capital goods industry is essential. The capital goods industry is the mainstay of the production system, and is therefore the main vector for disseminating of technology, whether imported via foreign direct investment or designed in-country. In this regard **Shyama V. Ramani, Mhamed-Ali El-Aroui** and **Pierre Audinet** point out that India, while encouraging knowledge creation in the farm and food sector, has somewhat neglected the capital goods side, so that there is still a patent imbalance of knowledge between Indian and foreign firms in this industry. In the long run, this imbalance could represent a real opportunity cost to the Indian economy.

Extending the discussion to the historical development of capitalism, **Victor Krassilchtchikov** argues that we are now in the "post-modern epoch", at a turning point between two stages in technological evolution. The old one, based on a mode of economic development involving energy- and materials-intensive technologies, favours concentration of production units and economies of scale. The new one, symbolised by the information and communication technologies, is shifting capitalist production from material goods to knowledge in its various forms: training, research and development, organisation, exploration of markets. The development of the non-material component leads to savings in time, energy and distance. Along with this trend, expenditure on research and development, design, advertising, marketing and financial services is constantly increasing.

A closer look shows that the increasing prevalence of the non-material component in production, consumption and innovation causes three kinds of change in production systems. These are **functional** changes, linked to the importance of relations in complex productive organisations. Integrated production organisations gradually replace the traditional separate units; **organisational** changes in the ways information is processed and circulated in the integrated enterprises; and **structural** changes in the composition and size of industries and other branches of the economy. These changes, coupled with the policy of international trade liberalisation, drives enterprises to produce still more so as to spread their overheads and reduce unit costs.

However, to garner the fruit of the recent technological revolution, countries must have the capacity to absorb innovation. Countries without such capacity are likely to lag behind for years, and this would create a polarised world economy. *Andrea Szalavetz* shows that this lag largely distorts the competitive position of developing countries and puts local production units in a marginal position vis-à-vis the world market. That is why local R&D activity is restricted to adaptation.

Examining the content of technology cooperation agreements between the European Union and developing countries, *Shyama V. Ramani, Mhamed-Ali El-Aroui* and *Pierre Audinet* note that the technological imbalance between North and South is reflected not only in the amount of technical knowledge a country's enterprises have, but also in the scientific knowledge of their public research bodies. The authors also highlight the lack of communication between these institutions and business, the small size of the capital market and, more generally, inadequate investment in knowledge creation by government and business alike. As regards the ways in which the new information and communication technologies are appropriated, *Annie Chéneau-Loquay* lists the possible dangers of poorly-controlled absorption - particularly the possibility of bypassing the territorial factor and the law, undermining the very State and nation. Upstream, these technologies may give the countries of the North greater control over the development potential of the South. Downstream, they may foster a proliferation of entities functioning as islands within their local territories, but linked to the outside world.

233

Environment

Philippe MÉRAL
Institut de Recherche pour le Développement (IRD), Madagascar
Université de Versailles - St Quentin en Yvelines, Centre
d'Économie et d'Éthique pour l'Environnement
et le Développement (C3ED)
GEMDEV

On the eve of the 10th anniversary of the United Nations Conference on Environment and Development, the place of environment and natural resources in relations between developed countries and the so-called developing countries is still open to debate. Yet, considering global threats, the task is no longer to discuss the need to establish environmental policies in countries that do not have the capacity to establish them, or to discuss the value of the concept of sustainable development but to discuss terms and conditions for applying the available tools, e.g. development mechanisms, communal resource management, agreements on bioprospection. The time has come for capitalising experiences, and, for this purpose, scientific conferences are very worthwhile and provide a technical rather than a philosophical perspective. The papers presented during the EADI General Conference all reflected this perspective through the following three themes:

- relevance and role of traditional economic tools in presentday environmental management: S. Benc, A. Pisarović and A. Farkaš; B. Jacobsen; J. Holm-Hansen;

- the importance of the local community in establishing sustainable development: J. Martinez-Allier; V. Aguilar Castro; V. Carabias; G. Cruz, P. Junquera and D. Maselli; P. d'Aquino;

- the opportunities and limits to globalisation in establishing environmental policies: S. Ramani, M. -A. El-Aroui and P. Audinet; J. Wiemann; D. C. Karaömerlioglu; A. Michaelowa and M. Dutschke; U. Grote.

I. Relevance and role of traditional economic tools in presentday environmental management

Sanja Benc, *Anamarija Pisarović* and *Anamarija Farkač* stressed the economic dimension of environmental protection. Their analysis seeks to make an economic evaluation of the costs and benefits of resource protection and sustainable management applied to Croatian forestry resources that have been overexploited in order to fulfil the demand for timber and reaches the conclusion that analyses of forestry services have often focused on the hydrological, climatic, and touristic dimensions, but rather seldom on the economic side. The authors use the cost-benefit analysis, and more specifically the transport costs method to analyse the economic value of forests. Going beyond results alone, the authors discuss the value of this analysis and specify that because of the limits of the cost-benefit analysis, the following two conclusions must be drawn: the economic method should be applied as an element in the decision-making process and not as a stand-alone method, and, this should inspire research to improve the procedures.

Birgit Jacobsen analysed the theoretical and real functioning of the timber auction system. According to the author, this technique has four forms, and is supposed to reflect the true price of timber, and therefore, by advocating sales-oriented management, is part of a financial approach to the environment and resources. Referring to short-term timber harvesting contracts in the Mourmarsk region in Russia, the author brings up two problems in the system: when it is developed at the local level, there is a major risk of collusion because of the paucity of participants, and when it is applied at the regional level, its effectiveness is reduced because of delays and bureaucracy. What conditions are needed to ensure the sustainability of this system? Wouldn't it be better to have longer term leasing contracts? The author concludes that economic and commercial risks are so great that there can be no guarantee for the success of such contracts.

In his paper, *Jørn Holm-Hansen* discusses the *ex-ante* evaluation of public environmental policies. Referring to a Latvian city, the author attempts to evaluate the capacity of environmental management tools to fulfil their goal, i.e. make behaviour more respectful of the environment. The article considers two environment policy instruments, namely, economic tools and environmental reorganisation. It goes on to analyse target groups for the environmental policy (towns, including elected officials, administrations, municipal services) and discusses the opportunities for and impediments connected to the implementation of public environmental policy instruments in a medium-size town.

II. The importance of the local community in establishing sustainable development

Juan Martinez-Allier proposed a grid to interpret the various lines of thought on environmental issues at the international level then made a very detailed analysis with focus on the political ecology approach. This approach envisages relations between man and the environment in a manner that is different from the stance taken in Deep Ecology, which he sees as a "romantic" approach, and from the stance of orthodox economics, which he calls the Gospel of Eco-efficiency. Political ecology deals with relations between individuals or groups of individuals (relations that are conflictual when the environment is concerned) and refuses to consider the environment and resources as the ultimate goal of thought and discussion. The author purports that political ecology can be used to explain the emergence of social agroforestry and community management.

Vladimir Aguilar Castro broaches the question of community management and indigenous rights through negotiations on the Bio-Diversity Convention, which speaks of the need to connect protection of biodiversity with community rights. In so doing, the Convention's philosophy moves the debate on biodiversity conservation to the legal arena of signatory countries. Yet the question of the rights of indigenous peoples, custodians of knowledge on and entitlement to resources is not always considered, or even recognised. Before deciding on sustainable conservation and management of resources, the author feels the rights of the indigenous peoples concerned with resources must be established.

Vicente Carabias, Giovanni Cruz, P. Junquera and *D. Maselli* show that a participatory policy can only be sustained if its projects are supported by the local community. The authors illustrate their statement with the example of deforestation of an ecosystem rich in Algarrobo *(Prosopis juliflora)* that includes a large number of endemic species. To counter the deforestation mainly resulting from manmade causes, a - successful - North-South project was started in the 1980s to develop new commercial products that could generate economic benefits previously obtained from felling trees. This alternative project, which the authors feel is very promising, can only be permanently maintained if backed by the local community. In the short term, the local community has been contributing to the reforestation exercise but, in the long term, local support implies a redistribution of the economic gains obtained from ecosystem development.

Patrick d'Aquino discussed ways and means to sustain and expand achievements and experiences in decentralised local management. The challenge is to convert local achievements into regional strengths. The author feels that this will require substantial changes in outlook. He supports the idea of having local communities assume responsibility for the local development process, and, second, having institutional and technical management services participate actively to guarantee continued regional dynamism. The idea is to have the local actors appropriate the local planning design and consultation process and, at the same time, redefine the role of other actors whose job is to provide training and counsel for these local actors using a two-way learning process.

III. Opportunities and limits to globalisation in establishing an environmental policy

Ulrike Grote studied the links between the liberalisation process that is inherent in the World Trade Organization (WTO) approach and high environmental standards. The author analyses certain environmental protection standards by looking at how they can avoid jeopardising the principles of free trade. Measures to restrict environmentally unfriendly trade are studied, e.g. sanctions inflicted on countries that do not respect the standards, different ways to force developing countries to adopt environmental standards, etc. The author specifies that these measures do not attack the roots of the problems and only propose makeshift solutions. Multilateral environmental agreements are much more effective since they emphasise cooperation among the countries. These agreements can be used for technological and financial transfer to countries that are instructed to adopt stricter environmental standards.

Axel Michaelowa and *Michael Dutschke* take the analysis of the new stakes further by focusing on instruments to combat the greenhouse effect, in particular the clean development mechanism (CDM) and its potential application in developing countries. There are numerous technical and institutional possibilities. They should be selected on the basis of their flexibility and how well they fit in with the countries' institutions. The following criteria should be used in selecting projects: technology transfer, capacity building, job creation and pollutant control. Numerous parameters must be borne in mind in the application of CDM projects. On the one hand there is the social sustainability of projects, including transparency and participation, and, on the other, compatibility of projects with the priorities of development, the capacity to generate long-term expertise, and technology transfers in the countries of destination.

Dilek Cetindamar Karaömerlioglu analysed regulatory systems that are implicit in the emergence and dissemination of environmental technologies related to the fertiliser sector in Turkey, referring to the way national systems approach innovation. This approach generates information on the involvement of the various actors and, hence, the levers of action. The author studied how these actors carried out and supported - or not - initiatives in this field. It was ascertained that companies react to environmental issues, emphasising elements that can contribute to disseminating environmental technologies, e.g. pro-environment initiatives taken by the State as a shareholder in most of the companies working in the sector, introduction of a *bona fide* technology policy to support the development of a clean technologies market.

Jürgen Wiemann recommended reflecting on the role of governments and public agencies in promoting commercial links between the developed and the developing countries in the field of "eco-standards", e.g. environmental, social and healthcare standards. The author starts with the hypothesis that under WTO there are major barriers between countries, although the market and business people, but also the NGOs and the intermediaries, for various reasons, first and foremost try to get the western standards applied to products from developing countries. Using a very interesting detour based on the public goods theory, he gives an illustration through a case study on Zimbabwe. An analysis of four significant sectors enables him to identify existing standards and to note that exporters make promising, but insufficient efforts to respect these standards. His conclusion is that it is incumbent on governments and public agencies to support this type of effort, *inter alias* through assistance in the certification process and by updating local procedures.

Shyama Ramani, *Mhamed-Ali El-Aroui* and *Pierre Audinet* brought out the different ways to transfer technology from companies in the so-called North to companies in the so-called South by referring to two possibilities, namely, acquisition of technology by purchase or alliance. The authors suggest starting with an analysis of the debates on transferring technological knowledge in the Indian situation. The problem connected to the capacity of business companies in the South to invest in building up knowledge, rather than buying it, is brought to the fore. The authors then explain their methodology, which is based on the determination of five main variables. Statistical tests reveal correlations amongst most of them, thereby permitting the authors to draw some very interesting conclusions on the connections between the nature of technological transfer, the sectors in question and the geographical origin of the partnership. The authors end by saying that one striking result is the weakness of the scientific partnership between the European Union and India, despite obvious potential.

In the final analysis, all these papers clearly indicate that the success of environmental and resource management policies now depend on their capacity to guarantee a certain type of equity in the redistribution of wealth and resources and to rally local people' support, in other words, a freedom to choose pathways to development. The best explanation for the recent link between classical environmental logic and sustainable development, with its undeniable institutional dimension, probably lies in the existence of these two requirements.

Economics, ethics and cooperation

Bruno LAUTIER
Université Paris I, Institut d'Étude du Développement
économique et social (IEDES)
GEMDEV

The relationship between economics and ethics has always been at the heart of the development cooperation and aid question. The shift from considering the issue in terms of aid to considering it in terms of development cooperation is based on the desire to take the moralism out of North-South relations and get rid of the guilty conscience left over from the debate on colonialism and imperialism. Discussion of sustainable development and the environment reflect a concern to make economic efficiency compatible with ethics (particularly with regard to future generations). The "good governance" issue (primarily with regard to corruption) also shows how political reforms guided by ethics can be the basis for economically productive change. And since the end of the 1980s, the issue of poverty reduction, guided by a moral imperative, has become the main objective of development cooperation, both multilateral and bilateral.

But consensus on this last point leaves room for an infinitely wide range of subjects of research, issues investigated and ideological and normative viewpoints. There is not much in common between the nine papers included under our heading, except that they all address the question of social inequality and poverty and the contradiction between equity objectives and efficiency objectives; and they all integrate this issue into a discussion of the "sustainability" of development.

The papers fall into three groups of three:

- approaches and analytical frameworks for considering the relationship between economic development and non-economic determinants or imperatives. The papers in this group are by H. Opschoor (on the conditions for sustainable development), F. -R. Mahieu and B. Boidin (on the concept of social capital) and B. Lautier (on the World Bank and poverty reduction);

- the consequences of certain aspects of globalisation on particular social situations. Papers by E. Berner (on social and spatial fragmentation resulting from globalisation); J. Clancy, M. Skutsch et I. Van der Molen (on the contradiction between equity and efficiency in gender-sensitive policies); and H. H. Abdelbaki and J. Weiss (on the consequences for income distribution of Egypt's move towards free trade);

- the instruments used to reduce or control the social effects of the play of economic forces. Papers by C. Portobello and R. Rabellotti (on the function of self-employment as emerging entrepreneurship or survival strategy); J. Jütting (on the respective roles of the State and civic organisations in social services provision); and F. Kern and F. -R. Mahieu (who analyse an African interuniversity graduate studies programme, the PTCI).

I. Issues and analytical frameworks

Hans Opschoor, "Sustainable human development in the context of globalisation", advocates a complete overhaul of development strategies to reorient them to what he calls (in the words of the UNDP) "sustainable human development". Without calling into question the theory that this can only be achieved with strong economic growth, he argues for a thorough-going reform of the institutions concerned, which alone can reduce social and environmental insecurity. He examines the notion of good governance and calls for re-vitalisation of the State. He argues that the State should be responsible for creating the conditions for sustainable development, particularly through institutional empowerment of civil society. Social objectives (income redistribution), environmental and political objectives then emerge as complementary rather than contradictory. For **Hans Opschoor**, the dilemma between globalisation and State intervention is futile, since only States can define and alter the course of globalisation, especially as regards the environment. Sustainable development requires an ethical consensus, certainly. But it also requires a reformulation of the supra-national regulatory system, which should no longer be restricted to supervising financial and trade relations.

François-Régis Mahieu and *Bruno Boidin*, "Capital social, capital humain et principe de précaution", develop the definition of "social capital", a concept from critical sociology that is central to the "new microeconomics of altruism". Their definition can be summed up as "accumulation of benevolence and malevolence". It is this two-edged quality that gives social capital its particularity, as altruism can come back to haunt one owing to the obligations it imposes. While social capital cannot be measured directly, it can be measured indirectly since advances in social capital, and some forms of social income, can be measured. This clearly distinguishes social capital from human capital, and raises the question of how to convert one form of capital into another. This depends on very strict conditions, and the authors argue that the precautionary principal requires that no political measures be taken that would irreversibly degrade social capital in the name of an uncertain maximisation of global capital yield.

Bruno Lautier, "Pourquoi faut-il aider les pauvres ? Une étude critique du discours de la Banque mondiale sur la pauvreté", examines the paradoxical stance that posits poverty reduction as the top priority objective of the international development institutions, while giving no justification for it other than the obvious moral one. Lautier highlights some internal contradictions in this appeal to morality, the goals it can hide, and the political effects of the strategy. He first points out that focusing on moral motivation in no way contradicts the foundations of liberalism as expressed in the Walrassian version of development economics. He then examines two classic problems in discussions of poverty: how to define and measure it, and how to distinguish between the "deserving" and "undeserving" poor for aid purposes. In both debates, whatever the World Bank says, moral requirements play an entirely subordinate part. Lastly he addresses the question of the effects of poverty policies. Any real impact on poverty levels is neither measurable nor measured at the "macro" level (although there are plenty of monographs on the subject, all of which ignore the adverse effects). However, the desired political effects are to create a new type of citizen and a new mode of government. The appeal to morality leads to political Utopianism.

II. Consequences of aspects of globalisation on particular social situations

The globalisation debate is often confused by the black-and-white view that there are in-groups and the excluded, winners and losers, often referring to States or regions. **Erhard Berner**, "World marketplaces and citadels: globalisation and social exclusion in Cebu City, The Philippines", contests this view. In his view, it is within the cities that enjoy the most positive effects of globalisation (in terms of growth and employment) that disintegration, fragmentation and social conflict directly due to globalisation are most sharply in evidence. The new "citadels" - guarded or even militarised - are one symptom of this. The example of Cebu City in the Philippines, where the tourist boom has produced social exclusion on a large scale, is particularly enlightening. Jobs have been created, certainly, but the number of immigrants without cultural or social resources, living in squatter settlements, is growing much faster. The lack of political regulation means that globalisation produces a veritable Apartheid society; the only prospect for people in the shantytowns is to work as servants in the citadels.

Many critics have argued that economic globalisation is incompatible with equity. Since the 1970s, local "participation" in development projects, by women especially, has put forward as the way to counteract this. *Joy Clancy, Margaret Skutsch* and *Irma Van der Molen*, "Equity versus efficiency: gender versus participation. Contest in the arena of donor paradigms", show that, although it is usually the goal of equity that is spotlighted when development projects are set up (especially when those projects address women), it is more often a concern for efficiency that governs NGOs and agencies in operation. Taking three case studies (water, forest management and energy in Sri Lanka and India), the authors show the divergence between the international NGOs (who recommend women's empowerment and gender equality) and the public authorities, especially at the local level, which only call on women to participate when pressured to do so. In conclusion, lack of support from local government officials means that a project's gender equity conditions are only fulfilled where these officials are sure to gain in terms of efficiency and there is no threat to their power position.

Hisham H. Abdelbaki and *John Weiss*, "Assessing the impact of higher exports on income distribution: the case study of Egypt", examine the consequences of trade liberalisation for income distribution in Egypt. Egypt joined the Uruguay Round negotiations in 1991, at the same time as it concluded a stabilisation and adjustment agreement with the International Monetary Fund (IMF) and World Bank. In 1995, almost all its tariff and non-tariff barriers had been dismantled and Egypt joined the World Trade Organization (WTO). The authors analyse the effects of joining the GATT/WTO by constructing a social accounting matrix. Assuming - as the WTO credo would have it - that opening up to foreign trade has a positive impact on employment and wages in exportable products industries, the authors ran three simulations with different patterns of distribution for the income from exports. The results are significant: in all cases income was distributed in favour of urban households over rural households, and rich households over poor. The factorial distribution favoured capital over land and labour. Opening up to world trade has worsened every type of social inequality.

III. Instruments to reduce or control the social effects of the play of economic forces

Carlo Pietrobelli and *Roberta Rabellotti*, "Emerging entrepreneurship or disguised unemployment in manufacturing? An empirical study of the determinants of self-employment in developing countries", compare the two main theories on the role of self-employment over the past twenty years. One that sees it as a way of absorbing a supply of entrepreneurial talent that would otherwise find no outlet, the other sees it as merely providing subsistence for those who cannot find better opportunities. Despite the fearsome methodological problems (for example, the statistics on this catch-all category cover own-account workers and working owners of unincorporated businesses without distinction), the authors make a comparison for the period 1960-1991 with a sample of 64 developing countries. The classic hypothesis, first put forward by Kuznets, is confirmed for about half these countries: there is a negative relationship between a country's economic development and its rate of self-employment. However, there are so many exceptions that there are no grounds for abandoning support policies for the self-employed without due examination. They will never be the basis from which manufacturing industry develops (and still less export industries), but they can make a major contribution to increasing employment and incomes under some conditions (particularly with regard to taxation, while education also plays a significant role).

Much has been written about the role of civil society as a palliative for the failure of State and market in the social security sphere. *Johannes Jütting*, "Strengthening social security systems in rural areas of low income countries: what role for civic organisations?", gives a brief review of the economics literature on the question and considers two examples: Mutual Health Organisations in West and Central Africa, and an association that provides banking and insurance services for 200,000 self-employed women in Gujarat, India. These associations achieve largely positive results, especially in rural areas, by reducing transaction costs or quite simply by giving access to the market. But there are also obvious limitations: it is difficult to upscale and to manage covariate risks and adverse selection risks, the poorest sections of the population are excluded, and opportunity costs are high. The author argues for public-private cooperation, with the State providing an enabling environment for such civic organisations rather than regarding them as competitors. He concludes that the principal actor will still be the State, provided it can delegate or contract services to private organizations, whether non-profit or for-profit.

Francis Kern and *François-Régis Mahieu*, "Approche nationale des programmes et *Dutch disease intellectuel*: le cas du Programme de troisième cycle interuniversitaire - PTCI", analyses one specific capacity-building programme: the PTCI inter-African graduate studies programme, which began in 1994 and provides MA level courses in economics and management. The aim of the PTCI was to network a large number of African universities and bring together a critical mass of African MA-level students for a graduate studies programme, in cooperation with foreign universities. But despite its praiseworthy initial purpose (to gradually reduce dependence on non-African teachers and achieve economies of scale), abuses of the system soon emerged. Only a tiny proportion of students produce theses, and teachers use their visiting cards to devote most of their time to consultancy work. This system of intellectual economic rents - a kind of "*intellectual Dutch disease*" - has, paradoxically, impoverished the universities and has proved very costly: lecturers have to be overpaid to keep them from disappearing into consultancy work. While the authors' conclusion is optimistic, the PTCI can hardly be called a frank success.

Cooperation and university research

Michel VERNIÈRES
Université Paris I, Laboratoire d'Économie sociale (LES)
GEMDEV

The six texts gathered in this section deal with cooperation in research and training. They underscore the decisive importance of these two fields for economic development and, consequently, for international cooperation policies. The comparison of these papers, all highly diverse as regards their precise objective, highlights some fundamental challenges for the setting of objectives and the carrying out of cooperation policies in these areas. But, before these challenges are presented, a brief presentation of each paper will be made.

I. Presentation of the papers

The six texts presented here can be classified into three groups. The first, composed of texts by P. Hugon and G. Saint-Martin, is based upon the European example and deals with the overall problems of cooperation in the area of research. A second group includes papers by F. Chaparro and I. Egorov based upon very different cases of agricultural research for development and the utilization of the research potential of countries of Eastern Europe and the former Soviet Union. They are an invitation to reflect upon the conditions international cooperation must meet to adapt itself effectively to the diversity of realities in countries or sectors. The third group, including the text by F. Kaufmann and that of M. I. Al-Madhoun and F. Analoui, examines the creation of a private university in Mozambique and the training programs of small entrepreneurs in Gaza. These last two texts illustrate the difficulties surrounding the actual implementation of international cooperation actions.

Mohamed I. Al-Madhoun and *Farhad Analoui* analyze management training programs for small entrepreneurs in Gaza. After outlining the very specific conditions of the Gaza Strip, the authors emphasize that many existing training programs encounter numerous difficulties, in particular the lack of practical exercises, of adapted textbooks and the absence of relevant assessment processes. Moreover, many programs launched lack coordination and are known to relatively few people. Future improvements need to be made to the selection criteria of participants and the more precise identification of their training needs.

Friedrich Kaufmann focuses on the case of Mozambique and examines the question of the choice between public and private higher learning based upon an analysis of social and private returns of education and determinants of the demand for higher education in developing countries. He concludes that the arguments in favor of covering the costs of higher education are particularly strong. From the point of view of university management, he emphasizes the greater flexibility available to private establishments as regards management, especially for their funding and the remuneration of personnel. In his opinion, a second point meriting special attention is the link universities have with their society and culture. This tie is, too often, reduced due to cooperation with universities of the North that export their textbooks and approaches to the disciplines taught.

Igor Egorov presents the utilization of research and development potentials of countries in Eastern Europe and of the former Soviet Union. First, he underscores the need to distinguish between the very contrasted evolutions of three groups of countries. The countries of Eastern Europe, candidates for the European Union, which, by utilizing Western technologies, have barely tapped into their local potential for research. In the countries of Europe formerly part of the Soviet Union, the maintaining of research structures is running into severe financial difficulties, with the exception of the petroleum sector. Their future therefore appears very uncertain. As for countries of Central Asia and the Caucasus, the disappearance of support from the former USSR has lead to the decline of their research and development structures. Overall, all of the indicators reveal a strong slowdown of this activity, under-utilization of scientific personnel and, in the medium term, a decline of the relative scientific position of these countries.

Fernando Chaparro studies partnerships and networks in the case of agricultural research for development. After having underscored the importance of the issue at stake in the area of development of the future of agriculture, the first part of his paper concentrates on the challenges generated by the rapid evolution and the dissemination of new technologies, not only in the area of biotechnology but also that of information. Emphasizing the latter area, he demonstrates that the influence of these new technologies concerns all of the aspects of agriculture and rural development: research, production, marketing, the management of natural resources and rural development actions. Based on an examination of the South-American case of the regional network of research and information on *panela* (a variety of brown sugar), he underlines the necessity of building knowledge systems to connect research, training as well as the dissemination of information and innovation at the farm level.

Gilles Saint-Martin examines the challenges related to scientific cooperation between Europe and the South. Noting that international policymakers, against a backdrop of decreasing public aid for development, do not favor scientific cooperation, he seeks out the means of giving cooperation the priority that seems to justify its recognized importance for economic development and the fact it is a recurring theme of the external policy of the European Union. Beginning with a critique of scientific cooperation as a simple one-way transfer of technologies and by underlining the importance of research for the very defining of policies, he proposes several possible paths for action: including policymakers in the research process, outlining national or regional research priorities through dialogue, finding alternative sources of funding, negotiating international regimes favorable to research for development and mobilizing researcher from the South who have emigrated to the North.

Philippe Hugon examines the concept of research as an international public commodity. After having identified the notion of development research, he underscores the extent of North-South imbalances in the area of scientific research and the position of Europe in development research. To outline better the objectives of scientific and technical cooperation in development research, and more generally any cooperation policy, he underscores that knowledge and research are not ordinary goods. Due to their characteristics, including indivisibility, externalities and increasing returns, it is not possible for the market to carry out an optimal allocation of these goods. The essential problem, then, is that of encouraging the production of these specific goods and the modes of intervention of aid agencies in order to distribute, through partnership contracts, the goods necessary to satisfy the essential needs of countries of the South.

II. The fundamental challenges of cooperation policies

The papers included in this section are diverse in their development, however, four main themes stand out that constitute fundamental challenges for cooperation policies. These themes involve the relative importance of research and training actions, the necessary combination of public and private actions, the creation of research and training networks, the implementation of a true partnership between the various actors of cooperation.

Regarding cooperation actions taken as a whole, **the importance of those dedicated to research and training is strongly underscored by all of the authors.** Our contemporary societies are, increasingly, characterized by increased competition between economic agents of various countries. Henceforth, the qualifications of the labor force and its capacity to master increasingly complex and constantly evolving technologies are the key elements of international competition. Developing countries' capacity to train their workers and to adapt innovative techniques to the specific characteristics of their productive structures determines their future and their ability to improve their relative position within the world economy. The accent placed upon the reduction of poverty and development of primary training must not lead to the reduction of the position of cooperation in research adapted to the needs of these countries and to the training of their technical executives. In the long term, it is the very condition of their development and therefore for the sustainable reduction of poverty.

The necessary combination of private and public actions appears to be the second point of convergence of the texts in this section. The authors agree on recognizing the need to encourage private initiatives whether this involves the creation of new universities or of research capacities within companies. However, they also underscore the hazards of private appropriation of knowledge and human resources that would limit access to existing knowledge. Negotiations and international agreements therefore must enable this free use of scientific knowledge, and thus recognize the existence of international public goods allowing for true international solidarity. This would require priority attribution of financial resources to research in cooperation and scientific and technical training, which is far from compatible with the current trend towards a decrease in official development aid (ODA).

The **creation of North-South research networks** now appears to be a preferred means of cooperation in this field. Cooperation cannot be carried out in one direction only via the pure and simple transfers of technologies. This cooperation must be transformed according to local productive specificities by researchers located in the country in question.

Conversely, developing research on and for developing countries in countries of the North will only accentuate the brain drain in countries of the South. Through their ability to facilitate exchanges of information and scientific dialogue, networks connecting several research teams, from both the North and the South, enable, in the framework of long-term cooperation agreements, to offset the limited means of teams of the South, to maintain scientific contact with expatriate researchers and to improve integration in research programs of differences in culture and in field experience.

It is along these same lines that the texts in this section emphasize the **importance of partnerships**. They must be designed to be cooperation with an equal footing between very different partners. This is the case of research teams of unequal strength. But here it is primarily a question of encouraging cooperation, based upon finalized research and training objectives, of national research institutes and other structures such as companies, groupings of producers or non-governmental organizations. It is thus the development of formulas of research / action that international cooperation must attempt to encourage.

Europa y el Sur en los albores del siglo XXI
Retos y renovación de la cooperación

Traducción en Español

Sumario

Introducción_____

Jean-Jacques GABAS
Université Paris XI, Centre d'Observation
des Économies africaines (COBEA), Orsay
président du GEMDEV (1997-2002)

La IX Conferencia General de la EADI sobre el tema "**Europa y el Sur en los albores del siglo XXI: retos y renovación de la cooperación**", fue organizada por el GEMDEV en París, del 19 al 22 de septiembre de 1999. Miembros de la comunidad científica, expertos, responsables políticos y administrativos, así como representantes de la sociedad civil aportaron sus reflexiones sobre los retos que Europa y el Sur encaran en la actualidad y sobre las políticas de cooperación, para las cuales se impone una indispensable redefinición.

Puede que escandar el tiempo al ritmo del siglo o del milenio no sea la mejor manera de marcar los hitos de la evolución de la sociedades. En la segunda mitad del siglo XX acaecen dos hitos determinantes: las descolonizaciones y el final de la guerra fría. Europa, presa de importantes tensiones, enfrenta una recomposición política, busca su identidad y lejos está su estabilidad de ser garantizada. Aquello que sin reservas llamábamos el Tercer Mundo está desapareciendo para dar paso a la desagregación de los Sures, cuyas trayectorias presentan grandes contrastes. La historia ha colocado a Europa en el centro de los intercambios entre continentes, y sobre todo, en el centro de los intercambios con los Sures. En la actualidad estas relaciones forman parte de un proceso dinámico de profundos intercambios que constituyen rupturas, tanto con los hechos como con los análisis científicos.

En efecto, no podemos sino constatar que las relaciones internacionales introducen nuevos actores en la escena internacional cuyos papeles y poderes respectivos modifican las jerarquías tradicionales y producen reglas de derechos, pero también de no derechos.

¿Quién forma parte de esta arquitectura internacional? Los poderes públicos de diferentes niveles, por supuesto: entidades supranacionales como la Unión Europea y los Estados mismos, que han dominado las relaciones de cooperación durante los últimos treinta años, aunque actualmente también se debe tener en cuenta a las colectividades territoriales. Es de hacer notar que los actores menos "tradicionales" - organizaciones no gubernamentales y organizaciones confesionales o sindicales - intervienen con mayor intensidad que en el pasado. No debe olvidarse el papel fundamental que desempeñan los grupos de expertos y la comunidad científica, que generan un sistema de valores propio y esgrimen un poder nada despreciable sobre los actores, tanto públicos como privados, en la formulación de las políticas. También ha hecho su aparición, y tiene cada vez más fuerza, un actor denominado "opinión pública" quien, a su manera, forja las relaciones entre Europa y los Sures. El papel de todos esos actores, presentes en la escena de la cooperación, reviste cada vez mayor importancia en la construcción política de las sociedades, tanto en Europa como en los Sures y en el establecimiento de una verdadera malla de relaciones entre esas sociedades. Al mismo tiempo, aparecen nuevos actores de la financiarización de las economías, cuyo formidable poder internacional es imposible de ignorar. Su existencia y sus estrategias influyen en las trayectorias de desarrollo de los Estados, tanto en Europa como en los Sures, e incluso llegan a cuestionar los modelos de cooperación tradicionales. Si bien es cierto que no por hacer una comparación se tiene razón, debemos cotejar dos cifras: la financiarización, que con frecuencia se ve favorecida por la existencia de paraísos fiscales, representa el intercambio diario - sin ninguna regla de ética o de prudencia -, de títulos por un volumen de 1,500 a 2,000 mil millones de dólares; la ayuda pública para el desarrollo, sin embargo, se asigna cada año por un importe de 50 mil millones de dólares, acompañados de múltiples condicionantes. Ambas lógicas, de financiarización y desarrollo, no pueden ser vistas independientemente una de otra[1].

---

[1] COUSSY J.; GABAS J. -J.: « Crises financières y modèles de coopération » en la Revue de l'Économie Politique, n°2, abril de 1999, París.

El proceso de mundialización, marcado por la aceleración de la apertura de las economías, confiere un papel creciente a las fuerzas del mercado y lleva a interrogarse sobre el papel tradicional de los Estados Nación.

Todos esos intercambios se llevan a cabo en el marco de espacios políticos de negociación, concertación o cooperación, pero también en el ámbito de espacios afectados por conflictos guerreros e de espacios de no derechos. Son espacios que no sólo definen reglas y convenciones, sino que contribuyen a regular, durante cierto tiempo, las relaciones entre los actores. Son espacios sumamente conocidos llamados, por ejemplo, Convención de Lomé y, más recientemente, Convención de Cotonú, convenios euromediterráneos, convenios de cooperación bilaterales o de cooperación descentralizada. Otras instancias, como la Organización mundial del Comercio (OMC) o la Organización Internacional del Trabajo (OIT), establecen otras normas. Todo ello provoca varias preguntas: ¿Es necesario interrogar las instituciones donde se generan las reglas, las normas, los convenios? ¿Cuestionarlas sobre sus contribuciones? ¿Ha llegado el momento de preguntarse si puede existir una política europea **singular** frente a las reglas imperantes: las del multilateralismo? Cabe preguntarse si las políticas comerciales, monetarias, financieras y de asistencia al desarrollo entre Europa y los Sures, así como las políticas relacionadas con las migraciones o las transferencias tecnológicas pueden analizarse y comprenderse aisladas unas de otras. En todo caso, y de cara a la realidad, deben tener en cuenta la compatibilidad de sus objetivos; ahí radica precisamente una de las mayores dificultades que encaran en la actualidad el pensamiento y la acción.

Para comprender el sistema-mundo en el que se encuentran íntimamente insertas dichas relaciones entre Europa y los Sures, sin embargo, es necesario cuestionar la investigación científica. Es posible que no se hayan aprendido las lecciones de las experiencias anteriores de desarrollo, que no se hayan analizado las causas de los éxitos y los fracasos de la aplicación de las políticas de desarrollo. Lo que es más, es posible que no se hayan evaluado completamente todas las dimensiones de las relaciones llamadas de cooperación, que pueden ser calificadas de fenómeno social total, según una de las expresiones favoritas de Marcel Mauss. No sólo continúan los debates científicos, sino que al contrario, asistimos al fin de la era de las certezas científicas. Las diferentes disciplinas deben descompartimentarse y dialogar, conservando su identidad. Es necesario que las distintas disciplinas sean permeables y que existan perspectivas cruzadas de un mismo objeto; contribuir a ese diálogo es precisamente uno de los retos científicos de esta Conferencia General. Varias corrientes de pensamiento nos incitan a construir un telón conceptual en el que la economía, la ciencia política, al igual que las ciencias humanas y sociales en general analizan, juntas, los hechos internacionales. En ese sentido se pueden citar los análisis heterodoxos de la economía política internacional, los enfoques de la escuela institucionalista o incluso las profundas reflexiones de Amartya Sen. Para analizar las relaciones internacionales desde una perspectiva histórica, con el objeto de comprender la génesis y las formas de poderes, es indispensable recalificar lo político[2] y dar a la ética[3] un lugar central.

En el nuevo panorama diseñado por los hechos y la investigación, se deben contemplar por lo menos tres orientaciones de reflexión. La primera tiene simple y sencillamente que ver con la rehabilitación del enfoque de trayectoria de desarrollo de las sociedades, ya que el desarrollo es un reto tanto para los países del Sur como para los países europeos. La segunda orientación se concentra en la asistencia para el desarrollo[4], que debe reconquistar su legitimidad perdida[5], sobre todo

---

[2] En particular:
• CHAVAGNEUX C.; COUSSY J.: « Études d'économie politique internationale » en Économies et sociétés, n° 4, 1998;
• GABAS Jean-Jacques; HUGON Philippe: « Les nouveaux enjeux politiques et économiques de Lomé » - Ponencia presentada en la IX Conférence Générale de EADI, París, septiembre 1999;
• KEBABDJIAN G.: « Les théories de l'économie politique internationale » - París: Seuil, 1999;
• HUGON Philippe: « Économie politique internationale et mondialisation » - París: Economica, 1998;
• GEMDEV: « La mondialisation. Les mots et les choses » - París: Karthala, 1999;
• GEMDEV: « L'état des savoirs sur le développement » - París: Karthala, 1993.
[3] MAHIEU F. R.; RAPOPORT Hillel: « Altruisme. Analyses économiques » - París : Économica, 1998.
[4] Ver los siguientes documentos:
• GEMDEV: « La Convention de Lomé en questions » - París : Karthala, 1998;
• GEMDEV: « L'Union européenne et les pays ACP. Un espace de coopération à construire » - París : Karthala, 1999.
[5] Ver, sobre todo, VAN DE WALLE Nicolas: "Aid's crisis of legitimac: current proposals and future prospects" en African Affairs, n° 98, 1999.

redefiniendo sus prácticas, teniendo mejor en cuenta su dimensión política y tratando de reforzar su coherencia y complementariedad con las otras políticas. Por último, como ya se ha mencionado antes, se debe reflexionar sobre la génesis y las normas internacionales, así como sobre sus condiciones de aplicación.

Numerosos investigadores y estudiantes provenientes del mundo entero enriquecieron con su presencia los debates de la IX Conferencia General de la EADI. Las actas que publicamos en este documento provienen de una selección hecha por el Comité de lectura del GEMDEV a partir de 310 comunicaciones (198 en inglés y 112 en francés).

Estos ejes de reflexión son transversales, por lo que en la presente publicación se han dividido en 12 temas:

- tema 1: Paz y conflictos
- tema 2: Migraciones y demografias comparadas
- tema 3: Políticas monetarias y políticas financieras
- tema 4: Economía internacional
- tema 5: Globalización y Europa
- tema 6: Descentralización y urbanización
- tema 7: Política de asistencia de la Unión Europea
- tema 8: Buen gobierno
- tema 9: Tecnologías y políticas
- tema 10: Medio ambiente
- tema 11: Capital social y pobreza
- tema 12: Cooperación e investigación universitaria

En esta obra cada tema es objeto de una presentación sintética (traducida al inglés, al español y al francés). El cederom adjunto incluye todas las comunicaciones completas, en su idioma original (francés o inglés).

Agradecimientos

• Las secretarías del GEMDEV y de la EADI expresan su más sincero agradecimiento a todas las instituciones que han aportado su apoyo financiero o logístico para la preparación esta Conferencia General.

En primer lugar, a la Dirección General del Desarrollo de la Comisión europea, sobre todo a la señora Rosa de Paolis y a los señores Dominique David y Gérard Vernier por haber seguido la preparación de esta conferencia con gran atención, haber contribuido a su organización y destacado sus conclusiones.

En Francia, al ministerio de Relaciones Exteriores por su apoyo logístico y la ayuda que nos brindó para facilitar la participación de catedráticos y estudiantes extraeuropeos, al ministerio de Educación Nacional, Investigación y Tecnología, a la dirección de Investigación, en particular a la Delegación de Relaciones Internacionales y Cooperación (DRIC) y a su Ministro, Claude Allègre, por su patrocinio, que confirma la calidad científica de la conferencia.

Por último, extendemos nuestro agradecimiento al ministerio holandés de Relaciones Exteriores, al Consejo Regional de la región de Île-de-France, al ayuntamiento de la ciudad de Saint-Denis, al Programa MOST de la UNESCO, al señor Rector de la Academia de París, Canciller de las universidades, a todas las universidades de Paris XI, en especial al Instituto Universitario de Tecnología de Orsay, Paris XIII y de manera muy especial a Paris VIII, que acogió esta conferencia.

Pero más allá del apoyo que nos brindaron, se han establecido o se han confirmado verdaderas relaciones de confianza que permiten entablar un diálogo fecundo entre dos mundos que suelen ser ajenos uno de otro: el de la investigación y el de las decisiones políticas.

● La IX Conferencia General de la EADI fue organizada bajo los auspicios del GEMDEV. El Comité de organización estaba formado:

Por el GEMDEV : Catherine Choquet, Olivier Dollfus, Jean-Jacques Gabas, Philippe Hugon.

Por la EADI : Claude Auroi, Giulio Fossi, Bruno Lautier, Irène Norlund, Helen O'Neill, Sheila Page, Fernando Rodriguez de Acuña, Peter Stanovnik, Jürgen Wiemann.

Agradecemos también a las secretarías del GEMDEV y de la EADI, en especial a: Catherine Choquet, Stéphanie Cocherel, Carole Sébline, Alexandra Assanvo, Laurence Deguitre, Rachida Maouche, Sylvie Boisier, Agnès Lainé, Élisabeth Méchain-Diarra (GEMDEV) ; Claude Auroi, Elaine Petitat-Côté, Corinne Chevallier-Guignard, Nicolas Schwab (EADI).

● Esta publicación ha podido realizarse gracias a los miembros del Comité de lectura, que evaluaron todas las 310 comunicaciones: Vladimir Andreff (Université Paris I), Pierre Audinet (International Energy Agency - OECD), Irène Bellier (CNRS), Marguerite Bey (Université Paris I - IEDES), Marc Bied-Charreton (Université de Versailles - Saint Quentin en Yvelines), Daniel Bourmaud (INALCO), Laurence Bonko-Sagna, Jacques Charmes (Université de Versailles - Saint Quentin en Yvelines - IRD), Catherine Choquet (Université Paris VIII - GEMDEV), Jean Coussy (CERI), Ahmed Dahmani (Université Paris XI), Michel Delapierre (Université Paris X), Isabel Diaz (GEMDEV), Alain Dubresson (Université Paris X), Barbara Despiney (Université Paris I), Nathalie Fabbry (Université de Marne la Vallée), Jean-Jacques Gabas (Université Paris XI), Vincent Géronimi (Université de Versailles - Saint Quentin en Yvelines), Charles Goldblum (Université Paris VIII), Béatrice Hibou (CERI), Philippe Hugon (Université Paris X), Sylvy Jaglin (Université Paris VIII), Béatrice Ki-Zerbo (Projet d'appui à la Mécanisation agricole de Ouagadougou), Bruno Lautier (Université Paris I - IEDES), Marc Lautier (Université de Rouen), Michèle Leclerc-Olive (CNRS), Anne Le Naëlou (Université Paris I - IEDES), Bernadette Madeuf (Université Paris X), Régis Mahieu (Université de Versailles - Saint Quentin en Yvelines), Claire Mainguy (Université Paris XI), Jean Masini (Université Paris I - IEDES), Philippe Méral (Université de

Versailles - Saint Quentin en Yvelines - IRD), Annik Osmont (Université Paris VIII), Claude Pottier (Université Paris X), Marc Raffinot (Université Paris IX), Denis Requier-Desjardins (Université de Versailles - Saint Quentin en Yvelines), Alain Rochegude (Université Paris I), Gilles Saint-Martin (Ministère de l'Éducation nationale, de la Recherche et de la Technologie, DRIC), Patrick Schembri (Université de Versailles - Saint Quentin en Yvelines), Michel Vernières (Université Paris I), Sylvain H. Zeghni (Université de Marne la Vallée).

Las traducciones fueron realizadas respectivamente por Ana Barthez (por el español) y Harriet Coleman, Jeanne Disdero y Tilly Gaillard (por el inglés).

Desarrollo / conflictos:
¿cuáles son los caminos hacia la paz?

Catherine CHOQUET
Université Paris VIII,
GEMDEV

Los participantes de la IX Conferencia General de la EADI debatieron, entre otros temas, sobre: "Los desafíos relacionados con la paz". El llamamiento a ponencias publicado en esa ocasión especificaba: *"No sabemos gran cosa de la paz, de los medios para promoverla. (...)"*; los organizadores de la conferencia hicieron un llamamiento para que los participantes trataran temas como el derecho de ingerencia, las herramientas políticas de las que dispone Europa para evitar conflictos, el lugar de la ayuda humanitaria, los Derechos Humanos o la política de cooperación militar, etc.

No podemos sino constatar que los contribuyentes, aun cuando poco hablaron de paz o de los medios para lograrla, hicieron frecuentes referencias a la guerra, la violencia armada, la complejidad cada vez mayor de las relaciones internacionales, etc.

En efecto, los temas tratados en las contribuciones que presentamos aquí giran en torno a:

- el análisis de las relaciones de fuerza internacionales o del sistema internacional: H. Abrahamsson, M. Duarte, D. Frisch, B. Hettne ;

- el papel que desempeña la Unión Europea (UE) en las políticas de asistencia y prevención de conflictos: M. Duarte; D. Frisch;

- la evolución de las relaciones entre la seguridad y el desarrollo: H. Abrahamsson; M. Duarte; B. Hettne; S. Liwerant y C. Eberhard;

- la aparición de grupos armados privados, de milicias y la criminalización internacional: H. Abrahamsson; R. Degni-Ségui; B. Hettne;

- el problema de las víctimas civiles de los conflictos: R. Degni-Ségui; M. Duarte; S. Liwerant y C. Eberhard;

- la demanda de justicia internacional: M. Duarte; S. Liwerant y C. Eberhard.

A guisa de introducción de los debates, **Dieter Frisch**, ex director general de Desarrollo de la Comisión Europea, se pregunta cuál es la comprensión que tienen los responsables políticos en ejercicio del vínculo entre paz y desarrollo y lamenta, que en la escala de prioridades políticas, la cooperación para el desarrollo ocupe tan poco lugar. Le extraña - afirma - que la paz parezca ser siempre un tema reservado a diplomáticos y militares, que suelen ser más aptos para manejar conflictos que para evitarlos, y que la cooperación para el desarrollo pocas veces sea vista desde la perspectiva de la motivación política. ¿Acaso - pregunta - las razones subyacentes de los conflictos, ya sea entre Estados o al interior de los mismos, se engendran en las deficiencias del desarrollo, la utilización de las diferencias étnicas o religiosas por hombres que tratan de consolidar su poder, la influencia nada despreciable de factores económicos exógenos, el exceso de endeudamiento de los países pobres, que ha llevado a la casi liquidación de los servicios públicos en las áreas de la salud, la educación, etc., que provocan disturbios sociales?

¿Cuánto tiempo más vamos a seguir ignorando que la inestabilidad de los países del Sur tiene repercusiones en la estabilidad del Norte? ¿Qué el problema no se resolverá construyendo fortalezas?

El arsenal de instrumentos creados por los tratados de Maastrich y Amsterdam y la aplicación de la política exterior y de seguridad comunes (PESC), ¿permitirán que la Unión Europea pueda al fin desempeñar el papel que le corresponde en la prevención de crisis y la promoción del desarrollo? Europa con frecuencia ha aportado fondos, pero raras veces aparece como un actor político real en la escena internacional. Será necesario reflexionar también sobre algunas incoherencias, por ejemplo: ¿Cómo su puede, al mismo tiempo, preconizar la paz y favorecer la exportación de armas y material militar?

¿Debe o no privilegiar la UE el diálogo político en sus relaciones con otros países? ¿Debe hacer de dicho diálogo la vía favorecida para transmitir mensajes claros cuando éstos son necesarios? ¿Cómo utilizar el arma de las sanciones?

Por último, **Dieter Frisch** propone algunos ejes prioritarios de acción para la UE que no sólo permiten agilizar el esfuerzo de ayuda y aumentar su eficacia, sino también definir mejor la cooperación para satisfacer, antes que nada, las necesidades fundamentales de las poblaciones. ¿Es ese el mejor medio para asegurar también la promoción de las libertades fundamentales y del estado de derecho? Aun así, lo que sigue siendo determinante para promover la paz y la cooperación es la voluntad política de los responsables políticos, ya sea que éstos pertenezcan a la UE o a los países del Sur.

A su vez, **Björn Hettne**, del *Department of Peace and Development Research of the University of Göteborg* (Suecia) afirma que desarrollo y paz son dos caras de la misma moneda. En el momento en que la mundialización ha cambiado los lazos entre desarrollo y paz o seguridad, ¿hemos pasado de la teoría del desarrollo a la del conflicto? En un mundo cada vez más caótico, el desarrollo es considerado como un medio de seguridad y se da mayor importancia a los temas de seguridad que aquellos relacionados con el desarrollo.

La teoría clásica del desarrollo pertenece al mundo bipolar del periodo después de la II Guerra Mundial, en el que existía un orden mundial jerarquizado, organizado en centros y periferias, con guerras « etiquetadas » y un modelo: el de Europa, ya sea del Occidental u Oriental, después de la guerra.

En los años ochenta, sin embargo, se llega a un callejón sin salida: avanzan la mundialización y el caos y triunfa la ideología neoliberal, dejando de lado a millones de ciudadanos. Aparecen economías "locales", separadas del control del Estado, dirigidas por un nuevo tipo de empresarios - que cuentan con el apoyo de organizaciones militares privadas - con conexiones internacionales.

¿Acaso no somos testigos de la aparición de distintas formas de Estados: fundamentalista, étnico, militarista, de señores de la guerra, etc.? Cabe señalar que el neoliberalismo y los señores de la guerra parecen hacer buenas migas. A veces, resulta difícil hacer la diferencia entre el Estado y los nuevos empresarios militares. Con ese desorden duradero aparece una forma de nuevo "medievalismo", frente al cual enmudece la teoría del desarrollo.

¿Existen escenarios alternativos para esas nuevas relaciones de fuerza internacionales? A través de los nuevos movimientos sociales, ¿vuelve lo político a estar bajo los proyectores? ¿Surge un nuevo multilateralismo? ¿Qué papel pueden desempeñar las instancias onusianas en ese panorama desestructurado? ¿Radica la respuesta a estas preguntas en un diálogo intercivilizacional con fundamentos regionales que permitan que la historia levante un nuevo vuelo, alejada del relativismo postmoderno, de la tesis del "final de la historia" o del escenario del "*clash* de las civilizaciones"?

Hans Abrahamsson, quien también es miembro del *Department of Peace and Development Research of the University of Göteborg* (Suecia), propone examinar de nuevo los estudios dedicados a la paz y al desarrollo. Basándose en una investigación realizada en Mozambique con el fin de comprender qué espacio tiene la acción nacional en la era de la posguerra fría, analiza la reacción societal frente a las contradicciones del orden mundial. Fuera de los conflictos, ¿crean dichas contradicciones oportunidades de cambio? ¿Son capaces de aprovecharlas las fuerzas políticas y sociales?

Después de recordar las teorías que permiten analizar el cambio en el orden mundial (Braudel, Cox, Gramsci, etc.), así como las paradojas y las contradicciones que de éste se desprenden, el autor demuestra como, en los años setenta, el proyecto de Estado-Nación de la posguerra fría y la universalidad de los valores occidentales defendida por las instituciones de Breton Woods se encontraron en plena contradicción. El paso de un mundo bipolar a un mundo apolar, ¿ha acrecentado la inestabilidad social y económica? ¿Ha abierto un espacio al crimen internacional organizado? ¿Ha desplazado los intereses relacionados con la seguridad del ámbito nacional al de lo mundial? Al mismo tiempo que aparece en la agenda internacional la necesidad de estabilidad y de regulación de las transacciones financieras, la necesidad de luchar contra el avance de las desigualdades... para proteger los intereses de una élite transnacional decidida a conservar su estilo de vida, pero en oposición con grupos de élites nacionales rivales. La fractura entre élite y sociedad civil ha fomentado la despolitización y las duras condiciones económicas acarreadas por la mundialización han ahondado la brecha con los ciudadanos excluidos, quienes motivados por la frustración se repliegan en una actitud nacionalista, conservadora.

¿Ha olvidado la teoría del desarrollo analizar las contradicciones existentes en el plano internacional? - se pregunta el autor - ¿Ha olvidado a final de cuentas el posible espacio de acción que existe en el plano nacional? Hoy en día, ¿se podría contemplar la elaboración de estrategias adecuadas y coherentes? ¿Se podría avanzar hacia una dinámica mundial progresiva? ¿Se podría imaginar otro enfoque de la economía política internacional para la teoría del desarrollo?

Al referirse a "Les causes des guerres en Afrique noire" (Las causas de las guerras en Africa negra), **René Degni-Ségui**, profesor de la facultad de derecho de Abidjan y ex relator especial de las Naciones Unidas para Ruanda, comprueba que la violencia armada se ha convertido en un fenómeno corriente y generalizado y también que en la década de los noventa los conflictos localizados o "periféricos" se multiplicaron en todo el mundo, especialmente en Africa. Señala que después de la caída del muro de Berlín cambió la naturaleza de los conflictos y hace una lista macabra de los conflictos del continente y de su séquito de millones de pérdidas de vidas humanas, denuncia las consecuencias de dichos conflictos - que han desarraigado a más de 20 millones de personas (refugiadas o desplazadas) -, recuerda que más de 30 millones de minas antipersonales están enterradas en suelo africano y son una trampa para sus habitantes y se interroga sobre las causas de esas guerras: ¿Se deben a la lucha por el poder, que generalmente provoca la supresión de las libertades fundamentales y un estado permanente de humillación y violencia contra las poblaciones? ¿Cuál es el papel de las ingerencias externas, ya sea que éstas provengan de los Estados, de grupos armados o de empresas multinacionales? ¿Qué lugar ocupan las divisiones regionales, étnicas o religiosas? Señala que no debe olvidarse la pobreza endémica, el peso del mercado de materias primas, así como la deterioración de los términos del intercambio, el peso de la deuda o el tráfico de armas y drogas. Por último, **René Degni-Ségui** se refiere al tema de la realidad de la voluntad política de los aliados del desarrollo para solucionar esta trágica situación.

Mafalda Duarte, estudiante del *Development and Project Planning Centre of the University of Bradford* (Gran Bretaña), analiza las políticas de ayuda en los países desgarrados por la guerra. Habiendo comprobado la evolución de las relaciones entre seguridad y desarrollo después de la guerra fría, manifiesta su sorpresa ante el deslizamiento de los fondos que antes estaban destinados a la ayuda para situaciones de emergencia. ¿Se ha convertido la asistencia humanitaria - pregunta - en la respuesta occidental favorita para las situaciones de crisis? Después de la guerra fría y de cierta forma de prevención de conflictos para evitar que degeneren en conflictos mundiales, cabe preguntarse si la aparición de zonas de inestabilidad y de crisis vinculadas con la mundialización, con la repartición del mundo en agrupamientos regionales fuertes por una parte y fragmentados por la otra, ha provocado un *laisser-faire* en materia de violencia.

Es evidente que los recursos internacionales, destinados en principio al desarrollo han sido desviados por los conflictos, ¿no sería conveniente crear un sistema de vigilancia precoz de posibles conflictos para anticiparlos verdaderamente y proponer una respuesta eficaz? Como la ayuda de emergencia no puede resolver las causas de los conflictos y en aras de la eficacia, ¿no deberían orientarse algunas acciones hacia las capas representativas de la población civil?

¿Debe la prevención de conflictos ser únicamente diplomática o militar? ¿Debe tratar también de resolver las causas profundas de los conflictos? Habida cuenta del volumen de sus intervenciones financieras y de su peso político, ¿debería ser mayor el papel de la Unión Europea?

Por último, **Sara Liwerant** y **Christoph Eberhard**, jóvenes investigadores del laboratorio de antropología jurídica de la universidad de París I, nos llevan al terreno del derecho internacional, que enfrenta los crímenes contra la humanidad y los genocidios. La violencia y la gravedad de los conflictos que han marcado los últimos años exigen justicia para las víctimas. Pero, ¿cómo tratar lo indecible? Antes que nada, las poblaciones directamente afectadas deben superar el traumatismo provocado por las violaciones y reinventarse un futuro compartido. Dicho eso, queda pendiente el tema de las representaciones de la justicia en una sociedad dada.

La manera como el derecho internacional aborda esos temas, en línea con los tribunales de Nuremberg y Tokio, se concretiza en las jurisdicciones *ad hoc* establecidas para la ex Yugoslavia y Ruanda. Podemos preguntarnos, sin embargo, si hoy en día dichos tribunales no responden más bien al problema de la seguridad internacional que al de la justicia para las víctimas. ¿Es acaso la mundialización del modelo occidental de justicia la mejor solución?

Se debe señalar el importante cambio de la tipología de los conflictos analizados. En efecto, aun cuando en el pasado éstos eran conflictos entre estados, en la actualidad suelen ser crisis o guerras intestinas, lo que "complica" el subsiguiente proceso de reconciliación.

Si se considera la demanda de justicia proveniente de las víctimas, si se considera que decir el derecho es ya el discurso de la verdad, si se considera la necesidad de paz existente en las sociedades que salen de una guerra, si se desea que el derecho sea un elemento de pacificación de la sociedad, es necesario tener en cuenta las distintas maneras de vivir el mundo en nuestro planeta y, por ende pensar el derecho en función de los lugares y las culturas.

Por supuesto, para ello es indispensable contar con una cooperación judicial internacional, que respete a los demás vengan de donde vengan, teniendo en cuenta el pluralismo humano. Si se traspasan modelos jurídicos sin adoptar un enfoque pluralista del derecho, se corre el riesgo de no satisfacer las expectativas de los hombres y mujeres que la justicia debe reconfortar, de no restablecer sus derechos o, simple y sencillamente, su integridad como seres humanos. Es indispensable, por lo tanto, abrir el derecho a los mestizajes para poder así entablar un diálogo intercultural que permita un enfoque consensuado de la paz.

Migracions y demografías comparadas

Audrey AKNIN
Université de Versailles - Saint Quentin en Yvelines, Centre
d'Économie et d'Éthique pour l'Environnement
et le Développement (C3ED)
GEMDEV

En los años ochenta las Naciones Unidas consideraban que más de 100 millones de personas distribuidas en Asia, el Oriente Medio, Africa del Norte (36 millones), Europa Occidental y Oriental (más de 23 millones), el continente norteamericano (más de 20 millones), Africa subsahariana (10 millones), América Latina y el Caribe (6 millones) y Oceanía (4 millones) vivían, por diversos motivos, fuera de su país de origen[1].

En 1997, abandonaron sus países aproximadamente 90 millones de personas, de las cuales 75 millones eran trabajadores migrantes y 15 millones, refugiados[2]. Estas cifras no tienen en cuenta los movimientos clandestinos, ni permiten diferenciar, para los migrantes legales, las migraciones temporales de las migraciones a medio y largo plazo. De ese

---

[1] RUSSELL S.: "International migration: implications for the World Bank" en *Human Capital Development and Operations Policy Working Papers*, n° 54, 1995.

[2] Al igual que el Alto Comisionado para los Refugiados de las Naciones Unidas, definimos a los refugiados como *"personas que tienen motivos para temer ser perseguidos por su raza, religión, nacionalidad, opiniones políticas o por pertenecer a cierto grupo social, que no pueden o no desean regresar a su país"*. En el 2000, 22,3 millones de personas, es decir una persona por cada 269 habitantes, dependían del ACR. Cabe señalar que en 1999 eran 21,5 millones.

"espectro" de migrantes, muchos dejan sus países huyendo de la pobreza y el desempleo; cerca de la mitad son mujeres y niños.

Si bien los países del Norte[3] han acogido durante mucho tiempo a los trabajadores migrantes, también han surgido polos de atracción en los países del Sur: los países del Sudeste asiático, los países productores de petróleo del golfo pérsico, Africa del Sur, y en América Latina, los países del Cono Sur, México y Venezuela. El Alto Comisionado para los Refugiados considera que el 75% de las personas que en hoy en día se ven forzadas a migrar se encuentra en los países del Sur. Esta afluencia de población tiene lugar en un contexto de pobreza, conflictos étnicos o civiles y lleva a temer un incremento de los flujos migratorios entre los países en desarrollo y los países del Norte.

Pese a que estos temores refuerzan los argumentos en favor de las políticas de restricción de la inmigración en países como Estados Unidos, Gran Bretaña, Francia o Alemania, dichas políticas siguen siendo favorables a los trabajadores "cualificados" [4]. En un contexto de mundialización, es interesante observar las actitudes políticas frente a las migraciones y frente a los capitales y bienes.

El análisis de las migraciones internacionales no constituye un cuerpo homogéneo, sino más bien un conjunto fragmentado de elementos provenientes de distintas disciplinas (demografía, geografía, sociología, antropología, economía, etc.). La economía se ocupa principalmente de las migraciones laborales y de las políticas de limitación o control de desplazamiento de la mano de obra. Siguiendo a D. Massey [Massey *et al.*, 1993][5], podemos identificar las teorías que explican los motivos de

---

[3] Europa, Estados Unidos, Canadá, Australia, Japón.
[4] Con frecuencia se menciona el fenómeno de "fuga de cerebros" (*Brain Drain*).
[5] MASSEY D.; ARANGO J.; HUGO G.; KOUAOUCI A.; PELLEGRJNO A.; TAYLOR E.: "Theories of international migration: a review and appraisal" en *Population and Development Review,* vol. 19, 1993, pp. 431-466.

las migraciones internacionales y aquellas que analizan las razones de su perennidad.

Los primeros análisis económicos de las migraciones se concentraron en el papel que desempeñan los desplazamientos internos de mano de obra en el proceso de desarrollo [Lewis, 1954; Fei; Ranis, 1961][6]. Esa perspectiva macroeconómica dualista[7] determina las migraciones laborales por medio de la desviación de la asignación de los factores (trabajo y capital) entre actividades "tradicionales" (esencialmente agrícolas, éstas se caracterizan por un excedente estructural de mano de obra) y actividades "modernas" (son industrias manufactureras, fuente de acumulación de capital en el ámbito nacional, que necesitan mano de obra para desarrollarse). Las migraciones internacionales, provocadas por la disparidad geográfica entre oferta y demanda de trabajo, así como por la diferencia de niveles salariales entre los países del Sur (países pobres cuyo factor trabajo es relativamente superior al factor capital, por lo que la remuneración de equilibrio del trabajo es débil) y los países del Norte (países más ricos en capital que en trabajo, donde los salarios son superiores). La desaparición de esa desviación pone coto a los movimientos de mano de obra. Dado que el mercado laboral es el único elemento para explicar las migraciones internacionales, el objetivo de las recomendaciones de las políticas económicas es limitar las migraciones por medio de políticas intervencionistas en los mercados nacionales de trabajo, en situación de pleno empleo.

---

[6] LEWIS A.: "Economic development with unlimited supplies of labor" en *The Manchester School of Economic and Social Studies*, vol. 22, 1954, pp. 139-191 / FEI J.; RANIS G.: "A theory of economic development" in *The American Economic Review*, vol. 51, 1961, pp. 533-565.
[7] El término dualismo se aplica a cualquier sistema que acepta la coexistencia de dos principios opuestos e irreductibles. En ciencias económicas, el dualismo reviste un significado particular ya que define un proceso analítico basado en la existencia de dos sectores, que debido a su producción y su organización, son asimétricos.

También existen modelos microeconómicos *"estándar"*[8] de opciones individuales [Sjaastad, 1962; Todaro, 1969; Harris; Todaro, 1970][9] para los cuales el individuo se desplaza hacia el país que le ofrece los mayores resultados esperados de la migración[10]. Los principales factores que incrementan los flujos migratorios provenientes de los países en desarrollo son: las características individuales de capital humano (aumentan la posibilidad de encontrar un empleo) y la existencia de algunas infraestructuras (pueden reducir los costes del desplazamiento). Las conclusiones de este enfoque también se arraigan en el mercado laboral: existe un desequilibrio entre los mercados nacionales. La magnitud de la desviación entre los salarios esperados tiene una influencia directa en los flujos migratorios: basta que desparezca el diferencial de salarios para que cesen las migraciones.

« The new economies of labor migration» (Nueva economía de las migraciones laborales) [Stark, 1991; Stark; Levhari, 1985; Stark; Bloom, 1985][11] tiene en cuenta las unidades de consumo y de producción rurales

---

[8] "Por teoría estándar se entiende todo aquello, que en la teoría económica, se apoya para su validez formal o su interpretación analítica, en la teoría del equilibrio general. Por ende, si seguimos la demostración de Arrow, la teoría estándar no es ni más ni menos que el "modelo neoclásico" ya que se apoya en dos "pilares": la racionalidad de los comportamientos individuales - reducida a optimizar, a coordinar los comportamientos individuales - reducida al mercado" [FAVEREAU, 1989, p. 279].

[9] SJAASTAD L.: "The costs and returns of human migration" en *The Journal of Political Economy,* vol. 75, 1962, pp. 80-93 / TODARO M.: "A model of labor migration and urban unemployment in less developed countries" en *The American Economic Review,* vol. 59, 1969, pp. 138-148 / HARRIS J.; TODARO M.: "Migration, unemployment and development: a two-sector analysis" en *The American Economic Review,* vol. 60, 1970, pp. 126-142.

[10] Los resultados esperados de la migración tienen en cuenta el nivel salarial, la probabilidad de que el individuo se encuentre en situación de desempleo y los costes de la inmigración. Para un inmigrante clandestino, es necesario agregar la probabilidad de expulsión.

[11] STARK O.: "The Migration of Labor" - Oxford: Basil Blackwell, 1991 / STARK O.; BLOOM D.: "The new economies of labor migration" en *The American Economic Review,* vol. 75, 1985, pp. 173-178 / STARK O.; LEVHARI D.: "On migration and risk" en *Less Developed Countries Economic*

(familias, hogares, comunidades). Esta corriente teórica rechaza la idea de la existencia de la existencia de un individuo, aislado, responsable de las decisiones. Lo que es más, sostiene que el diferencial de salario y la situación del mercado laboral no bastan para explicar las migraciones: los miembros de los hogares actúan colectivamente para reducir al mínimo el riesgo y allanar las dificultades vinculadas a la inexistencia de ciertos mercados en los países en desarrollo (en especial los mercados de crédito y seguros, a plazo y financiero), por lo que la migración de uno o varios miembros de la familia es un instrumento de diversificación de riesgo. Partiendo de ese razonamiento es posible imaginar migraciones laborales sin que exista ningún diferencial de salario, ya que la migración se convierte en una suerte de seguro que se materializa en transferencias (de dinero o bienes) entre el migrante y su familia. En cuyo caso, y para reducir las migraciones, las recomendaciones en materia de política económica se orientan más bien hacia el establecimiento de mercados de seguros o de capital en los países en desarrollo.

La teoría del mercado laboral dualista [Piore, 1983; 1986][12] sostiene que la demanda, y sobre todo las políticas de empleo (públicas y privadas) en las zonas de destino, influencian las migraciones internacionales de trabajo. El objetivo principal de esas políticas es atraer mano de obra extranjera barata, lo que permite contar con cierta flexibilidad del factor trabajo. En este caso la existencia de una desviación de salario tampoco condiciona los flujos.

Por último, la visión en términos de sistemas mundiales [Sassen, 1988; 1991][13] se concentra en la estructura internacional del mercado. *"En ese*

Development and Cultural Change, vol. 31, 1982, pp. 191-196.
[12] PIORE M.: "Labor market segmentation: to what paradigm does it belong?" en *The American Economic Review,* vol. 73, 1983 - pp. 249-253 / PIORE M.: "Can international migration be controlled?" en "Essays on Legal and Illegal Immigration: Papers presented in a Seminar Series conducted by the Department of Economies at Western Michigan University" - Kalamazoo, Michigan: WE Upjohn Institute for Employment Research, 1986 - pp. 21-42.
[13] SASSEN S.: "The Mobility of Labor and Capital: A Study in International Investment and Labor Flow" - Cambridge: Cambridge University Press, 1988 /

ėsquema, la penetración de las relaciones económicas capitalistas en las sociedades periféricas que no son capitalistas facilita la movilidad de la población y la alienta a migrar al extranjero. Impulsados por su deseo de conseguir beneficios y adquirir riquezas, los propietarios y directores de empresas capitalistas invaden los países pobres que se encuentran en la periferia de la economía mundial en búsqueda de tierra, materia prima, trabajo y nuevos mercados de consumo. En el pasado, dicha penetración de los mercados contaba con el apoyo de los regímenes coloniales que administraban las regiones pobres en beneficio de los intereses económicos de las sociedades colonizadoras; en la actualidad, los gobiernos neocoloniales y las empresas multinacionales perpetúan ese poder..." [14] Desde esa perspectiva, las políticas de inversión en el extranjero y los flujos internacionales de bienes y capital influyen mucho más que el diferencial de salarios en la migración internacional.

Fuera de las teorías económicas que se concentran en los motivos de la migración, existen análisis sobre la perennidad de los movimientos migratorios internacionales.

La teoría de las redes de migrantes [Carrington *et al.*, 1996][15] postula que los costes de desplazamiento de mano de obra son inversamente proporcionales a la cantidad de migrantes que ya está viviendo en el país de destino. La existencia de redes de migrantes permite reducir los costes de la migración y canalizar los movimientos hacia una o varias zonas seleccionadas. Una vez que empieza, la migración desarrolla su propia dinámica y crea una senda, superando los factores que originalmente la motivaron. La creación y el mantenimiento de redes "institucionalizan" la migración, por lo que el diferencial de salario deja de determinar el flujo migratorio y como dicho proceso de formación de redes depende de

---

SASSEN S.: "The Global City" - Princeton: Princeton University Press, 1991.

[14] MASSEY *et al.* - *Op. cit.* - p. 448.

[15] KANAROGLOU P.; LIAW K.; PAPAGEORGIOU Y.: "An analysis of migratory system: l. theory" en *Environment and Planning*, vol. 18, 198, pp. 913-928.

factores que suelen encontrarse fuera del campo de acción de las políticas económicas, las medidas restrictivas tienen poco efecto.

La teoría institucional comparte el enfoque anterior: una vez impulsada la migración internacional, surgen organizaciones privadas y voluntarias que apoyan y aseguran el carácter permanente de los movimientos migratorios, ocupándose sobre todo del transporte, la búsqueda de empleo, de vivienda, etc.

Los análisis de causalidad acumulativa sostienen que los flujos migratorios internacionales crean efectos de *feedback* y aumentan la probabilidad de que existan migraciones adicionales. Dichas migraciones en cadena tienen consecuencias en la distribución de ingresos y tierras, la organización de la producción agrícola y la distribución regional del capital humano.

El enfoque de sistemas migratorios [Kanaroglou *et al.*, 1986][16] es bastante similar al de los análisis que acabamos de presentar, pero introduce elementos de polarización: los sistemas se ven afectados por la relativa intensidad de los intercambios (bienes, capitales, personas) entre algunos países solamente. Un sistema de migración comprende, en general, una región de destino (un país o un grupo de países) y un conjunto de países de partida. Aun cuando la proximidad refuerza los intercambios, los países del sistema no necesariamente están cerca unos de otros. Cabe señalar que pueden existir sistemas multipolares y que los sistemas evolucionan.

Algunos de estos enfoques aparecen, por momentos, en las dos siguientes ponencias:

---

[16] KANAROGLOU *et al. - Op. cit.*

Leila Farsakh, en « North African labour flows and the Euro-Med partnership », describe el impacto de la colaboración entre los países del Magreb (Marruecos, Algeria y Túnez) y la Unión Europea en los flujos de trabajadores migrantes provenientes de Africa del Norte. La situación demográfica (población joven, inicio de transición demográfica) y económica (mercados laborales nacionales que no proporcionan empleo a toda la fuerza laboral) de los países del Magreb explica su larga tradición de migración hacia Europa. La composición de los flujos de migrantes y sus lugares de destino evolucionan sin cesar al ritmo de las políticas de inmigración - cada vez más restrictivas - de los Estados europeos. También aumenta el importe de las transferencias de los migrantes *"entre 1985 y 1922 los flujos de inversiones directas extranjeras (IDE) representaban menos de 2,5% de la inversión total en Marruecos y las transferencias sumaban 35% del ahorro nacional bruto..."* Pese a todo ello, ha disminuido la capacidad de absorción de los países europeos. En 1995, la Unión Europea y 12 países mediterráneos firmaron un convenio bilateral y regional de colaboración: el Proceso de Barcelona o Colaboración Euro-Med, cuyos objetivos son crear una zona de paz y estabilidad política, acercar las culturas y establecer progresivamente una zona de libre comercio económico. ¿Cuál será el impacto de este convenio en las migraciones laborales? ¿Será este convenio de libre comercio una alternativa para la inmigración? ¿Cuáles serán las políticas económicas en materia de inversión, formación y mercado de trabajo? Se han definido los retos, pero persisten algunas interrogantes.

Si bien los efectos de la migración se dejan sentir en las zonas de destino, éstos afectan también la zona de partida, que con frecuencia es una comunidad agrícola en situación de subsistencia, expuesta a incertidumbres que llevan a la población a adoptar estrategias "conservadoras" (en lo que a técnicas de producción, elección de semillas cultivadas y trabajo familiar se refiere). *Catherine Quiminal* en « Tradition, migration et innovation: le marché de la patate douce dans la région de Kayes (Mali) » (Tradición e innovación: el mercado de la patata douce en la región de Kayes) estudia la evolución provocada por las migraciones de trabajadores originarios de Malí a Francia desde hace 20 años. A la luz de un análisis antropológico, el autor pone en relieve el papel que desempeñan las asociaciones de migrantes, tanto en Francia como en Malí, en los procesos de desarrollo, que describe como "*la mejora de las condiciones de vida de las poblaciones afectadas*". Estas asociaciones, establecidas en Francia desde la década de los sesenta, han ido evolucionando progresivamente y han impulsado en Malí una dinámica local, que se ha extendido al ámbito regional, como en el caso de la patata douce. Son un nuevo interlocutor, que debe ser integrado en las relaciones entre los países en desarrollo y los países del Norte, y que facilita la transición hacia la modernidad gracias a "*estrategias basada en la innovación y la creación de recursos que no arruinan la agricultura de subsistencia*". Dichas asociaciones abren nuevos campos de reflexión sobre la cooperación internacional.

Aun cuando los artículos citados más arriba difieren en la zona geográfica estudiada y la disciplina científica utilizada, comparten un llamamiento sobre las nuevas formas de cooperación - existentes o que deben ser puesta en marcha -, entre zonas de emigración y zonas de inmigración y sobre los retos económicos (formación, cualificación de los trabajadores, sustitución entre comercio y migraciones) y sociales que subyacen los desplazamientos de poblaciones de Sur hacia los países del Norte.

Las políticas monetarias y financieras y las reformas del sistema financiero internacional

Philippe HUGON
Université Paris X - Nanterre, Centre d'Études et de Recherches
en Économie du Développement (CERED)
GEMDEV

La globalización financiera se refleja en la marcada aceleración de la velocidad de circulación de los capitales y en su fuerte volatilidad, en la desconexión entre la esfera financiera y la esfera real, así como en el papel creciente de los mercados financieros en desmedro de los instrumentos con los que cuentan las autoridades gubernamentales. Se traduce en crisis financieras y cambiarias para los países emergentes.

Los textos adjuntos tratan - desde la perspectiva de las políticas monetarias y cambiarias, de las políticas nacionales y de los sistemas financieros nacionales - diversos aspectos de dicha globalización financiera y de las crisis y también analizan las reformas del sistema financiero internacional.

I. Las políticas monetarias y la moneda regional

En un contexto de inestabilidad de los mercados financieros, crisis cambiarias y establecimiento de bloques monetarios flotantes, las políticas monetarias desempeñan un papel determinante.

Para incrementar o reducir el nivel de la masa monetaria, la política monetaria utiliza un conjunto de instrumentos directos o indirectos. Uno de los principales medios para que convertibilidad de divisas y competitividad rimen con la credibilidad necesaria para atraer capitales es el establecimiento de políticas monetarias estables y rigurosas. Las políticas monetarias y cambiarias se plantean con fuerza en el ámbito regional.

Françoise Nicolas, en su texto " Une monnaie unique pour l'ASEAN, quelles perspectives ? " (Una moneda única para la ASEAN, ¿cuáles son las perspectivas?), discurre sobre el régimen de cambio indicado para las economías emergentes después de la crisis cambiaria que atravesó Asia del Este en 1997-1998 y demuestra la necesidad de contar con una iniciativa colectiva, relacionada con los efectos de contagio regional. Postula que la coordinación de las políticas monetarias, e incluso la creación de una moneda única, permitirían armonizar la regulación monetaria con las interdependencias comerciales y financieras en la zona de Asia Oriental.

En su texto sobre el anclaje de las divisas de Guinea y Cabo Verde al euro, *Anne-Laure Gnassou* menciona también el tema de la moneda única regional refiriéndose, respectivamente, a una zona franca para la moneda de Guinea-Bissau y al convenio de cambio entre Portugal y Cabo Verde para la divisa de éste último. Empieza desarrollando las características técnicas y luego se refiere a la relación existente entre el anclaje de las monedas africanas con el euro y los acuerdos comerciales y económicos entre Europa y Africa, sobre todo en el marco de la Convención de Cotonou.

Ambos textos tienen como telón de fondo - en el contexto internacional de bloques monetarios flotantes - el regionalismo monetario y el debate sobre las zonas monetarias óptimas. Las antiguas teorías sostenían que la moneda era el reflejo de los indicadores fundamentales y que las volatilidades debían estar ligadas a los choques exógenos que afectan a dichos indicadores. En el contexto de los bloques flotantes, las volatilidades de cambio provienen tanto de las decisiones políticas de las grandes potencias (en especial a través del tipo de interés), como de las garantías que aportan las instituciones de Breton Woods mediante condiciones y especulaciones cuya racionalidad, en un contexto incierto, es limitada. Estar anclado a una moneda fuerte y pertenecer a un bloque flotante incrementa la volatilidad de los tipos de cambio bilaterales, pero reduce el tipo de cambio efectivo real, dado que la moneda de anclaje domina en los flujos de cambio y en los capitales internacionales.

II. Políticas financieras y sistemas financieros nacionales

Aun cuando es posible debatir sobre la causalidad, existe interdependencia entre el desarrollo financiero y el desarrollo económico. En opinión de muchos analistas, la liberalización financiera y las reformas de los sistemas financieros son condiciones *sine qua non* para una inserción positiva en la economía mundial.

Estos temas los tratan **Gabriel Bissiriou** en su texto dedicado a la « L'intermédiation financière et développement : une revue de la littérature récente » (Intermediación financiera y desarrollo: una revisión de la literatura reciente) y **Henrik Schaumburg-Müller** en « Fall or survival of the governed business system in the Asian crisis : Malaysia and Thailand » (Los sistemas de buen gobierno durante la crisis asiática: Malasia y Tailandia).

El texto de **Gabriel Bissiriou** analiza, a partir de las teorías de crecimiento e intermediación financiera endógenos, los vínculos existentes entre la intermediación financiera y el proceso de desarrollo. Hace un recuento de la literatura teórica y presenta las pruebas empíricas más significativas. En numerosos países en desarrollo, que tienen pagos pendientes cuantiosos y un elevado nivel de endeudamiento, la solvencia y la rentabilidad de los bancos son limitadas - debido sobre todo a los créditos dudosos -, por lo que éstos prefieren las operaciones a corto plazo.

Es conveniente, por lo tanto, contar con intermediarios financieros que permitan movilizar el ahorro y trabajar con créditos a medio y largo plazo, de tal suerte que se vean favorecidos los sistemas descentralizados de ahorro y crédito de proximidad y reforzados los vínculos entre las instituciones financieras oficiales y las redes mutualistas e "informales". Los pagos deben ser gestionados por sistemas financieros sanos, que también movilicen el ahorro, repartan los recursos financieros y ofrezcan medios para diversificar los riesgos.

El texto de **Henrik Schaumburg-Müller** sobre el sistema de buen gobierno durante la crisis asiática revela las superposiciones "straddling" existentes entre el mundo empresarial y el ámbito de toma de decisiones y los poderes públicos, así como las distintas modalidades de coordinación entre las empresas y los responsables públicos.

Para comprender el impacto de las políticas financieras es necesario superar la oposición entre mercado y Estado, para lo cual es importante analizar los sistemas de administración o gobierno de los negocios. Dado que las relaciones entre el mundo empresarial y los entes reguladores o de buen gobierno son múltiples, el autor cita los casos de Malasia y Tailandia para ilustrar sus propósitos. Propone tipologías muy claras y destaca las coordinaciones fragmentadas de Taiwán, la organización apoyada en una fuerte jerarquía controlada por el Estado en Corea, la coordinación de muy alto nivel en Japón y un sistema gobernado "governed" en Malasia y Tailandia. Distingue cuatro modalidades de coordinación: la propiedad, las relaciones entre las empresas, las relaciones al interior de las empresas y las relaciones con el sistema institucional. Es de hacer notar que aun cuando la comunidad china representa respectivamente 30% de la población en Malasia y 10% de la Tailandia, controla respectivamente 65% y 85% de los activos. El Estado no es una autoridad superior, es más bien un actor vigoroso que opera junto con los otros jugadores.

III. Reformas del sistema financiero internacional y nueva arquitectura financiera internacional

Desde una perspectiva global, sigue siendo de actualidad el tema de la regulación financiera mundial para reducir la volatilidad de los capitales y evitar las crisis sistemáticas.

José Antonio Ocampo en « A broad agenda for international financial reform » (una agenda para las reformas financieras internacionales) analiza la inestabilidad financiera en los países emergentes, sobre todo en Brasil y Argentina. La globalización financiera se refleja en el incremento de la volatilidad y en las consecuentes crisis financieras. Como los Estados han perdido, en gran medida, sus medios de regulación, se necesitan nuevos mecanismos reguladores internacionales tales como fondos de estabilización y medidas de prevención que permitan evitar los efectos de contagio. Los Estados Unidos desempeñan, junto con las instituciones internacionales, el papel de prestamistas de última instancia para los países estratégicos. Es importante que las autoridades, tanto gubernamentales como regionales, se involucren en este proceso y cabe señalar que las instituciones regionales tienen un papel central en la prevención de crisis y en la regulación financiera.

Valpy FitzGerald analiza algunos ejes que permiten sentar las bases de una nueva arquitectura financiera internacional. Identifica, junto con los riesgos sistemáticos relacionados con la volatilidad de los capitales y la poca regulación internacional, algunas señales de optimismo. Pese a que las crisis financieras de México, Asia, Brasil o Rusia no han sido crisis sistemáticas que provocaran un contagio mundial, los riesgos siguen estando presentes.

Existen cuatro posibles estrategias:

- crear un foro de estabilidad en el seno de los países del G7
- establecer reglas internacionales para las inversiones;
- reestructurar la deuda de los países pobres, acrecentando las medidas de tipo de los paises pobres muy endeudados (PPME);
- reactivar la asistencia pública al desarrollo (APD) en las áreas sociales prioritarias.

Dicha nueva arquitectura financiera internacional implica un crecimiento que favorezca a los pobres, la reducción de la inestabilidad internacional y mayores transferencias.

Economía internacional

Vincent GÉRONIMI
Université Paris X, Centre d'Études et de la Recherche en Économie de
Développement (CERED)
Université de Versailles - St Quentin en Yvelines, Centre d'Économie et
Éthique pour l'Environnement et le Développement (C3ED)
GEMDEV

El tema general de la IX Conferencia General de la EADI « Europa y el Sur en los albores del siglo XXI: desafíos y renovación de la cooperación » entra de lleno en el campo de las relaciones internacionales. Si se analizan estas relaciones desde una perspectiva económica, pueden organizarse las distintas ponencias vinculadas con la "economía internacional" en torno al tema general de la inserción de los países en vías de desarrollo en las dinámicas mundiales vigentes. Dichas dinámicas se identifican con los siguientes niveles:

- la actuación de los protagonistas en el ámbito mundial (J. Lesourne);

- las actuales teorías y prácticas del desarrollo (P. Jacquemot), con las interrogantes que suscita la aparición de una nueva herramienta de cooperación: los programas sectoriales de asistencia (H. Schaumburg-Müller);

- los flujos de financiación, ya sean privados (S. Alessandrini y S. Contessi) o públicos (C. Thoma), cuyos efectos se pueden determinar en el nivel de remuneraciones (S. A. Bedi y A. Cieslik), políticas de apoyo de los países del Norte

(B. Campbell) e integraciones regionales (C. Jedlicki). En términos más generales, se vuelve a plantear el tema del impacto de las inversiones directas extranjeras (IDE) en el desarrollo (K. Lieten);

- el endeudamiento y su gestión (J. -Y. Moisseron y M. Raffinot);

- los flujos comerciales de productos primarios (V. Géronimi, P. Schembri y A. Taranco), de productos alimentarios (B. Daviron) y de turismo (S. Page), así como los resultados de las exportaciones de la India a la Unión Europea (B. Nag).

Todas las ponencias aquí reunidas procuran describir las dinámicas vigentes que, partiendo del análisis de las experiencias de las últimas décadas, pueden influir en la futura trayectoria de la cooperación entre Europa y el Sur.

Jean-Jacques Gabas introduce el tema general señalando la existencia de una dinámica de cambios profundos en el espacio mundial, opinión que comparte con todas las demás ponencias que aquí se presentan. Dichos cambios, que se manifiestan en las rupturas comprobadas a través de análisis y hechos permiten plantear interrogantes sobre el futuro de las relaciones entre Europa y el Sur. Estas rupturas marcan el fin de las certezas metodológicas y exigen nuevos análisis y herramientas para comprender y orientar la cooperación; la incertidumbre ofrece también oportunidades para renovar la cooperación. *Pierre Jacquemot* define el consenso dominante a partir de tres términos que ilustran los posibles cambios del paradigma en curso: desarrollo sostenible, buen gobierno y equidad. Cabe señalar que más allá de estos tres términos existe un potencial de renovación de la cooperación que sólo se realizará si se retoma la reflexión a largo plazo y se analizan los procesos sociales. *Henrik Schaumburg-Müller* estudia los programas sectoriales de ayuda que deben incorporar a los actores en el proyecto, procurando el "buen gobierno" y asegurando su desarrollo sostenible. El balance propuesto por el autor resalta las dificultades asociadas con la puesta en marcha de un enfoque más participativo que implica, además, una administración eficaz. Desde la perspectiva del buen gobierno, la coordinación entre los distintos proveedores de fondos de estos programas sectoriales es crucial, ya que contribuye a renovar las políticas de cooperación.

I. ¿Qué rupturas?

Pero, ¿cuáles son las principales rupturas? ¿Se dan de la misma manera en los países del Sur y en Europa? Los análisis presentados tienen un punto en común: confirman las diferencias existentes entre Europa y el Sur en lo tocante a estrategias de los actores, espacios de referencia, espacios temporales o temporalidades y modos de inserción; estableciendo por ende las divergencias resultantes de las trayectorias de Europa y del Sur.

Según sus distintos ejes, las rupturas se manifiestan de la siguiente forma:

- nuevos actores cuyas estrategias son tan complejas que ponen en duda la posibilidad de que surja un buen gobierno mundial;

- construcción de nuevos espacios en Europa, con la incorporación de nuevos miembros a la Unión Europea, y en el Sur, con dinámicas regionales que constituyen un punto de apoyo esencial para la cooperación;

- creación de diferentes temporalidades, ya que las deudas - cuyos acreedores pertenecen al Norte - se transmiten a las generaciones futuras y gravan el desarrollo del Sur;

- modos de inserción en la economía internacional que reflejan cierto grado de inercia en las especializaciones, sobre todo para los productos primarios en los países de Africa, del Caribe y del Pacífico (ACP); vale decir que las políticas de cooperación del pasado no han tenido el impacto de diversificación deseado en estos modos de inserción. Europa, mientras tanto, continúa su proceso de integración, tanto en el ámbito interno como a la economía mundial a través de los flujos de mercado de productos más elaborados.

Es evidente que estando íntimamente ligadas a las dinámicas mundiales vigentes, las repercusiones de estas rupturas son recíprocas. Las estrategias de los actores se expresan en espacios y temporalidades distintos (el desafío del acceso al mercado europeo no es igual para los exportadores indios, cuyos mercados son diversificados, que para los exportadores de los países de ACP, cuyos stocks de deuda implican transferencias, inter-temporales y en sentidos opuestos, entre acreedores y deudores, etc.) y responden a desafíos que también definen las ventajas comparativas existentes entre las zonas. Por último, las diferencias de espacios se manifiestan en divergencias de trayectorias temporales: la especialización en productos primarios genera regímenes dinámicos fuertemente diferenciados de los regímenes de los países del Norte.

La redefinición de las políticas de cooperación entre Europa y el Sur debe aportar respuestas a las interrogantes planteadas por estas rupturas, ya que cuestionan el futuro de la cooperación entre Europa y el Sur.

II. Nuevos actores cuyos papeles son complejos

Jacques Lesourne sostiene que un espacio mundial en mutación influye en el desempeño - cada vez más complejo - de los actores. Se han identificado tres principales grupos de actores (Empresas, bancos, centros de investigación / Grupos sociales, opinión pública, movimientos religiosos o ideológicos / Estados) que mantienen relaciones exacerbadas por la información, los mercados, las instituciones y los acuerdos internacionales, así como los conflictos y el medio ambiente. Estas relaciones plantean la cuestión del buen gobierno en el ámbito mundial. Hoy día, no podemos sino observar que "ese sistema complejo y falto de jerarquía que es la humanidad, apenas inicia un proceso de auto organización que puede desembocar en un control imperfecto". En ese sentido, el futuro sigue siendo imprevisible y las dinámicas que se identifican hoy pueden proporcionar indicaciones interesantes sobre la evolución de los procesos de buen gobierno.

Las preguntas que formula *Jean-Jacques Gabas* en su informe introductorio sobre la evolución de los papeles del Estado y el mercado (y la situación de las normas multilaterales elaboradas en el marco de instituciones tales como la Organización mundial del Comercio - OMC -, la Organización Internacional del Trabajo - OIT -, etc.), del papel de las ONG y de las organizaciones confesionales o sindicales en la estructura internacional se sitúan en ese nivel. Esta evolución diseña un nuevo paisaje que conduce a tres áreas de reflexión:

- la rehabilitación del estudio de la historia del desarrollo de las sociedades;

- la reconquista de la legitimidad perdida por la asistencia al desarrollo;

- la génesis de las reglas y normas internacionales, así como sus condiciones de aplicabilidad.

Estas diferentes cuestiones suponen que ya ha sido resuelto el problema de la escala en la cual debe situarse el análisis. ¿Es la escala del Estado-Nación?, ¿de las regiones?, ¿del planeta? En la redefinición de las políticas de cooperación entre Europa y el Sur, la pregunta parece contener su propia respuesta: el nivel de referencia es Europa por un lado y el Sur por el otro. *Jean-Jacques Gabas* señala, sin embargo, la desaparición del término Tercer Mundo frente al fraccionamiento en varias partes del Sur.. Lo mismo puede decirse del lado europeo, que se encuentra sometido a una doble dinámica de expansión (en el ámbito de mercados) y de nueva concentración (en el ámbito monetario). La dimensión espacial se encuentra, pues, en el centro de los Acuerdos de Cotonou entre países de ACP y la Unión Europea.

III. Evolución de los flujos de capitales internacionales y redefinición de las relaciones entre la Unión Europea y los países del Sur

La reorientación de los flujos de capitales hacia los países del Este (aun cuando dichos flujos siguen siendo de poca monta, sobre todo para algunos de los países del Africa subsahariana) pone en tela de juicio el futuro de la cooperación Europa / países del Sur. Aparecen nuevos polos de atracción - en detrimento de las demás zonas -, para los flujos de capitales, que son vectores idóneos de la actual dinámica de globalización. Al estudiar su geografía se pueden abordar los fenómenos de marginalización o integración en la economía mundial; las evoluciones se establecen a partir del nivel de los flujos de inversiones directas extranjeras (IDE).

De lo anterior se desprenden varias preguntas:

1. ¿Qué es lo que determina la localización de las IDE en el Este?

Sergio Alessandrini y *S. Contessi* realizan un análisis empírico comparativo de la localización regional de los flujos de IDE en Europa Central. Su trabajo hace hincapié en la importancia que tienen los efectos de aglomeración para atraer a los IDE, así como en la concentración de IDE en las fronteras. Ambos parámetros permiten explicar, con mayores detalles, la localización de los IDE en las regiones de Europa Central gracias a la marcada influencia de la proximidad, asociada al efecto de una mano de obra barata y calificada. Los flujos oficiales de financiación han participado en esta reorientación: han complementado la afluencia de flujos privados, e incluso los han precedido, tal como sugiere *Csaba Thoma* en su ponencia sobre la primera mitad de la década de los noventa. Las dos ponencias presentadas aquí justifican la visión de una Europa Central sumamente atractiva, tanto para los inversores privados como para los proveedores de fondos internacionales. Encontramos de nuevo el problema de la reorientación de los flujos entre Europa, el Sur y los países del Este, que es un fenómeno preocupante para las relaciones entre Europa y sus aliados tradicionales del Sur.

2. ¿Cómo afectan los IDE a los países del Este?

Arjun S. Bedi y *Andrzej Cieslik* analizan los efectos de los IDE en los empleados en Polonia, donde los salarios son, comparativamente, más elevados y de mayor crecimiento en las industrias manufactureras que cuentan con una acusada presencia extranjera. La conclusión de los autores refleja el potencial de crecimiento existente en el acceso a los IDE y su análisis, por comparación, lleva a reflexionar sobre el atractivo que ejercen los países en vías de desarrollo, en particular los países menos avanzados (PMA).

3. ¿Cómo deben las políticas de cooperación tener en cuenta los flujos de IDE?

Bonnie Campbell estudia - a partir del caso de IDE canadienses en el sector minero africano (Ghana y República Democrática de Congo), tal como han sido promovidas por las políticas de apoyo activo del gobierno canadiense - las consecuencias de las IDE en la definición de políticas de cooperación. De su análisis se desprende claramente que dichos flujos pueden tener, a medio plazo, efectos negativos (en el medio ambiente, por ejemplo) en el contexto de liberalización de los intercambios internacionales, en contradicción con los objetivos declarados de la política de cooperación canadiense, etc. Así, los flujos de IDE pueden ser únicamente la expresión de una relación de fuerza internacional. En el caso de Africa, cabe señalar el predominio del motivo de acceso a la materia prima cuando se determinan los flujos de IDE. No es el caso en otros lugares, como por ejemplo en los países de Europa Central. ¿Tienen siempre las compañías multinacionales un impacto positivo en el desarrollo? En su ponencia, hace referencia a ese debate imperante en los años setenta. En oposición con las políticas para atraer a IDE - aprobadas por el Banco Mundial, el Fondo Monetario Internacional (FMI) y la Organización Mundial del Comercio (OMC) - existentes en la mayoría de los países en desarrollo, *Kristoffel Lieten* señala que los flujos de IDE totalmente liberalizados pueden ser nefastos, ya que pueden ser factores que impiden el desarrollo más que factores de desarrollo. En efecto, dichos flujos participan en la reducción de la capacidad de los estados para poner en marcha verdaderas políticas nacionales y contribuyen a que los Estados nacionales pierdan su soberanía. Fuera de las políticas normativas y de las instancias nacionales o internacionales de reglamentación, no sólo no han tenido un impacto positivo en el desarrollo económico, sino que han participado en la desorganización del sistema mundial.

4. ¿Tienen los acuerdos de integración regional una influencia positiva en las empresas transnacionales?

Arjun S. Bedi y *Andrzej Cieslik* tratan el tema a partir del Mercosur y se basan en el estudio de empresas transnacionales francesas establecidas en la región. De la encuesta realizada en dichas empresas se desprende que la constitución del Mercosur no influye en las decisiones de inversión de éstas últimas; son más bien las reformas económicas en cada uno de los países miembros las que desempeñan un papel preponderante. Las empresas transnacionales francesas confían en el futuro de la región a largo plazo, pero a corto plazo sus decisiones se ven influenciadas por las interrogantes sobre la vulnerabilidad de las economías del Mercosur.

De esa forma, las dinámicas complejas de la globalización - para las cuales las IDE son un vector privilegiado - contribuyen a diferenciar las trayectorias económicas en los espacios marginados o integrados. Dicha diferenciación espacial puede también analizarse en término de temporalidades.

IV. Temporalidades distintas

Entre los países de ACP, los países pobres muy endeudados (PPME) se distinguen por sus fuertes obligaciones respecto del financiamiento externo, que les han permitido beneficiarse de numerosas medidas de condonación de deuda. Vale decir que las nuevas condonaciones favorecerán a los PPME que puedan demostrar la insostenibilidad de su deuda. A partir de varios estudios de casos (Camerún, Benín, Costa de Marfil, Senegal y Burkina Faso), *Jean-Yves Moisseron* y *Marc Raffinot* demuestran que el diagnóstico de sostenibilidad es discutible y que no puede realizarse sin tener en cuenta todas las futuras financiaciones externas. Es difícil proyectar los diferentes elementos de dichas financiaciones externas debido a que sus fuentes son muy variadas. En la gestión de la deuda, no debe olvidarse tampoco el problema de las opciones políticas. La obligación creada por el endeudamiento tiene un fuerte contenido político y ético; es una dimensión esencial de la cooperación internacional y la forma en que el tema se trate en el futuro influirá definitivamente en el destino de las relaciones UE-ACP.

La evolución de los resultados de las exportaciones y el tipo de inserción de los países de ACP se explican, en parte, por la variabilidad y la incertidumbre que afectan a los elementos determinantes de la sostenibilidad de la deuda. *Vincent Géronimi*, *Patrick Schembri* y *Armand Taranco* demuestran que las especializaciones en productos primarios corresponden a regímenes dinámicos, particularmente inestables a largo plazo. De esa manera, el fracaso de las tentativas de estabilización se explica, en parte, por un horizonte temporal de corto o medio plazo, que ni estabiliza, ni facilita las expectativas de los agentes económicos.

V. Los modos de inserción en la economía internacional

Los febles resultados económicos de la mayoría de los países de ACP se deben a su especialización en productos primarios. La inestabilidad de los ingresos provenientes de las exportaciones se refleja en la inestabilidad de las tasas de crecimiento, lo que generará débiles resultados económicos a largo plazo. La aparición de "trampas de pobreza" puede entonces vincularse con el elevado nivel de inestabilidad. De este análisis, enunciado por **Vincent Géronimi**, **Pierre Schembri** y **Armand Taranco**, se desprende que las políticas de cooperación entre la Unión Europea y los países de ACP deben abordar el problema de la gestión de las inestabilidades. Una de las vías que deben ser exploradas es la renovación del apoyo a las políticas de diversificación.

A guisa de complemento, el análisis de **Benoît Daviron** sobre el comercio de productos alimentarios destaca la evolución, durante un largo período, del lugar que ocupan los países en desarrollo en la división internacional del trabajo y pone de manifiesto la decadencia del espacio nacional como espacio central de regulación de los mercados agrícolas. Esta evolución permite ilustrar el proceso de diferenciación de los países en desarrollo en los mercados de productos alimentarios. Así, los grandes mercados regionales regulados por dispositivos contractuales impuestos por oligopolios remplazan progresivamente a los mercados nacionales. En este sentido, y salvo en lo que respecta a los intercambios internos con la Unión Europea, Euroáfrica manifiesta una singular atonía, que lleva a una nueva marginación de África en los mercados internacionales. Frente a las dinámicas de los mercados internacionales de productos alimentarios, el acceso al mercado europeo es determinante.

El sector turístico puede representar, en este aspecto, una oportunidad para los países especializados en productos primarios. En su estudio sobre el sector turístico de la Isla Mauricio, África del Sur y Zimbabwe, **Sheila Page** señala las condiciones y los efectos del turismo en el desarrollo de los países que reciben a los turistas. Pese a que los efectos potenciales del desarrollo del sector son sumamente positivos, dependen directamente de la aplicación de políticas en materia de redistribución, comunicación y transporte. Para que los países de ACP puedan diversificar su base económica productiva a través del turismo, necesitarán contar con una activa política de apoyo.

La diversificación de las economías, los progresos temporales, el desempeño de los actores, la inserción en la división internacional del trabajo, etc., son temas que se ven afectados por las políticas de cooperación Norte-Sur. Desde el punto de vista de política económica surge una conclusión común: es necesario renovar el apoyo a políticas de cooperación reformuladas en función de las nuevas dinámicas internacionales.

Los desafíos la mundialización

Claire MAINGUY
Université Paris XI, Centre d'Observation des Économies africaines
(COBEA)
Université Robert Schuman, Groupe de Recherche sur les Identités
et les Constructions européennes (GRICE), Centre de Recherche
Territoires, Institutions et Politiques économiques
en Europe (TIPE), Strasbourg
GEMDEV

En su discurso inaugural, *Philip Lowe*, Director General de Desarrollo de la Comisión Europea, planteó un panorama de la ayuda europea presentando los objetivos que se persiguen, los principios que se defienden, las políticas en práctica y las opciones existentes en materia de instrumentos. Al respecto, puso énfasis, entre otros asuntos, en los apoyos que la Comisión desea brindar a los países en desarrollo, de diferentes maneras, a fin de que su integración a la economía mundial sea beneficiosa.

Como lo demuestran los documentos siguientes, gracias a variados enfoques, la mundialización representa de hecho un gran fenómeno y provoca adaptaciones fundamentales:

- las crisis económicas pueden golpear al conjunto de países del mundo, como lo ha demostrado, por ejemplo, la crisis asiática de 1997. J. D. Perdersen, M. Diehl y H. Hveem extraen una serie de lecciones a partir de sus análisis de las crisis financieras;

especialmente con relación a la reforma de la arquitectura financiera internacional y al papel del acreedor como último recurso internacional;

- las relaciones laborales se ven igualmente afectadas por la mundialización. G. Caire pone el acento sobre los ataques a los derechos laborales y destaca las diferentes posibilidades jurídicas que se están desarrollando;

- la mundialización necesita adaptaciones adecuadas a cada sector de actividad. D. Requier-Desjardins estudia el caso del sector agroalimentario de los países en desarrollo y Ph. Barbet se interesa en el sector de los servicios postales;

- más allá de las prácticas, la mundialización requiere adaptar conceptos y teorías, como lo demuestran H. O'Neill y M. Baaz.

I. La mundialización de los efectos de las crisis financieras

En un contexto marcado por la mundialización, ¿cuál es el margen de maniobra de los Estados de los países en desarrollo en lo que a política económica o negociaciones internacionales se refiere?

Jørgen Dige Perdersen compara las reacciones de los dos países en desarrollo más importantes, el Brasil y la India, frente a dos situaciones: las crisis financieras de los inicios de los años setenta y de 1997, y las negociaciones comerciales multilaterales, especialmente la ronda de Uruguay.

Brasil era uno de los países más endeudados a comienzos de los años ochenta y debió solicitar créditos al Fondo Monetario Internacional (FMI). El programa de estabilización lo llevó a una severa recesión. La liberalización de su economía le permitió atraer capitales extranjeros pero, igualmente, intensificó su dependencia económica de las fluctuaciones de la economía internacional. Su vulnerabilidad apareció, en particular, al momento de la crisis asiática de 1997. La India, por su parte, no conoció una situación así de dura durante los años ochenta debido no sólo a la índole de su deuda externa sino a las reacciones de su gobierno. Recurrir al financiamiento del FMI fue menos importante que lo previsto por lo que únicamente las condicionalidades fueron aplicables a su política gubernamental. La liberalización de los movimientos de capitales fue más lenta que la aplicada en el Brasil. Sin embargo, la India también debió tomar en cuenta el contexto económico internacional.

En lo concerniente a las negociaciones multilaterales, la India y el Brasil tenían una posición común contra la introducción del tema relativo a los servicios en las negociaciones. Esta posición ha evolucionado en ambas partes por motivos diferentes. Para el Brasil, debido a su vulnerable situación económica, era importante mantener buenas relaciones con sus acreedores, mientras que la India deseaba evitar su aislamiento internacional. En todo caso, la evolución de la posición de ambos países dependía igualmente de su situación económica interna.

A modo de ejemplo para otras naciones en desarrollo, el autor destaca la sobredeterminación de los factores estructurales, como son las limitaciones ligadas a la posición económica exterior del país y las exigencias de los intereses nacionales. En este contexto, los márgenes de maniobra estarían condicionados por la capacidad de los actores gubernamentales de asimilar la evolución de tales limitaciones. Para ambos países, los vínculos comerciales crecientes con la Unión Europea permitían contrabalancear los lazos con los Estados Unidos.

Markus Diehl analiza los errores de la política económica que desembocaron, según él, en la vulnerabilidad de las naciones asiáticas ante la crisis de 1997. Pone énfasis en el régimen de cambio. Dos objetivos deben presidir las opciones de los países en desarrollo: la capacidad de adaptación a las influencias externas y la credibilidad de sus políticas económicas nacionales. Los países del Sudeste asiático, afectados por la crisis, optaron por limitar la volatilidad de sus tasas cambiarias mediante la adopción de una tasa de cambio fija respecto del dólar, anclaje injustificado de acuerdo al autor, teniendo en cuenta la diversificación de sus relaciones comerciales y financieras. La sobrevaloración de las monedas asiáticas no fue un aspecto tan importante durante los años noventa; más bien, representaba un factor adicional de vulnerabilidad que se conjugaba bien con la falta de transparencia e insuficiencia de reglas de prudencia. Un régimen de tasas cambiarias flotantes habría conducido a una depreciación progresiva de la moneda, evitando no sólo actitudes de pánico entre los inversionistas foráneos, sino sus consecuencias.

El autor analiza enseguida las condiciones de liberalización de los mercados de capitales. Las asimetrías en materia de información impedían el buen funcionamiento del mercado y las deficiencias debieron considerarse antes de aspirar a la liberalización de los movimientos de capitales. El autor presenta las diferentes estrategias posibles (liberalización progresiva de los movimientos de capitales con el mantenimiento paralelo de un desarrollo institucional adecuado, tasas cambiarias con márgenes de fluctuación, etc.), precisando que, en el caso de una brusca modificación de los flujos de capitales, ninguna de estas estrategias podía ofrecer resguardo contra la recesión.

La crisis asiática fue el origen de una gran reflexión acerca de la reforma del sistema financiero internacional y, en particular, de la necesidad de acudir a un acreedor internacional como último recurso. El autor define las condiciones mediante las que un acreedor internacional podría intervenir, así como los riesgos morales inherentes. En suma, el autor está a favor de un sistema descentralizado más que de una institución supranacional.

Helge Hveem propone un análisis de las discusiones y de las diferentes posiciones acerca de una nueva «arquitectura financiera internacional» abordada después de la crisis asiática de 1997. El autor la considera como una encrucijada en la medida en que ella tuvo consecuencias internacionales con efectos contagiosos. Asimismo, la crisis implicó debatir el paradigma monetarista al poner en evidencia las debilidades del mercado y, según el autor, reveló la necesidad de contar con una reglamentación pública de los flujos de capitales.

Estudia los discursos y las motivaciones así como las propuestas de reformas del sistema financiero internacional. La cuestión relativa al papel más o menos preponderante del Estado tiene un lugar importante en su análisis.

Identifica cuatro tipos de posiciones con grados crecientes de implicación estatal frente a los mecanismos financieros internacionales. La escuela liberal privilegia la regulación por parte del mercado; así, las crisis no son sino mecanismos de corrección. Los conservadores (escuela conservadora o *conservative school*) admiten la posibilidad de una intervención específica del FMI o de la *Bank for International Settlements (BRI)*. La tercera posición es la de los reformadores (reformadores institucionales o *institutional reformers*). Para éstos, las instituciones son indispensables a fin de coordinar y supervisar el funcionamiento del mercado. Esta posición parece motivar numerosos debates en la actualidad. La cuarta posición, la de los desarrollistas (desarrollistas nacionalistas o *nationalist developmentalists*) acentúa, por ejemplo, la necesidad de controlar el flujo financiero y el ahorro interno como principales motores del desarrollo nacional.

En conclusión, el autor si bien recuerda las dificultades técnicas y políticas implicadas en una reforma del sistema financiero internacional, reafirma la necesidad de lograr la cohesión y coordinación con miras a garantizar la viabilidad del sistema. Enseguida, destaca el asunto del desarrollo de los países del Sur en este contexto global. Si bien las políticas intervencionistas pudieron haber tenido consecuencias negativas, será por lo tanto difícil de lograr que la economía se convierta en una especie de política industrial.

II. La mundialización de las relaciones laborales

La mundialización de la economía tiene consecuencias innegables en las relaciones laborales. Las dificultades se asientan, en particular, sobre el hecho de que el poder económico se ha mundializado mientras que el poder político sigue estando limitado por fronteras nacionales y los mercados laborales son regulados nacionalmente.

Guy Caire pone en evidencia las diferentes formas de incertidumbre y limitaciones a los derechos laborales que se pueden derivar de la mundialización (pérdida de empleos ligados a deslocalizaciones, disminuciones salariales debidas a la competencia desleal, etc.). Cita los debates entre partidarios de la flexibilidad y quienes se oponen a las prácticas desleales de empresas cuya ventaja comparativa se basa en el trabajo infantil, forzado u otras condiciones laborales inaceptables. Se ubica dentro de una perspectiva institucional, según la cual cada mercado laboral debe estar bien organizado para que funcione adecuadamente. Distingue tres tipos de derechos:

- los derechos concedidos concernientes a las empresas que, cuidadosas de su imagen, pueden recurrir a códigos de buena conducta, a etiquetas o a inversiones de índole ética;

- los derechos negociados y los convenios colectivos representan la posibilidad de negociar colectivamente a un nivel supranacional la política salarial o la reducción del tiempo de trabajo, por ejemplo. Esta posibilidad concierne esencialmente a Europa por el momento pero, según el autor, podría concernir igualmente a ciertos polos de desarrollo multinacional o transfronterizos;

- los derechos concertados y las normas internacionales de trabajo atañen a las empresas y a los Estados. Se puede tratar de compromisos firmes o de principios destinados a orientar la acción de los actores interesados. Se manifiestan bajo la forma de códigos de conducta o cláusula social. Los primeros conciernen más bien a las empresas. Por ejemplo, los «principios rectores» de la Organización de Cooperación y Desarrallo Economicos (OCDE) aspiran a que los Estados pongan atención a la contribución de las empresas multinacionales, al progreso económico y social gracias a normas definidas en común (representación sindical, igualdad en el trato de los trabajadores, etc.). Las cláusulas sociales conciernen a los Estados y el autor releva los más fundamentales, aquellos que surgen del consenso, aquellos relativos a los derechos humanos. Se trata de condenar y de actuar contra el trabajo forzado, el trabajo infantil y la utilización de mano de obra penitenciaria. Pero las cláusulas sociales conciernen igualmente a lo que se califica como «dumping social». En todo caso, la elaboración de cláusulas sociales que pudieran despertar respuestas encuentra numerosas limitaciones, las que son detalladas por el autor.

Y concluye al poner de relieve el asunto relativo a la ampliación del derecho de injerencia humanitaria en materia de condiciones de vida y de trabajo.

III. Análisis sectoriales de la mundialización

Denis Requier-Desjardins muestra que un análisis en términos de los sistemas agroalimentarios localizados (SYAL) está bien adaptado a las naciones en desarrollo para comprender mejor los desafíos en materia de competitividad que enfrentan los campesinos en un contexto de mundialización.

Al comienzo, el autor se interesa en la evolución de los análisis de los sistemas de producción local al mostrar los aportes del concepto de distrito industrial desarrollado inicialmente por Marshall, los análisis en términos de geografía económica, crecimiento endógeno y economía de las organizaciones. Las relaciones de proximidad desempeñan un papel esencial en los procesos de innovación. La proximidad, caracterizada, por ejemplo, por las relaciones de confianza, permite reducir los costes de transacción.

Estos análisis arrojan nuevas luces sobre los análisis de los factores de localización de las actividades económicas, particularmente en el contexto de la mundialización.

Posteriormente, gracias a la noción de SYAL, el autor desarrolla su enfoque presentado al mostrar su interés en el sector agroalimentario en los países en desarrollo (África y América Latina). En efecto, la transformación de productos agroalimentarios locales originan a menudo la concentración territorial de pequeñas unidades productivas. Los SYAL mencionados se caracterizan por tener «activos específicos», tales como compartir el saber hacer y la referencia a la «convenciónes de calidad». Este enfoque específico del sector agroalimentario de los países en desarrollo podría abrir una nueva vía hacia la cooperación entre Europa y el Sur.

Los servicios forman parte de ahora en adelante de los objetivos de las negociaciones comerciales multilaterales. Al respecto, los servicios postales constituyen una muestra de los problemas que podrían surgir y de sus probables soluciones. Paralelamente a las negociaciones multilaterales, Europa se ha comprometido a llevar adelante un proceso de unificación del mercado postal que podría plasmarse al final de este decenio. *Philippe Barbet* define, inicialmente, las particularidades de la actividad postal, luego plantea el problema de la tarificación postal internacional, a sabiendas de que los costos más elevados son aquellos relativos a la distribución final y son, en consecuencia, sufragados por el operador de la distribución, quien no obtiene remuneración por ello. A partir de 1969 se puso en práctica un sistema de compensaciones.

El autor describe las dificultades encontradas para mejorar el sistema en los ámbitos europeo e internacional. Así, a pesar de la incompatibilidad del sistema de tarificación internacional con las regulaciones de la Organización Mundial del Comercio (OMC), éstas tienen preeminencia sobre el acuerdo, ratificado por la mayoría de naciones desarrolladas y algunos países en desarrollo, lo que es una excepción.

En 1992, se publicó en Europa un Libro Verde acerca del mercado único en el ámbito postal, en el cual se describen las características de un "servicio postal universal". Se tiene previsto un proceso gradual de liberalización por etapas, en 2003 y 2007. Por un lado, se trata de permitir la liberalización del sector de tal manera que no dificulte el desarrollo del comercio electrónico, dependiente en parte de los servicios postales; y de otro lado, limitar los costos sociales y humanos asociados a un proceso de liberalización mal llevado en un sector que utiliza mano de obra intensamente.

IV. Adaptación de conceptos y teorías

Helen O'Neill, además de efectuar un balance de las evoluciones y los desafíos de la asistencia para el desarrollo, contrasta las grandes teorías de las relaciones internacionales y los conceptos claves de la teoría del desarrollo. Este enfoque permite comprender mejor la evolución, incluyendo la redefinición de conceptos tales como pobreza o poder. La autora estudia igualmente la pertinencia de nociones, así como las diferencias de significados que se les atribuye, aplicables en países desarrollados o en desarrollo.

La evolución de las relaciones entre donantes y receptores nos devuelve al problema de la representación de los grupos de interés en los países en desarrollo. La capacidad de estos actores para hacer valer sus intereses depende en gran parte del acceso a la información, de su capacidad para organizarse, de la disponibilidad de recursos económicos, etc.

Los esfuerzos por lograr la descentralización, considerada como una posibilidad para promover la participación en muchos países en desarrollo, han terminado por fracasar. Esta opción despierta numerosos interrogantes entre los investigadores y podría desembocar en la definición de nuevos conceptos y en la reformulación de ciertas teorías.

Los insuficientes resultados obtenidos por la cooperación norte / sur se podrían atribuir a la preeminencia de los imperativos estratégicos de las relaciones este / oeste. Desde el inicio de los años noventa, han surgido otras explicaciones. Uno podría plantearse ahora si la voluntad de tomar en cuenta las evoluciones de las interpretaciones de conceptos tales como pobreza, apropiación o democracia no han creado demasiadas dificultades a la evaluación de proyectos y programas de ayuda. ¿No deberíamos reexaminar los siguientes criterios de evaluación (mencionados por la autora): rendimiento, eficacia, pertinencia, durabilidad y objetivo de la ayuda?

Mikael Baaz señala que el objetivo de su artículo es suplir la inexistencia de una teoría coherente y convincente de las relaciones sociales mundiales (*Global Social Relations*). Destaca la inconveniencia de separar los temas relativos al desarrollo y a las relaciones internacionales.

Su punto de partida es el «constructivismo social» el cual se limita, en su artículo, a la dimensión ontológica de la relación entre agente y estructura. El objetivo de su esfuerzo heurístico es presentar un ejemplo de aquello que pudiera ofrecer una economía política internacional del desarrollo basada en el "constructivismo social", a fin de comprender mejor las relaciones sociales mundiales.

La urbanización de los países del Sur
Un reto para la cooperación

Charles GOLDBLUM
Université Paris VIII, Institut français d'Urbanisme (IFU),
Laboratoire Théorie des Mutations urbaines (LTMU)
GEMDEV

La urbanización de los países del sur que, a menudo, se suele presentar con el aspecto catastrófico de la explosión urbana (a escala planetaria) y de la integración deficitaria de los habitantes de las ciudades (a escala urbana), afecta a la cooperación europea en lo referente a la solidaridad y en la óptica de los intercambios económicos y de las transferencias tecnológicas.

Al respecto, la experiencia de los países europeos en cuanto a la ordenación de las ciudades y a la gestión urbana, al igual que las adaptaciones que imponen las nuevas exigencias económicas y tecnológicas de la globalización a sus estructuras urbanas y territoriales, abren la vía a una renovación de la concepción de desarrollo urbano y de los diferentes enfoques sobre la cooperación en este ámbito.

Las contribuciones que se presentan bajo este título dan cuenta, a su modo, de un distanciamiento de los problemas urbanos respecto a los enfoques habituales vigentes en los organismos de ayuda internacional. Esta serie de textos tiene tres capítulos principales:

- la cooperación urbana ante el desafío de la urbanización y del crecimiento de las metrópolis (A. Osmont; H. Verschure; T. Souami; Ch. Goldblum): este capítulo asocia la temática general del desarrollo urbano a las nuevas condiciones de producción urbana vinculadas a la globalización y a sus incidencias sobre la cooperación;

- la descentralización, instrumento y objeto de la cooperación. Este capítulo tiene en cuenta la descentralización en ambos extremos del proceso de cooperación: por una parte, la cooperación descentralizada y sus perspectivas (M. Leclerc-Olive; F. Lapeyre), y por otra, la descentralización como objetivo administrativo y territorial de las políticas de cooperación (J. Howell; L. Valladares; S. Jaglin e A. Dubresson);

- los dispositivos técnicos de cooperación: este capítulo se refiere a los aspectos instrumentales de la cooperación, a la evaluación de los dispositivos de cooperación, a la evaluación de los dispositivos de cooperación destinados al desarrollo urbano (I. Milbert) y que se prolonga en enfoques relativos a ámbitos específicos: la transferencia de técnicas de análisis especiales (D. Vukhac), la logística de apoyo a las iniciativas económicas locales (I. Yepez del Castillo), las aplicaciones sectoriales de las técnicas urbanas (P. Hjorth).

I. La cooperación urbana ante el desafío de la urbanización y del crecimiento de las metrópolis

1. Globalización / crecimiento de las metrópolis: política y gestión urbanas

Annik Osmont demuestra la ambivalencia de abordar la urbanización como un instrumento de crecimiento económico de acuerdo a la idea que promueve el discurso neoliberal. La argumentación establecida a partir del ejemplo de Dakar, se funda en una doble observación: por una parte, el proceso de globalización tiene efectos directos en la urbanización en la medida en que refuerza la tendencia al crecimiento de las metrópolis; por otra parte, los grandes protagonistas de la cooperación multilateral transformaron esta tendencia en estrategia porque buscan acordar las ciudades y los países al nuevo contexto económico mundial (con los términos « buen gobierno » y « descentralización »), en detrimento de las aspiraciones de los habitantes que se encuentran así de lado. El caso de Porto Alegre aparece aquí como un contrapunto, como una incitación a una alternativa democrática de la gestión urbana.

2. "Urbanisation takes command" (La urbanización toma el poder)

Dado que, a pesar de la evolución del discurso sobre las ciudades del Sur desde las conferencias Hábitat I y Hábitat II en la ONU, la cooperación para el desarrollo que llevan a cabo los países europeos está ampliamente orientada al mundo rural, *Han Verschure* milita para que se tengan en cuenta las dimensiones urbanas del desarrollo, dando un énfasis particular a la identidad cultural de las ciudades. Se suma a la crítica que *Annik Osmont* efectúa a la visión neoliberal: al igual que la colonización, la globalización no reconoce las características locales de la urbanización. *Han Verschure* sugiere que se trata de un ámbito en el que la cooperación europea podría manifestar la especificidad de su aportación.

3. « Urban connection »: después de una década de cooperación urbana en Argelia

Taoufik Souami presenta la cooperación europea con Argelia como una actividad donde se manifiestan las dificultades que plantea la cooperación en el sector urbano: desde el acuerdo firmado entre la Comunidad Economica Europea (CEE) y Argelia en 1976 y su aplicación en 1978,

319

los créditos fueron ampliamente absorbidos por la ayuda destinada al ajuste estructural y, más tarde, al desarrollo industrial y por las acciones sectoriales sobre el hábitat. *Taoufik Souami* describe una situación de repliegue en donde la visión predominante procura actualizar los marcos y quienes se ocupan de la ordenación urbana bajo la perspectiva de una privatización de los servicios, sin haber encontrado las formas ni las fórmulas adecuadas de cooperación urbana.

4. Las grandes regiones urbanas del Sudeste Asiático entre la crisis y el crecimiento de las metrópolis. Problemas y perspectivas de cooperación

Charles Goldblum explica la complejidad de los contextos y de las formas de cooperación urbana como un efecto del crecimiento de las metrópolis. Desde este punto de vista, la dinámica urbana del Sudeste Asiático tiene un valor ejemplar: la superación de ciertos obstáculos económicos favorece el desarrollo de formas urbanas (centrales y periféricas) características de la integración a la economía mundializada, aunque los problemas urbanos también adquieren mayor complejidad. Esta contribución procura mostrar que la cooperación europea podría actuar a favor de la renovación de las concepciones de la intervención urbana en tales contextos, especialmente garantizando una mejor coordinación de los programas que se llevan a cabo a escala regional (en la idea de Asia-Urbs, por ejemplo), reforzando el intercambio norte / sur entre gente de terreno, expertos e investigadores.

II. La descentralización, instrumento y objeto de la cooperación

1. Descentralizar la cooperación: problemas teóricos y políticos

La descentralización ocupa una posición particular en los dispositivos de adaptación de los territorios a la nueva situación de la economía mundial en la medida en que vale tanto para los países « donantes » como para los países « destinatarios » de la ayuda para el desarrollo. Además, hay que distinguir la parte correspondiente al « nuevo discurso » ante las intervenciones efectivas. Al respecto, *Michèle Leclerc-Olive* explora un primer aspecto que corresponde a la cooperación descentralizada, marco privilegiado de los programas europeos de cooperación en el ámbito del desarrollo urbano. Tomando como referencia el Malí, esta autora indaga los problemas políticos vinculados a este doble proceso de descentralización (cooperación / instituciones de los Estados participantes) al igual que sobre la clase de « democracia » que pueden impulsar. Las precisiones teóricas y conceptuales suministradas por el autor le permiten cuestionar la asimilación (corriente) de la descentralización en las visiones localistas o antiestatales.

2. Mito y realidad de la cooperación descentralizada

Frédéric Lapeyre prolonga este enfoque crítico en otro plano: cuestiona así el discurso neoliberal referido a la descentralización impulsada por las organizaciones internacionales, y le reprocha que apunte ante todo a una adaptación funcional de las sociedades y territorios a las exigencias de la globalización económica. La visión neoliberal resta legitimidad al accionar del Estado a favor del desarrollo y refuerza la lógica topológica transnacional de los polos de acumulación. A esta visión, el autor opone otra concepción de la cooperación descentralizada que se funda en el dinamismo participativo de la sociedad civil para movilizar los recursos locales y reconocer la función que cumple el capital social respecto al desarrollo.

3. "Making civil society from the outside: challenges for donors"

Jude Howell no parece compartir el optimismo de *Frédéric Lapeyre* respecto al papel que le incumbe a la sociedad civil en el desarrollo. Desde su punto de vista, los organismos de financiación (principalmente los organismos internacionales de ayuda para el desarrollo) generan cuerpos intermedios que actúan como interlocutores locales y constituyen así el punto de partida de una construcción exógena de la sociedad civil (o de su reacondicionamiento) que puede llegar a instrumentalizarla y a privarla de toda capacidad de innovación social y política. Esta « revalorización » de las organizaciones no gubernamentales y de la sociedad civil - que se puede observar por parte de los países « donadores » (reorientación estratégica de la Agencia de los Estrados Unidos para el Desarrollo Internacional – USAID - y de las fundaciones filantrópicas en los Estados Unidos) - se vincula a la creciente retórica del « buen gobierno ». El particular contexto en el que la sociedad civil se suma al binomio formado por el Estado y el mercado plantea el interrogante de la realidad que puede tener su autonomía.

4. El problema de la pobreza urbana: uno de los desafíos de la cooperación internacional en América Latina

Las observaciones de *Licia Valladares* sobre las modalidades de intervención en un medio urbano desfavorizado de dos categorías de protagonistas de la cooperación en América Latina (el *Peace Corps* de los años sesenta y las organizaciones no gubernamentales de los años 1980-1990) parecen corroborar las afirmaciones de *Jude Howell*. La autora muestra los elementos que diferencias los dos momentos en los que la cooperación internacional trabajó en las *favelas* brasileñas, tanto desde el punto de vista de los contextos físicos y sociales locales como desde el punto de vista de las competencias técnicas de los protagonistas de la cooperación. Pero también observa un desconocimiento del escenario sociopolítico local (a favor de una proyección ingenua de las idealidades comunitarias y participativas a las que el hábitat subintegrado sirve de

322

soporte), por el cual las intervenciones son un fracaso o bien introducen disparidades en las sociedades locales sin control alguno.

5. La descentralización frente al riesgo de fragmentación urbana en África al sur del Sahara

Sylvy Jaglin e *Alain Dubresson* atribuyen una dimensión claramente urbana al tema de la descentralización operada en los contextos políticos y territoriales al sur del Sahara. ¿Las reformas a favor de la descentralización que se llevaron a cabo en este contexto pueden, acaso, favorecer la integración urbana y contribuir en los procesos de fragmentación social y topológica? Dicho de otro modo, ¿debemos esperar que las ciudades sean más gobernables o que generen más exclusión? Esta pregunta, que pone en juego los proyectos urbanos, se examina desde la óptica de la dependencia externa (técnica y financiera), coincidiendo en esto con el tema de la autonomía bosquejado por *Jude Howell*. Pero también se lo hace a partir de su lógica endógena: ¿lo que aparece como refuerzo de las administraciones locales y del sector privado (privatización de los servicios urbanos) no implica acaso mecanismos de protección / retranchement de la población favorecida en detrimento de la solidaridad urbana?

III. Dispositivos técnicos de cooperación

1. "Changing international aid to cities"

Al describir la situación referida a los dispositivos técnicos de una cooperación orientada al desarrollo urbano, *Isabelle Milbert* indaga las orientaciones innovadoras en las modalidades de ayuda a las ciudades y el alcance de las mismas. La ayuda específicamente urbana sigue siendo, por cierto, limitada, pero la conferencia Hábitat II insistió en la necesidad de mantenerla por razones sociales, económicas y de gestión. ¿Este reconocimiento cumple sus promesas ante la tendencia general de una reducción de la ayuda pública en proyectos de desarrollo? *Isabelle Milbert* piensa que las dificultades vinculadas a este contexto y a la creciente diversificación de las intervenciones llevan a reflexionar sobre los métodos, las herramientas y las estrategias de cooperación urbana, habida cuenta de las diferentes lógicas que aplican las agencias de ayuda bilateral (asistencia técnica) y multilateral (presupuesto de inversión). Por esta razón, se plantea el tema de los nuevos acuerdos de colaboración entre agencias, con los ayuntamientos, con las organizaciones no gubernamentales del Norte y del Sur, con las instituciones de investigación y de formación, y con el sector privado. Cada una de las siguientes tres contribuciones ilustran una dimensión específica de los acuerdos de colaboración evocados por *Isabelle Milbert*.

2. La cooperación en VTGEO (Centro de Teledetección y de Geomática)

Dang Vukhac presenta una serie de proyectos de cooperación científica entre organismos de investigación vietnamitas y europeos previos a las acciones de ordenación urbana y periurbana. Entre otros, se trata del Observatorio del Bajo Valle del Río Rojo, proyecto que se realiza en colaboración con la *Université de Bordeaux III* y la *Unité mixte de Recherche « REGARDS »*, uno de cuyas primeras acciones consistió en observar el impacto de la apertura económica de Vietnam en el desarrollo periurbano de la Provincia de Hanoi. Un segundo aspecto fue la elaboración de una base de datos informática (sobre la densidad y la ocupación del suelo) que debería servir como instrumento de previsión y de ayuda para tomar decisiones en materia de utilización y ordenación geográfica. La cooperación actúa sobre todo en el plano de la transferencia tecnológica en el ámbito de la teledetección y de los sistemas de información geográficos.

3. Trabajar sobre el aprendizaje: lógicas populares y lógicas de apoyo

Tomando como referencia las iniciativas económicas locales que adoptaron las organizaciones de mujeres, tanto en África como en América Latina, *Isabel Yepez del Castillo* se ocupa de los problemas de ajuste en donde los apoyos logísticos externos se enfrentan a las lógicas endógenas que aplican las asociaciones locales. Desde luego, se ocupa de forma más directa de las economías urbanas aunque la evaluación de las perspectivas de un aprendizaje mutuo, especialmente en la óptica del « comercio equitativo » que aprovecha la interacción de lógicas y prácticas de desarrollo diferentes, tiene una amplia aplicación en contextos urbanos o en curso de urbanización.

4. The challenge of providing water supply, sanitation and solid waste management in an urbanising world

Peder Hjorth analiza la situación de la cooperación técnica en el sector de los servicios urbanos y muestra que las acciones sectoriales en el ámbito de las técnicas urbanas (distribución de agua potable, saneamiento, tratamiento de desechos) pueden contribuir a la resolución de los problemas globales de desarrollo (especialmente la pobreza y el entorno), con la condición de que no se los piense de forma aislada sino que se integren en las nuevas prácticas de « buen gobierno » y de gestión. El autor insiste en la necesidad de pensar las estructuras de las agencias de ayuda, de las instituciones sectoriales y las relaciones entre los técnicos del desarrollo con quienes reciben la ayuda, poniendo el acento no en la privatización de los servicios urbanos sino en su descentralización a favor de las instituciones sectoriales locales.

La dimensión política y económica de los acuerdos de cooperación para el desarrollo de la Unión Europea

Irène BELLIER
Laboratoire d'Anthropologie des Institutions et des Organisations
sociales (LAIOS), Paris
CNRS
GEMDEV

Jean-Jacques GABAS
Université Paris XI, Centre d'Observation des Économies africaines
(COBEA), Orsay
GEMDEV

Los acuerdos de cooperación para el desarrollo de la Unión Europea varían bastante en sus contenidos y prioridades según períodos y regiones. Luego de la conferencia general de la EADI "Europa y el Sur en los albores del siglo XXI: desafíos y renovación de la cooperación" se han presentado numerosas comunicaciones encaminadas a examinar las opciones de la posible reestructuración de una política europea de cooperación, lo cual supone dedicar serios esfuerzos para abordar sin rodeos las cuestiones que le plantea la perspectiva de la Cooperación para el Desarrollo. Dichos textos se refieren a cuestiones claves como:

- la transformación política de las relaciones entre la Unión Europea y los países de África, el Caribe y el Pacífico - ACP - (J. -J. Gabas y P. Hugon; O. Castel; I. Bellier; H. de Milly; E. Moustier y R. Teboul; F. Noorbakhsh y A. Paloni) sobre todo con referencia a lo que se ha acordado denominar "las condicionalidades políticas";

- la construcción de nuevos bloques regionales (K. Perrody; G. Vaggi; M. Schiff; S. Roceska) y su impacto económico y político;

- el cambio en las motivaciones de la asistencia (Z. Dibaja; L. Siitonen; J. Koponen; A. Le Naëlou) y las distintas lógicas de los proveedores de fondos;

- la relación entre las políticas de asistencia y la construcción de la competitividad (P. Farkas; E. Boiscuvier; F. Menegaldo; K. Mounamou-Dulac; C. Mainguy; N. Biswajit; P. Nunnenkamp; Tim Lloyd, M. Mcgillivray, O. Morrissey y R. Osei);

- la incoherencia de las políticas de asistencia (L. Jaïdi; L. de la Rive Box; J.-P. Rolland; F. Leloup; E. Rugumire-Makuza; B. Ki-Zerbo);

- la movilización de los nuevos actores de la sociedad civil (C. Freres; N. Webster; M. Kaag; G. Lachenmann; C. Risseeuw).

Por el momento el problema del desarrollo se encuentra relegado al traspatio de la política exterior y de la seguridad común de la Unión Europea y el de los países de ACP, en particular, parece muy secundario en comparación con el desarrollo del nuevo imperio que forman los países de Europa central y oriental a los cuales se les ha prometido la membresía del club de la Europa comunitaria en un futuro cercano. En lo que respecta a los países mediterráneos del Sur y de Oriente ¿seguirá la cooperación con Europa limitada a una zona de libre comercio?

I. Evoluciones del marco político

Jean-Jacques Gabas y *Philippe Hugon* exponen los nuevos desafíos económicos y políticos de los acuerdos de Cotonou. Muestran en primer lugar porqué es difícil de construir el diálogo político entre la Unión Europea y los países de ACP y cómo en el multilateralismo de la Organización Mundial del Comercio (OMC) se disuelve el regionalismo que era una de las características específicas de los llamados Convenios de Lomé. Estos autores exponen las razones por las cuales es preciso mejorar la evaluación de las políticas de asistencia de la Unión Europea, analizan las transformaciones del paisaje mundial que no sólo conduce a un nuevo establecimiento de jerarquías por la polarización en torno a las tres mayores potencias, sino a la marginación de los países de ACP por pérdida de competitividad.

Este nuevo Acuerdo de Cotonou, según *Odile Castel,* ¿representa el abandono de los principios que constituyeron la originalidad y especificidad de la cooperación europea con los países de ACP? El nuevo contexto mundial se caracteriza por cinco grandes rasgos que se inscriben en el modelo del ultraimperialismo: la formación de oligopolios mundiales, la mundialización financiera, el desarrollo del comercio entre empresas, el reparto de los mercados mundiales entre los oligopolios y el desarrollo de una lógica geoeconómica en las relaciones internacionales. Las transformaciones que ella observa en el tránsito de Lomé a Cotonou reflejan el agrandamiento de los campos de acción de los actores y de la libertad de maniobra de los actores más poderosos, que ella considera como una dimensión muy real del ultra imperialismo que ella describe.

El contexto mundial, según *Irène Bellier* marca la reflexión que orienta las prioridades de la Unión Europea y la ausencia de lineamientos definidos. Es la hora de la competición entre estados, entre empresas, entre políticas y también entre modelos, lo que combinado con la libre elección, profundamente enraizada en el esquema normativo de las democracias liberales, provoca concepciones del desarrollo más bien contradictorias. La Unión Europea no logra construir una verdadera colaboración con sus socios de ACP, ni con los otros grupos de países a los cuales la ligan acuerdos regionales. Dicha colaboración se basaría en el reconocimiento de los valores sociales, la circulación pluridireccional de los conceptos de desarrollo, la diversificación de los idiomas empleados. Ahora bien, si se tratara de buscar la concordancia entre las intenciones y las realidades en el marco del desarrollo, la dimensión lingüística de los intercambios en los distintos niveles de organización del diálogo debería ser objeto de reflexión.

En opinión de *Hubert de Milly*, la asistencia pública al desarrollo y el Estado africano se relacionan como una vieja pareja que siempre discute pero nunca se separa. La desestabilización que se aprecia hoy no ha sido obra de ellos, sino que es más bien fruto de críticas exteriores, unas, dirigidas al Estado en su función de regulador del desarrollo, dotado, además, de cierta capacidad para molestar; otras, concernientes al incumplimiento de las obligaciones de la asistencia, resultante de ese hecho. Aun cuando reúna a estas distintas entidades en una sola pareja y aunque personalice cada uno de los términos en una total abstracción de la cual se separa un tiempo para tratar a los Estados saharianos (singularidades enunciables) le parece indispensable regresar a esta unión apoyándose en las fuerzas que puedan hacer que la pareja se mueva: la emergencia de contra poderes al interior del Estado, la reforma de la asistencia pública al desarrollo (APD) en el exterior.

Examinando la manera en que se han puesto en marcha las condicionalidades de los programas de ajuste estructural y frente a sus malos resultados sobre todo en África subsahariana, *Farhad Noorbakhsh* y *Alberto Paloni* proponen identificar los indicadores pertinentes para redefinir las reformas y las políticas que las acompañen en la dirección deseada. Las variables que ellos ponen en evidencia se refieren a la velocidad y extensión de las reformas políticas, la parte relativa a la austeridad y al crecimiento en el ajuste a corto plazo, el carácter central de la disminución de la pobreza y del papel del gobierno en esta perspectiva y finalmente el modo de financiamiento de los programas.

A partir de pruebas econométricas, ***Emmanuelle Moustier*** y ***René Teboul*** estiman que en el caso de los países al sur del Mediterráneo es difícil concluir que la asistencia es eficaz si se tiene en cuenta el crecimiento del producto interno bruto (PIB), del ahorro interno y del aumento de las inversiones extranjeras directas. La eficacia se vincula con el modelo de desarrollo seguido por los Estados así como con el carácter muy aleatorio de esta asistencia y de su distribución que por lo general responden a criterios políticos o estratégicos.

II. La construcción de bloques regionales

La Unión Europea enfrenta varias demandas de extensión en las direcciones más diversas, de parte de los países de Europa central y oriental, y de parte de los países mediterráneos. Al lado de los acuerdos ACP-UE surgen también acuerdos de asociación (Marruecos, Túnez, Israel) que llegan a competir con las relaciones ACP-UE, mientras que en el seno de los candidatos potenciales a integrarse a la Unión Europea se presentan también diversas reorientaciones (sector textil por ejemplo). Estas evoluciones en los márgenes de la Unión Europea implican un retorno a la política agrícola comunitaria y a los mecanismos de transferencia de fondos estructurales dirigidos a las regiones y países más pobres. Estas dinámicas se pueden traducir, llegado el momento, en el estallido de las relaciones entre la zona ACP y la Unión Europea, y sobre todo en una diferenciación cada vez más asentada entre la zona mediterránea respecto a otros países de ACP. En ese marco, la erosión de las preferencias acentuaría, dentro de la zona de ACP, las diferencias en sus relaciones con la Unión Europea.

Para ***Gianni Vaggi*** las relaciones económicas entre la Unión Europea y los países mediterráneos suscitan preguntas similares a las que se plantearon los Estados Unidos en sus relaciones con México en el seno del Tratado de Libre Comercio de América del Norte (TLCAN): según ese modelo la liberalización del comercio debe ir acompañado de un apoyo financiero consecuente dirigido a los países del Sur.

Krystalna Perrody, examina las relaciones de la Unión Europea con el Mercosur, el Pacto Andino, TLCAN, y la estrategia subyacente en la competencia con los Estados Unidos; muestra que si la cooperación política pretende fortalecer la integración regional, los límites de la política comunitaria de cooperación obligan a repensar en sus modalidades. Aun cuando la Unión Europea, a través de varios programas en las áreas de economía, energía, educación y redes urbanas, es el primer socio de la asistencia macroeconómica para el desarrollo económico y social, los procedimientos son engorrosos y las disfunciones notables: ausencia de coherencia, falta de coordinación con las políticas de los Estados miembros, alejamiento de las necesidades de las poblaciones, en el contexto de disminución de la APD y del aumento de las desigualdades entre los países receptores. La alternativa pasaría por asociar las organizaciones de la sociedad civil en la elaboración de las políticas de cooperación que les atañen, apoyándose en la cooperación descentralizada para promover una verdadera colaboración con los ediles locales.

Los resultados de las reflexiones realizadas por el Banco Mundial en el marco de su proyecto de investigación «Integración regional y desarrollo» permiten precisar los desafíos de la integración Sur / Norte. La integración regional los relega a un segundo plano y no es posible afirmar *a priori* si un acuerdo de integración regional tendrá o no efectos positivos en el ámbito mundial. En el marco del Acuerdo de Cotonou, la intención es volver a trazar los contornos de la cooperación con la Unión Europea en función de las zonas de integración regional que serían candidatas a la creación de zonas de libre comercio con la Unión Europea. *Maurice Schiff* subraya que los impactos puramente económicos siguen siendo muy ambiguos y que en el dominio de los logros políticos potenciales (manejo de conflictos, democracia y buen gobierno es donde la cooperación UE-ACP puede tener el mayor impacto positivo. Si se lograran los beneficios políticos esperados se podría justificar el apoyo financiero para implementar esos acuerdos.

Las políticas de cooperación europeas efectivamente favorecen en el plano institucional el surgimiento de instrumentos económicos y políticos que pueden desempeñar un papel decisivo, como ocurre con el Pacto de Estabilidad en los Balcanes. **Slavica Roceska** explica de qué manera las perspectivas de una integración infrarregional en los Balcanes, estimulada por los programas europeos y por profundas transformaciones de las estructuras económicas, pueden mejorar las relaciones entre los Estados y frenar el carácter histórico de las animosidades fundadas en las diferencias étnicas, religiosas, políticas y culturales que son responsables de la inestabilidad, el separatismo y los conflictos.

III. Cambios en las motivaciones de la asistencia

¿Cómo se puede desarrollar el diálogo político cuando las motivaciones de la asistencia son esencialmente comerciales? Para **Zahir Dibaja**, el modelo occidental de cooperación para el desarrollo es incompatible con la lógica dominante del imperio del mercado, vale decir, la maximización de las ganancias. En su opinión, a la metodología de Occidente poco le importa la dimensión humana de personas o naciones y el materialismo característico de su expansión ideológica, que acaba con la intervención de Dios en las leyes de la naturaleza, solamente ha servido para alimentar un proceso de individualización de las sociedades en las cuales las palabras democracia, solidaridad o cooperación no son más que condiciones necesarias para el desarrollo del capitalismo. La cooperación no forma parte de la naturaleza de las sociedades capitalistas y este autor cuestiona la posibilidad de promover cualquier forma de participación en el poder y los recursos, con o sin cooperación.

¿Cuáles pueden ser entonces para **Lauri Siitonen** las motivaciones de la asistencia para pequeños Estados (cuya definición no es muy clara a pesar de que son 16 de los 22 Estados del *Development Assistance Committee - DAC*)? Estas motivaciones son muy distintas: se menciona con frecuencia la proximidad (por ejemplo, Australia y Nueva Zelanda ayudan en forma prioritaria a los países de la zona del Pacífico) en un proceso de identificación colectiva regional y en el caso de los países nórdicos se suma a ello la construcción de una identidad en el plano internacional (con el tema de la lucha contra pobreza). Pero la motivación comercial no está totalmente ausente de una relación de asistencia. *Juhani Koponen* analiza las motivaciones de la asistencia de Finlandia insistiendo en la formación de una imagen internacional que se ha forjado a través de los años para diferenciarse de la ex-URSS. Finlandia, además, ha desempeñado un papel muy importante en la creación del DAC y en la construcción de un consenso internacional para que la asistencia represente 0,7 % del producto nacional bruto (PNB) de cada donante. Sin embargo, las motivaciones de la asistencia para el desarrollo son igualmente comerciales y diplomáticas.

¿Es posible poner en el mismo plano las motivaciones de la Unión Europea en Asia con las que tiene en las otras regiones? Ciertamente que no. *Anne Le Naëlou* en su análisis sobre la política comunitaria de desarrollo de la Unión Europea con los países asiáticos la considera oscilante "entre cooperación y competición". En Asia, la Unión Europea se orienta hacia la cooperación económica en detrimento de la cooperación para el desarrollo. La lógica de la cooperación se fundamenta en la noción del interés mutuo inmediato, la reducción de obstáculos para el comercio y para las inversiones entre Europa y Asia.

IV. Asistencia y competitividad

Peter Farkas examina el debilitamiento de los vínculos económicos y contractuales con los Estados de ACP y África del Norte. En su opinión, quince años de ajuste estructural, agravados por los desafíos de la liberalización, la reducción de preferencias arancelarias, el cambio de prioridades europeas y el descenso del valor de la asistencia, no han tenido efecto alguno en el desarrollo. Aunque le resulta evidente que la Unión Europea necesitará al África en el largo plazo, la renegociación del convenio de Lomé ha mostrado la fractura de intereses otrora mejor compartidos. Mientras que la Unión Europea introduce la noción de condicionalidad y de rendimiento, los países de ACP continúan hablando de necesidades, sobre todo en favor de los países menos avanzados. Se corre el riesgo de que el acuerdo final que refleje la relación de poderes entre los dos bloques de negociadores beneficie más a la Unión Europea que a los países de ACP. La formación de una región Euro-Med y un nuevo acuerdo UE-ACP pueden frenar pero no detener la erosión del papel económico de Europa en la región, que se aferra al impacto positivo pero fuertemente problemático de la apertura de los mercados, la resistencia de las élites locales afianzadas en la defensa de sus privilegios y finalmente a la inmensa dificultad de realizar un pluralismo político ante las presiones islámicas.

Eléonore Boiscuvier retoma el análisis de la posición de los países mediterráneos en la división internacional del trabajo para demostrar, basándose en estudios sustanciales de Marruecos, Túnez, Egipto, Jordania e Israel que la especialización de los países mediterráneos en producciones con bajo valor añadido los conduce a enfrentar una fuerte competencia y observa que se dejan de lado las estrategias manufactureras para dedicarse más bien a la producción de bienes que se encuentran al inicio del ciclo productivo. Por lo tanto, la apertura de los mercados y el desarrollo del comercio fomentados por la política europea de cooperación para el desarrollo aumenta la vulnerabilidad de aquellos países que sufren los efectos del recorte, de parte de los países de Europa Central y Oriental que ofrecen productos industriales de mejor calidad por una diferencia de precio menor que la de los países asiáticos que proponen una calidad de mercaderías y una productividad de trabajo equivalentes por un costo inferior.

Fabienne Menegaldo analiza las relaciones comerciales entre los países del Sur y del Este del Mediterráneo (Egipto, Israel, Jordania, Marruecos, Túnez y Turquía) y Europa que han crecido desde fines de los años ochenta. Sin embargo, el déficit de la balanza comercial aumenta entre esos países y la mayoría de países europeos; no se pueden compensar con los efectos de una integración muy débil entre ellos y de una integración más débil aún a la economía mundial. La creación de una zona de libre comercio indica un aumento neto de las importaciones provenientes de Europa que supera las exportaciones. Entonces, ¿cómo puede dicha liberalización beneficiar a esos Estados? ¿Debería dársele prioridad a la oferta competitiva antes de interesarse en los obstáculos del mercado?

Karin Mounamou-Dulac analiza el impacto que tiene el acuerdo de libre comercio entre la Unión Europea y Sudáfrica en la estrategia industrial y la distribución del ingreso en Sudáfrica. Si se mejora el trato de sus productos primarios, la liberalización del comercio con la Unión Europea será beneficiosa para Sudáfrica. Sin embargo, ese tipo de estrategia no tendrá efectos positivos ni en la creación de empleos ni en la distribución del ingreso. El comercio con la Unión Europea provocará una disminución en los salarios de los trabajadores menos calificados y seguramente también aumentarán las desigualdades en los ingresos. Si se quieren obtener ganancias a largo plazo habría que reorientar las exportaciones tanto en el plano geográfico como en el tecnológico y para ello habría que invertirse en la formación para que Sudáfrica se beneficie con una ventaja comparativa. ¿ Acaso no debería buscarse un equilibrio entre esta inversión para el largo plazo que deberá competir con las empresas y las europeas y las inversiones que a corto plazo deberán permitir una competitividad en el mercado regional africano?

El impacto de la asistencia europea sobre la competitividad de las exportaciones africanas lo analiza *Claire Mainguy*. Para mejorar la competitividad, que se calcula por medio del crecimiento de las cuotas de mercado, se juega con los precios: precio de coste, tasas de inflación o realizando ajustes en los tipos de cambio. Sin embargo, al tomar en cuenta los aspectos de calidad y volumen, el campo de la política se amplía y es ahí donde puede ser determinante y singular el papel de la asistencia europea. La incitación a la devaluación para favorecer las exportaciones debe acompañarse de medidas de desarrollo a largo plazo que financien los sectores de infraestructuras, formación y salud con una visión de integración regional.

El crecimiento de Europa hacia los países de Europa Central y Oriental no debería inquietar a los países de América Latina. El análisis realizado por *Peter Nunnenkamp* muestra claramente que las exportaciones de América Latina hacia Europa son complementarias a las que realizan los países de Europa Central y Oriental. Por consiguiente, según el autor, no existe el riesgo de desplazamiento: el porvenir de las relaciones económicas entre América Latina y Europa dependerá de la adopción de reformas durables en las políticas económicas implementadas en los países de América Latina así como del papel de Europa en las negociaciones multilaterales sobre el comercio, más que del crecimiento de Europa.

Finalmente los trabajos de *Tim Lloyd, Mark Mcgillivray, Oliver Morrissey* y *Robert Osei* tratan sobre los vínculos existentes entre el comercio exterior y la asistencia. Basándose en un análisis econométrico de 26 países de África y 4 países de Europa en el período 1969-1995, concluyen que sólo hay muy pocos vínculos de causalidad entre el volumen de la asistencia pública al desarrollo distribuida y el volumen del comercio internacional de los países africanos seleccionados en la investigación.

Para concluir, el análisis de la evolución de las exportaciones de la India hacia la Unión Europea permite destacar los desafíos que plantea el acceso al mercado europeo para los países que no cuentan con un acceso preferencial. En este caso, *Nag Biswajit* muestra mediante la comparación de los indicadores de las ventajas comparativas revelados en los distintos sectores de exportación de la India, que las exportaciones manufactureras más competitivas no encuentran obstáculos arancelarios en el mercado europeo, sino que, por el contrario, están sometidas a barreras no arancelarias. Para que la liberalización del comercio pueda dar frutos se deberán integrar evidentemente esas barreras no arancelarias.

V. Incoherencia de la asistencia

A la Unión Europea le toca también enfrentar el desafío de reforzar la coherencia de sus políticas de cooperación. Analizando las evoluciones recientes en términos de orientación, del nivel y del objetivo de la asistencia, *Larabi Jaïdi* parte de la evidencia confirmada por la mayoría de estudios econométricos y señala que no existe correlación directa entre el nivel de la asistencia y la evolución del PIB per cápita. Todo depende de la implementación de buenas políticas económicas nacionales. Se observa, sin embargo, cierta cantidad de incoherencias en la política de asistencia europea que reduce de plano la eficacia de la asistencia en el crecimiento del PIB. Eso ocurre, por ejemplo, en la eliminación de los obstáculos para el acceso al mercado y el apoyo al desarrollo rural, la política agrícola comunitaria y la asistencia para el desarrollo, la voluntad de controlar los flujos migratorios y el rechazo de utilizar la asistencia como vector del co desarrollo, la debilidad de los recursos destinados a las acciones de integración regional y el proyecto de creación de una zona Euro-Med, la asistencia condicionada y las estrategias de colaboración y el fortalecimiento de capacidades, etc.

Según *Louk de la Rive Box,* la coherencia de las políticas de desarrollo no debe analizarse desde el punto de vista de la organización sino en función del valor intrínseco de las políticas de desarrollo como mecanismo de integración social. Por consiguiente, la incoherencia no se encontraría en la política de desarrollo sino en el conflicto entre ésta y las otras políticas, lo que lo lleva a proponer un análisis de la política de cooperación para el desarrollo independientemente de la teoría de opciones racionales, en la perspectiva de las relaciones con el conjunto de valores sociales que ésta moviliza, en el Norte y en el Sur. Este autor ve una posibilidad de reducir la incoherencia constatada por el surgimiento de grupos de interés público en el Norte y en el Sur, refiriéndose a valores comunes. Por lo tanto, invita a buscar elementos de *"civilatéralité"* que proceden del desarrollo de relaciones entre los grupos de interés público provenientes tanto de los países donantes como de los países beneficiarios. Constata que en la decisión europea que lleva a la elaboración de políticas de cooperación poco influye la opinión pública europea, que dicha decisión no se basa en la noción del valor en común y que, al contrario de lo que sucede en el ámbito nacional; los grupos europeos de interés público tienen poco que ver con su determinación. El único cambio que se podría producir estaría en espera del desarrollo de la cooperación descentralizada y del surgimiento de un proceso de evaluación conjunta (*covaluation*) de las políticas de desarrollo y de sus efectos en las sociedades del Norte y del Sur.

Jean-Pierre Rolland, analiza las pasadas incoherencias entre la política de desarrollo comunitaria y la política agrícola común. La nueva colaboración comercial, que contiene el acuerdo de Cotonou, y la reforma de la política agrícola comunitaria podrían deteriorar aún más la situación. Si Europa desea conservar su modelo agrícola frente a las presiones de los Estados Unidos y del grupo Cairns y los países de ACP desean disponer de márgenes de maniobra para construir sus políticas agrícolas, se impone celebrar alianzas para construir los intereses comunes poniendo en primera fila la seguridad alimentaria y el desarrollo sostenible. Es en ese contexto que se precisa una mejor coherencia entre las políticas.

El análisis de la coherencia de las políticas es tratado por *Fabienne Leloup* desde la perspectiva de la construcción de entidades regionales en África, y sobre todo de la Comunidad Economica de los Estados del Africa Occidental (CEDEAO). ¿Qué coherencia existe entre una construcción regional institucional sostenida por el conjunto de proveedores de fondos y la realidad, muy distinta, de las relaciones económicas transfronterizas? También se pueden captar las incoherencias existentes entre las distintas políticas. Esta situación la ilustra el caso de Uganda presentado por *Emmanuel Rugumire-Makuza*, quien muestra las incoherencias entre los objetivos de una política de seguridad alimentaria y la adopción de programas de ajuste estructural.

Finalmente, *Béatrice Ki-Zerbo* estudia el concepto de coherencia en el caso de Burkina Faso, demostrando que esta búsqueda de coherencia entre los diferentes actores de la cooperación con los poderes públicos nacionales no debe negar la diversidad de las lógicas de cada uno de ellos.

VI. Los nuevos actores de la sociedad civil

La lucha contra la pobreza es el último objeto de las políticas del Banco Mundial ante las cifras alarmantes que muestran la multiplicación de países menos avanzados (PMA) y el aumento en la brecha entre pobres y ricos en todos los países del planeta. *Neil Webster* no se interesa en la pobreza como objetivo sino en la manera en que se entra y sale de la pobreza. Basándose en el estudio de una aldea de Bengala occidental, muestra que los pobres no son simples beneficiarios de una asistencia potencial. Su situación puede transformarse si se conocen los procesos mediante los cuales pueden impugnarse las posiciones económicas, sociales y políticas del poder. Por consiguiente se trata de reconocer a « los pobres » como actores centrales para orientar la naturaleza y el sentido del desarrollo económico, a partir de las estrategias de los hogares. Esto sólo es posible si el Estado se compromete en los campos del derecho, el acceso a los recursos y la separación, en el ámbito local, de los poderes económico y político.

Christian Freres analiza la capacidad que tiene Europa para promover en el resto del mundo una forma de diplomacia y diálogo que pueda competir con el modelo norteamericano dominante en los mercados financieros y volver a cuestionar el uso de armas, por un lado, y los principios de condicionalidad económica, por el otro, en el análisis de las relaciones de cooperación para el desarrollo de los países del Sur. Al notar la prevalencia de intereses territoriales e industriales, el peso acumulado de los Estados miembros en los procesos de decisión y las dificultades de creación de un espacio público europeo, este autor constata que la cooperación con el Sur se ha desarrollado sin que el Parlamento europeo ejerza un verdadero control presupuestal y sin que la Comisión Europea controle siempre sus disfunciones internas.

Paralelamente al desarrollo de los eurogrupos y al florecimiento de asociaciones transeuropeas, se pregunta ¿qué capacidad tienen las ONG para desarrollar los medios para actuar en los ámbitos nacionales y europeos y efectuar un análisis coherente que articule sus posiciones sobre la integración europea con las de los países en vías de desarrollo? La regionalización de la cooperación europea se opone a los esfuerzos de las ONG para definir una estrategia global e instrumentos coherentes. *Christian Freres* se apoya en el estudio de caso de CLONG, cuya campaña durante la preparación de la conferencia intergubernamental de 1995 a 2000 han revelado la dependencia frente a plataformas nacionales y la debilidad de los recursos humanos.

Entre los nuevos actores de las políticas de cooperación destacan las mujeres, ya sea como objeto de un enfoque del tipo *Women in Development* (WID), que las convierte en "medios del desarrollo", o porque son consideradas como "objetivos", como sucede con el enfoque de *Gender and Development* (GAD), que aspira a integrarlas a las políticas como protagonistas de las estructuras sociales, políticas y económicas, que de lo contrario no las tomarían en cuenta. *Mayke Kaag* analiza el aporte de las mujeres en un proyecto de gestión de recursos naturales en Senegal y comprueba que las mujeres tienen una marcada preferencia por proyectos concretos, con resultados inmediatos, en vez de aquellos con resultados diferidos en el tiempo y que su movilización depende de los recursos asignados a la información y la comunicación en un proceso de descentralización que debe concebirse como un ejercicio político y no como una herramienta técnica. *Gudrun Lachenmann* invita a renovar los enfoques previamente mencionados para "encajar" las cuestiones de género en la economía de la sociedad y la cultura y a cambiar los paradigmas en que se sustenta la definición de las políticas de cooperación para el desarrollo. Ella considera la cuestión de género como espina dorsal del análisis de la estructura de los mercados y de las relaciones entre la economía formal y los sectores informales en lo que concierne a las funciones y tareas de reproducción y de subsistencia. Esta autora se basa en el estudio del caso de mujeres consideradas como "grupo vulnerable" en Camerún, en un proyecto de lucha contra la pobreza y desarrollo de la participación.

Carla Risseeuw, propone desarrollar nuevas investigaciones sobre la doble perspectiva de género y de edad para seguir una categoría demográfica: los ancianos, totalmente ignorados en la implementación de políticas de cooperación para el desarrollo en el Sur. Sugiere la elaboración de un estudio comparativo en el Norte y en el Sur, al nivel del ciudadano, la familia y los parientes e invita a los responsables de tomar decisiones, que están bajo la influencia de sus propias concepciones de familia y de género, a no apuntar a una categoría de la población sino a comprender la dimensión relacional en la cual se inscriben las personas, lo que vuelve a poner en el tapete la noción de « familia » que tiene una fuerte connotación cultural.

Buen gobierno

Philippe CADÈNE
Université Paris VII
GEMDEV

En el ámbito de la conferencia, varios autores han analizado los numerosos retos del contenido político de los acuerdos de cooperación para el desarrollo de la Unión Europea. Las ocho ponencias que presentamos en esta sección demuestran que la ayuda para establecer un buen gobierno se perfila como un eje mayor, tanto de las acciones de los gobiernos europeos como de aquellas de gobiernos ajenos a Europa.

Los autores aluden sin cesar, implícita o directamente, al **buen gobierno**. Pese a que en la actualidad dicho término se utiliza en forma genérica, tiene un cariz ambiguo ya que define la totalidad de prácticas políticas que acompañan las reformas vinculadas con los procedimientos de liberalización económica y ajuste estructural, así como aquellas que tratan de establecer las condiciones de funcionamiento de una sociedad democrática.

En las ponencias aparecen otros términos esenciales que aclaran la realidad de los retos derivados del establecimiento del buen gobierno en los países objeto de la cooperación y ponen de manifiesto, de manera concreta, la importancia y las dificultades que encaran, en los albores del tercer milenio, las relaciones de cooperación entre los países del Norte y los países del Sur.

El término **Estado** es utilizado con frecuencia. En efecto, los servicios públicos siguen siendo determinantes para el funcionamiento de los acuerdos de cooperación y de la gestión de la ayuda, área en la cual los gobiernos desempeñan un papel primordial.

El término **sociedad civil** aparece varias veces para referirse a organizaciones intermediarias, formales o no, que mantienen o crean los lazos indispensables para el establecimiento del buen gobierno entre instituciones públicas e instituciones privadas.

Suele citarse el término **democracia**. Aun cuando todos los autores concuerdan en su deseo de que existan regímenes políticos que otorguen a las poblaciones el derecho de escoger ellas mismas a sus dirigentes, varios autores ponen en tela de juicio la voluntad, tanto de los dirigentes de los países del Norte como de aquellos de los países del Sur, para establecer verdaderos sistemas democráticos. Estos términos determinan los cuestionamientos que plantean los siguientes autores: A. Saldomando, A. Wittkowsky, E. Braathen, D. Fino, S. S. Eriksen, R. Akinyemi, G. Crawford, M. Koulibaly.

I. Condiciones y contenido de un buen gobierno

Tres autores analizan, de manera específica, el significado de esta nueva dinámica política llamada buen gobierno, por cuyo establecimiento todos parecen hacer votos en la actualidad. Tratan de determinar, además, las condiciones de funcionamiento de un buen gobierno.

El texto de *Angel Saldomando*, titulado « Coopération et gouvernance, une analyse empirique » (Cooperación y buen gobierno, un análisis empírico), se concentra en ese tema. El autor opina que el buen gobierno no es una preocupación reciente y afirma que todas las sociedades han debido y deben encontrar una organización y un funcionamiento que les permita asegurar su reproducción. Las soluciones - explica - varían de acuerdo con la época y el tipo de sociedad, aunque en la actualidad existe un nuevo elemento y el problema debe resolverse dentro del marco de dos estructuras sociales dominantes: el mercado y la democracia. Todas las iniciativas que apuntan al establecimiento de un buen gobierno comparten la siguiente convicción: si llega a fallar la organización de dicha relación, puede llegar a desencadenarse una crisis interna o económica cuyas consecuencias podrían ser nefastas para la democracia, y por ende para los grupos sociales más numerosos y vulnerables.

El autor analiza todas las definiciones del término buen gobierno y señala que, en general, plantear el problema del buen gobierno lleva a encontrar la manera más exitosa y eficaz de articular y conducir la relación entre mercado y democracia. El buen gobierno democrático - explica - se ha convertido en un importante parámetro para evaluar la viabilidad de la situación política de un país, las posibilidades de éxito de los planes nacionales, así como las decisiones relacionadas con la cooperación y la inversión privada. Se perfilan, sin embargo, algunas tensiones: la búsqueda del buen gobierno tiene lugar en el marco de un modelo dominante de democracia convencional de tipo liberal y de economía de mercado abierta, flexible y sin restricciones; la interacción entre gobierno y sociedad no parece evidente; no es fácil establecer un desarrollo social y espacial justo y las presiones de la globalización llevan no sólo a homogeneizar políticas y mercados, sino también a promover modelos de Estado y gobierno que no han sido elegidos por la población.

Angel Saldomando identifica, sin embargo, cuatro tipos de buen gobierno que corresponden a necesidades específicas en materia de estrategias locales y cooperación: el buen gobierno que en el marco de las presiones en favor de la globalización permite ajustar y llevar a cabo reformas económicas; el buen gobierno que aumenta la eficiencia institucional estableciendo la prioridad de la reforma del Estado; el buen gobierno que en un proceso de cambio favorece la redistribución del poder y la integración de los grupos excluidos y el buen gobierno para el

---

desarrollo cuya prioridad es establecer compromisos de fondo compatibles con el progreso económico y social.

El autor considera que es indispensable evaluar el buen gobierno y para ello propone cuatro presupuestos sistémicos clave: el impacto social positivo de la economía, que contribuye al avance de la integración social; el mejoramiento de las relaciones sociales, que se manifiesta en una mayor flexibilidad, incluyendo aquella del sistema político; la capacidad tanto institucional como política para gestionar y resolver conflictos; así como la credibilidad de las instituciones y la percepción de resultados concretos en el funcionamiento de la sociedad. Después, aplica dichos principios al análisis de la situación de los países de América Latina.

Andreas Wittkowsky analiza también el tema en su artículo "Transition, governance and aid: the dilemma of Western assistance to slowly transforming countries" (Transición, buen gobierno y ayuda: el dilema de la asistencia occidental para los países en vías de lenta transformación) y evalúa la ayuda acordada por los países occidentales, sobre todo por los países europeos, a diferentes estados del Sur. En su opinión, la ineficacia de la asistencia occidental para los países en transición se debe al mal gobierno imperante en dichos países. La asistencia debe conducir a un buen gobierno y es por ello que los proveedores de fondos occidentales tratan de apoyar a las instituciones modernas, pero la tarea es difícil e incipiente.

Para la cooperación de la Unión Europea el artículo subraya, además, que los problemas de gestión de los países donantes merman aún más el impacto de la asistencia. En el futuro - asegura - la ayuda deberá tratar de alcanzar objetivos realistas, tener estrategias a largo plazo, aprovechar las enseñanzas mutuas, analizar con suma atención las estrategias de los distintos actores, sobre cuando no se trate de actividades públicas; ser selectiva, acumularse y no ser gastada en un plazo demasiado corto y su gestión deberá tener un decidido control político. Los países donantes deben, en todos los casos, aceptar cierto nivel de riesgo y fracaso;

comprender, sobre todo, la importancia del aspecto simbólico de la ayuda y estar conscientes de que reducir o suprimir la ayuda por causa de mal gobierno es imposible ya que se corre el riesgo de agravar aún más la situación.

El texto de **Einar Braathen**, « Democracy failure in Africa ? Voter apathy versus bad governance in the first-ever local elections in Mozambique » (¿El fallo de la democracia en Africa? La apatía de los electores vs. el mal gobierno en las primeras elecciones locales organizadas en Mozambique), trata el tema del buen gobierno analizando las primeras elecciones locales realizadas en Mozambique, país que después de las primeras elecciones pluripartidarias organizadas en 1994 logró la más exitosa transición democrática de Africa y cuyos electores, cuatro años después, se desinteresaron de las elecciones locales.

¿Se desgastó acaso la democracia? De ser así, ¿qué responsabilidad tienen los estados donantes? El estudio demuestra que la democracia, incompleta desde que fue establecida, estuvo dominada por la vieja élite política y que después del proceso de liberalización política no fueron reestructuradas las instituciones político-administrativas. La abstención es, de hecho, una protesta de masa - bastante sana - y una respuesta lógica de cara al mal gobierno. El papel de los países donantes fue más bien pasivo y negativo. La Unión Europea, el principal financista, se interesó sobre todo en el desarrollo de las elecciones y no en el funcionamiento de la democracia.

De esta experiencia se desprenden siete lecciones para la democratización en Africa: no se puede dar por terminada la transición hacia la democracia hasta que no se realice una segunda elección, de preferencia local, y no se establezcan instituciones político-administrativas pluralistas en todo nivel; la organización de elecciones debe ser justa, sobre todo en el caso de Estados patrimoniales; se debe dar mayor importancia a la descentralización democrática; el bajo nivel de participación puede también interpretarse como una señal de madurez política de los electores, no sólo como una señal de desinterés por el voto; la educación cívica es una necesidad; los partidos políticos están poco desarrollados y son poco democráticos por lo que la confianza de la población en el mundo político es relativa; sólo puede existir legitimidad de la administración electoral si los miembros de la sociedad civil y de los partidos de oposición participan en la organización de las elecciones.

II. Papel de las instituciones estatales y de los servicios públicos

Daniel Fino, en su artículo titulado « La coopération et le renforcement des services publics africains : atouts et limites » (La cooperación y el fortalecimiento de los servicios públicos africanos: ventajas y límites), trata de demostrar el carácter ineludible de los servicios públicos en el establecimiento de una eficaz cooperación internacional para el desarrollo (CID). Explica el proceso de transición de la cooperación con los Estados a la cooperación con las organizaciones no gubernamentales, que ha llevado a descuidar las relaciones institucionales. Afirma, sin embargo, que los Estados ni insoslayables, ni indispensables para proporcionar un marco jurídico, resolver conflictos, coordinar las intervenciones de interés público y proporcionar los servicios básicos (salud, educación, etc.).

Basándose en el análisis de ocho programas de cooperación en Africa, el autor define cinco dilemas, que representan igual número de retos importantes. ¿Cómo hacer coincidir objetivos a corto plazo y objetivos de cambios a largo plazo, como el desarrollo institucional, por ejemplo? ¿Cómo estructurar una organización de apoyo sencilla, que permita asimismo gestionar un proceso complicado? ¿Cómo cambiar de un modelo de *management*, que en gran medida proviene de una lógica de asociado externo, a un proceso adecuado para las instituciones locales? ¿Cómo navegar entre confianza y control para organizar los flujos financieros? En lo que a reforma del aparato administrativo se refiere, ¿cómo actuar de manera concreta y específica e influir al mismo tiempo el contexto general?

El artículo examina la manera como la CID puede contribuir eficazmente al proceso de modernización de los entes administrativos africanos, sin por ello aumentar su dependencia. ¿Puede desempeñar la cooperación para el desarrollo un papel determinante, respaldando a actores clave como los entes administrativos? Para ello se necesitará contar con la voluntad del asociado proveedor de fondos y del asociado local. Parece factible lograr que el proceso de respaldo institucional sea más efectivo, que los entes administrativos sean más eficaces - sobre todo en lo que al control de herramientas de *management* respecta - y que las relaciones entre la administración y la sociedad civil sean más abiertas. Parece también posible que el servicio público sea más profesional. Las posibilidades de ejercer una verdadera influencia sobre la situación presupuestaria y la gestión de los recursos humanos son limitadas. Aun cuando el papel que desempeña la CID parece bastante modesto, la experiencia es beneficiosa para los actores que en ella participan y también para los países, que consiguen ser menos dependientes.

Así pues, la eficacia de los poderes públicos es condición *sine qua non* para cualquier desarrollo. *Stein Sundstøl Eriksen* confronta en su ponencia las competencias de entes administrativos locales de Tanzania y Zimbabué. Su artículo "Comparing council capacity: administrative capacity in a Tanzanian and a Zimbabwean council" (Comparación de la capacidad de los concejos: capacidad administrativa de un concejo de Tanzania y otro de Zimbabue", se basa en encuestas realizadas en sendos distritos de cada uno de esos países y analiza las competencias de los poderes locales para movilizar y utilizar, de manera eficaz, tanto recursos económicos, como colaboradores cualificados. La situación de Zimbabue parece ser mejor que la de Tanzania, lo que sin lugar a dudas se debe a que el distrito estudiado en Zimbabué goza de mejores condiciones económicas; sin embargo, la presencia en ambos casos de suficiente personal competente demuestra la importancia de una clara separación de los intereses públicos y privados por una parte y del ámbito administrativo y la política, por la otra. Es el caso en Tanzania, pero en Zimbabué la situación - mucho más confusa - afecta la capacidad de desarrollo del país ya que el incremento de los recursos económicos no se refleja forzosamente en el aumento de las actividades administrativas. Para que dicha situación dé un giro positivo, los funcionarios deberían gozar de mejores condiciones de vida, lo que por ende los llevaría a depender menos del sector privado. En el plano político, sin embargo, los bloqueos se originan en la dificultad de realizar reformas que puedan afectar a las personas que se benefician de dicha situación.

III. Existencia y lugar que ocupa la sociedad civil

Rasheed Akinyemi, en su ponencia titulada "Civil society and the struggle for political space. The case of Zimbabwe » (La sociedad civil y la lucha por ganar espacio político. El caso de Zimbabue), examina la importancia de la sociedad civil para establecer un sistema democrático en aquellos países en los que la vida política está por construirse. El autor, quien discrepa con el planteamiento que sostiene que la sociedad civil debe oponerse constantemente al Estado, afirma - al mismo tiempo - que ésta no debe emanar de las estructuras estatales y define a la sociedad civil como un agente del cambio social que se encuentra localizado entre los sectores público, privado y el Estado por un lado y la sociedad, por el otro, en una suerte de tercera esfera que algunos investigadores sitúan en el ámbito político y otros en el ámbito económico.

Rasheed Akinyemi considera que la sociedad civil es un conglomerado de organizaciones cívicas, tanto formales como informales, que representan los intereses de sus miembros en el campo de la actividad social, política, económica y cultural, que no necesariamente se yuxtapone a las instituciones estatales, aunque está dispuesta a ejercer presión sobre el Estado o a prestarle el apoyo necesario. El objetivo principal de la sociedad civil, en el sentido más lato, es establecer relaciones pacíficas entre el Estado y la sociedad.

Tal como sucede en todas las sociedades, en los países africanos el sector asociativo conoce un pujante desarrollo - aunque ahí éste tiene poco impacto en la dinámica de la política -, vinculado con la relación particular que existe, en la región, entre el Estado y la sociedad, aunque cabe señalar que se está produciendo un cambio. Las asociaciones ya no defienden únicamente intereses particulares, étnicos o religiosos, se interesan en temas más universales como los derechos humanos, la igualdad de género, la protección del medio ambiente o los valores democráticos. Está en marcha una verdadera sociedad civil, que adopta la forma de diversas organizaciones tradicionales, culturales o religiosas.

Dichas organizaciones, sin embargo, suelen estar integradas a estructuras estatales, partidos políticos o compañías privadas. Pese a que es imposible que la sociedad civil conserve una total autonomía, en su calidad de actriz capaz de impulsar la vida política y la democracia, ésta corre el grave peligro de desaparecer, por lo que es necesario apoyarse tanto en las organizaciones que trabajan en los barrios urbanos y en los pueblos, como en aquellas cuya acción se centra en las mujeres. En Africa el camino por recorrer es largo debido a la falta crónica de dinero y competencias y también a que los países siguen dependiendo de la asistencia exterior.

IV. Ambigüedad de las relaciones entre asistencia exterior y democratización

Dos artículos sumamente distintos analizan el contenido político de la acción de cooperación.

Gordon Crawford, en su ponencia titulada "Promoting democratic governance in the South" (La promoción del buen gobierno democrático en el Sur), estudia la manera como los gobiernos de los países del Norte promueven la democracia a través de mecanismos de ayuda para el desarrollo y se interesa, además, en las interpretaciones que de la democracia hacen dichos países, así como en sus motivos subyacentes.

Formula varias preguntas: ¿Se limita la promoción de la democracia a una versión estrecha y procesal? ¿Se propone acaso un modelo occidental? ¿Forman dichos programas parte de un proyecto global de hegemonía occidental? Y para responderlas evalúa y compara los programas de asistencia de cuatro donantes: el gobierno sueco, el gobierno británico, los estadounidenses y la Comunidad Europea. Sus conclusiones son de tres tipos: pese a que han sido asignados importes nada despreciables para organizar elecciones, y entre otras cosas apoyar a instituciones derivadas de sociedades civiles, dichas acciones adolecen de coherencia. Los países donantes suelen promover su propio sistema político. En cuanto a las tendencias hegemónicas de los países donantes, el tema es mucho más ambiguo ya que aun cuando los países del Norte puedan sentirse tentados por la experiencia, ésta sigue siendo un proyecto. Existen estrategias contrarias cuyo objetivo primordial es aumentar la capacidad de los países del Sur para determinar sus propios programas de asistencia en el área política, incluyendo la consolidación del diálogo democrático en el ámbito nacional.

Mamadou Koulibaly, en su ponencia titulada « Nouvelle réglementation internationale : une occasion d'en finir avec l'affection cynique ? » (Nueva normativa internacional: una oportunidad para terminar con la afección cínica), se concentra en los retos que plantean al Africa negra las nuevas normativas. Con respecto a las relaciones internacionales, deja claro que las reglas de funcionamiento y acción de las instituciones son tan importantes como su accionar. Afirma que la elaboración de nuevas reglas sólo podrá ser beneficiosa para Africa en la medida en que éstas permitan acabar con el cinismo, matizado de altruismo y sentimiento afectivo, de las antiguas normativas. En las postrimerías del siglo, todo parece confirmar que los intercambios establecidos con los países europeos desde la época de la descolonización han timado y condenado a la ineficiencia a las economías africanas. Cabe señalar la estrechez de dichos lazos - que el Sur no soporta y al Norte incomodan - con la herencia colonial. La ayuda para el desarrollo, cuyo objetivo era financiar el desarrollo africano, ha provocado la crisis de endeudamiento; los programas de ajuste estructural, cuyo objetivo era encontrar soluciones para la crisis de endeudamiento y hacer lo necesario para que las economías africanas pudieran pagar la deuda, han conseguido que Africa se convierta en un continente de Estados asistidos, pordioseros, violentos, mediocres e inestables.

Después de romper, tanto en el Norte como en el Sur con las situaciones de rentas, es necesario definir una nueva colaboración y acabar con el proteccionismo administrativo y legislativo en Africa. Las nuevas colaboraciones deberán definir las relaciones directas entre pueblos, población, hombres de negocios, ciudadanos y campesinos sin que macrointermediarios como los Estados se atribuyan papeles distintos al de facilitador. En efecto, el progreso programado por las relaciones internacionales no puede sino desembocar en las peores catástrofes. La pobreza en Africa ya ha durado demasiado. ¿Estamos dispuestos a ensayar algo distinto? ¿Algo que le dé alas a la esperanza e invite a soñar con el progreso? ¿Qué es ese algo distinto?

Tecnologías y políticas

Patrick SCHEMBRI
Institut de Recherche pour le Développement (IRD), Paris
Université de Versailles - Saint-Quentin en Yvelines,
Centre d'Économie et d'Éthique pour l'Environnement
et le Développement (C3ED)
GEMDEV

Frente a las dificultades que plantea la globalización en la actualidad, los retos de la cooperación tecnológica entre la Unión Europea y los países en desarrollo van mucho más lejos que el criterio único de los condicionantes. El tema fue tratado en varias ponencias presentadas en la Conferencia General de la EADI "Europa y el Sur en los albores del siglo XXI: retos y renovación de la cooperación". Forma parte de la *"voluntad de desarrollar compromisos contractuales recíprocos"* que excede la ayuda tradicional en lo tocante a tecnología y finanzas. Además, dichas ponencias se refieren a la *"necesidad de redefinir la complementariedad entre el Estado y el mercado cuando se promueven las políticas tecnológicas"* y proponen orientar la cooperación entre la Unión Europea y los países en desarrollo en dos direcciones.

Esa cooperación debe concentrarse, antes que nada, en mejorar y difundir los conocimientos técnicos. En efecto, una porción considerable de los mecanismos que rigen la innovación, la difusión y el adueñamiento de las tecnologías se originan en la imitación y otros comportamientos de mimetismo, o incluso provienen de la amplitud de los efectos de aplicación del saber técnico. Nos permitimos agregar que esos mecanismos no son fruto únicamente de las actividades de investigación y desarrollo, también pueden nacer de un cambio en los papeles atribuidos a los recursos productivos de la empresa o a una innovación en la organización. Por último, dichos mecanismos pueden provenir de alianzas estratégicas entre empresas con niveles de competencia distintos o entre países con niveles de desarrollo divergentes.

Debe, también, focalizarse en la elaboración de nuevos medios para realizar transferencias financieras y tecnológicas que beneficien a los países del Sur y de Europa Oriental, aun cuando a gran escala esas transferencias no puedan existir si las economías de esos países no integran las reglas de funcionamiento del comercio internacional. Desde la perspectiva tecnológica, es importante diferenciar, en las relaciones entre el Norte y el Sur, las condiciones necesarias para poner en marcha una inversión de innovación y aquellas relativas a su absorción por el sistema socio-económico. En la medida en que la absorción misma constituye una condición necesaria para llevar a la práctica las futuras inversiones, esta diferenciación sigue siendo primordial.

I. Transferencias de tecnologías y convenios de cooperación tecnológica

Shyama V. Ramani, Mhamed-Ali El-Aroui y *Pierre Audinet* estudian el papel de las transferencias de tecnologías en el sector de las biotecnologías en la India. No analizan las transferencias desde la perspectiva tradicional de las compañías multinacionales, sino más bien desde aquella, más original, de las redes auto organizadas de cooperación entre las empresas y los países desarrollados y en desarrollo. Los autores destacan el siguiente problema: ¿Pueden las colaboraciones tecnológicas entre los países en desarrollo y el resto del mundo ser un vector potencial de integración de las biotecnologías en el sistema de producción de las empresas indias?

Los autores utilizan el ejemplo de la India para explicar que los estímulos para cooperar se afianzan en la escasez y los aspectos complementarios de los activos, los recursos y las competencias que, en el marco de la colaboración entre empresas indias y empresas extranjeras, pueden combinarse. Aun considerando que dichos aspectos complementarios entre empresas indias y empresas extranjeras existan, no se puede hacer caso omiso de los fundamentos estratégicos que subyacen la cooperación internacional y de cuyo análisis para la cooperación tecnológica se desprenden dos recomendaciones en el ámbito político:

- Europa y la India deberían reflexionar juntas sobre cómo mejorar la circulación de la información para facilitar el intercambio de las competencias internas de las empresas y alentar la cooperación entre las empresas;

- la India tiene que desarrollar una política que atraiga a empresas extranjeras con un alto nivel de competencias y también establecer alianzas estratégicas entre dichas empresas y las empresas indias.

De hecho, con el rápido desarrollo de las nuevas tecnologías las empresas corren el riesgo de detentar sólo parte del saber necesario, por lo que deben fomentar la circulación de la información tejiendo relaciones de solidaridad entre los participantes y buscando convergencias tecnológicas. Dado que las tecnologías de la información favorecen la gestión coordinada de los diversos segmentos del ciclo productivo, la incertidumbre y los costes fijos de la innovación están mejor repartidos entre las subunidades de la red y por ende la empresa que actúa como eje reduce la duración del aprendizaje y el coste de aplicación de un proyecto tecnológico. Su orientación estratégica se dirige hacia la promoción de economías de escala y la articulación de unidades productivas dotadas de una integración vertical y un control financiero.

Hablar de la evolución de los mecanismos que rigen la innovación, la difusión y la apropiación de las tecnologías es, entonces, fundamental y *Shyama V. Ramani, Mhamed-Ali El-Aroui* y *Pierre Audinet* demuestran que el saber técnico puede transmitirse de una empresa a otra gracias a los efectos de aplicación (o a los factores exógenos), a las transacciones comerciales o a las alianzas estratégicas. Las transacciones comerciales mantienen estrechos lazos con la compra de tecnologías, mientras que las alianzas estratégicas se relacionan más bien con formas de cooperación técnica. Estas últimas difieren en gran medida de las compras de tecnologías ya que implican el control común de los recursos que se utilizan durante un periodo de tiempo comúnmente aceptado, así como el establecimiento de redes de cooperación, a través de compromisos contractuales formales e informales, entre los diferentes agentes involucrados.

Andrea Szalavetz utiliza la economía húngara como marco de análisis y cuestiona abiertamente el método de lectura utilizado comúnmente para tratar esos mecanismos. El autor señala que la reciente transformación cualitativa de las actividades de investigación y desarrollo tanto de la economía húngara, como la de todos los países de Europa oriental, no puede describirse únicamente a partir de datos cuantitativos. Cabe señalar que dichos datos subestiman la capacidad de absorción de las tecnologías de origen extranjero. Los análisis empíricos realizados sobre este tema no mencionan las transferencias relacionadas con el saber organizativo y los métodos de gestión de la producción, los cuales caen más bien en el campo de los activos intangibles. En el mismo orden de ideas, *Victor Krassilchtchikov* explica que los mecanismos de innovación, difusión y apropiación de las tecnologías no pueden ser evaluados únicamente a partir del importe de los gastos de investigación y desarrollo; la asignación de dichos gastos y el marco institucional en el que operan siguen siendo variantes igualmente fundamentales.

Observa, también, que la mayor parte de las inversiones extranjeras directas se concentran en empresas locales cuyas actividades siguen estando relativamente enclavadas, por lo que dichas transferencias dan lugar a la constitución de un capital "congelado" que no se utiliza para fomentar actividades productivas locales. Refiriéndose a las actividades de las empresas multinacionales, hace la diferencia entre las que tienen que ver con la transferencia de tecnologías y aquellas que afectan el desarrollo de las capacidades locales de innovación. El autor explica que debido a la separación geográfica existente entre las actividades de investigación y desarrollo y aquellas de producción, las innovaciones, ya sean radicales o progresivas, tienden a desarrollarse en zonas geográficas distintas. Deduce, por ende, que cuando se evalúa la capacidad para apropiarse de las tecnologías, cualquier forma de cooperación Norte / Sur debe tener en cuenta la dimensión espacial.

II. Los aspectos complementarios del Estado y el mercado en la promoción de las políticas tecnológicas

Mani Sunil hace referencia a los papeles del Estado y el mercado en materia de innovación tecnológica y demuestra que numerosas economías en desarrollo no acuerdan suficiente importancia a la función que desempeñan las políticas de innovación tecnológica para apoyar y orientar las actividades inventivas, pese a que todos reconocen que dichas políticas son fundamentales para que puedan crecer exitosamente las economías, tanto desarrolladas como emergentes. La explicación de esta situación es que la tecnología es percibida como un factor exógeno proveniente de la globalización económica, sobre la cual el Estado no tiene ninguna influencia. Asimismo, es necesario tener en cuenta la tendencia de los poderes públicos a desvincularse de la regulación de la actividad económica, un fenómeno que se viene observando desde hace varios años. El autor demuestra que en el campo de la tecnología, sin embargo, la acción pública de ninguna manera sustituye a la iniciativa privada; al contrario, la complementa. En efecto, cualquier esfuerzo de innovación tecnológica debe tener en cuenta los imprevistos que pueden afectar la capacidad de apropiación de la economía anfitriona. *Mani Sunil*, señala, además, que cualquier compromiso de innovación debe ser contemplado en una perspectiva a largo plazo y es precisamente allí - añade - donde las políticas públicas revisten mayor importancia, ya que reducen los fallos del mercado y aseguran la relativa adecuación entre la demanda y la oferta de las tecnologías que podrían ser apropiadas.

Al analizar las modalidades de inserción de las tecnologías de información y comunicación en el tejido socio-territorial de los países del Africa subsahariana, *Annie Chéneau-Loquay* formula una pregunta fundamental: ¿Se puede considerar que dichas tecnologías son el vector del desarrollo de las actividades de producción de base? O al contrario, ¿incrementan aún más las desigualdades sociales y espaciales, tanto internas como externas? Pese a que todas las organizaciones internacionales o de cooperación regional han revisado recientemente sus políticas para darle un lugar primordial a las nuevas tecnologías, subsiste el tema crítico de sus modalidades de inserción.

En los países nórdicos se suele pensar que las tecnologías de información y comunicación contribuyen al desarrollo económico de los países en desarrollo y facilitan su acceso a los mercados mundiales. Esta idea reduce, sin embargo, el problema de la inserción únicamente a su necesidad de contar con políticas aun más liberales, a la desvinculación progresiva del Estado y a la privatización de los principales sectores de actividad. Confirma también esta orientación la voluntad de atraer flujos de inversión extranjeros directos, de tal suerte que los países en desarrollo aparecen, antes que nada, como un mercado potencial para los países desarrollados, pero no tanto como una oportunidad - igualmente potencial - de desarrollo. Para acceder a los mercados mundiales - observa el autor pertinentemente - es indispensable contar con ciertos bienes de equipamiento que contribuyen a desarrollar la capacidad para absorber las nuevas tecnologías de información y comunicación.

En el mismo orden de ideas, *Jin W. Cyhn* - quien describe las principales características del modelo coreano de desarrollo económico - señala que la capacidad de aprendizaje de la industria de bienes de equipamiento sigue siendo fundamental. Dado que esta industria se encuentra en el centro mismo del sistema productivo, es el principal vector de difusión de tecnologías, incluso cuando éstas se importan del extranjero a través de inversiones extranjeras directas o de inversiones estructuradas en el territorio nacional. A este respecto, *Shyama V. Ramani, Mhamed-Ali El-Aroui* y *Pierre Audinet* explican que la India ha favorecido la creación de conocimientos en los campos agrícola y agroalimentario, en detrimento de la industria de bienes de equipamiento. En este sector industrial, salta a la vista la asimetría de conocimiento existente entre las empresas indias y las empresas extranjeras, por lo que a final de cuentas dicha asimetría podría dar lugar a un verdadero coste de oportunidad para la economía india.

Generalizando estos propósitos a eventuales formas de capitalismo, **Victor Krassilchtchikov** demuestra que el periodo actual, que él califica de época postmoderna, se distingue por el cruce de dos fases de la evolución tecnológica. La primera, basada en un modo de desarrollo económico que toca a su fin, caracterizado por tecnologías que utilizan intensamente recursos energéticos y materiales, fomenta la concentración de unidades de producción y los efectos de escala. La segunda, simbolizada por las tecnologías de información y comunicación, está en pleno auge y desplaza la producción capitalista hacia el saber y sus distintas orientaciones: formación, actividades de investigación y desarrollo, organización, exploración de mercados, etc. Al desarrollar el componente intangible de las distintas actividades se consiguen economías de energía, tiempo y espacio, pero no cesan de aumentar al mismo tiempo los gastos de investigación y desarrollo, concepción, publicidad, marketing y servicios financieros.

Al analizar con mayor detenimiento el aumento del componente intangible en las actividades de producción, consumo e innovación, se comprueba que éste induce tres tipos de mutación en los sistemas de producción: uno **funcional,** vinculado con la importancia de las relaciones en las combinaciones productivas, en las que los conjuntos tradicionales enclavados ceden el paso a conjuntos integrados de producción; uno **organizativo** ligado a las modalidades de circulación y tratamiento de la información en las empresas integradas y uno **estructural** asociado a la composición y dimensión de las industrias y de otros sectores de actividad. Así, la política de liberalización de los intercambios internacionales y la dimensión de la competencia, que pasa a ser mundial y por ende se afianza, incitan a las empresas a producir aun más para poder repartir sus gastos fijos y disminuir sus costes unitarios.

Para disfrutar de los frutos de esta reciente revolución tecnológica, sin embargo, los países deben contar con cierta capacidad de absorción e innovación. Aquellos países que no la tienen corren el riesgo de encarar un retraso duradero, que puede llegar a provocar una forma de polarización de la economía mundial. ***Andrea Szalavetz*** demuestra que dicho retraso desvirtúa profundamente la posición competitiva de los países en desarrollo y, de cierta manera, contribuye a marginar las unidades locales de producción en los mercados mundiales. Es así precisamente como las actividades locales de investigación y desarrollo entran en una lógica de adaptación pura.

Haciendo referencia al contenido mismo de los convenios de cooperación tecnológica entre la Unión Europea y los países en desarrollo, ***Shyama V. Ramani, Mhamed-Ali El-Aroui*** y ***Pierre Audinet*** señalan que las asimetrías tecnológicas observadas entre el Norte y el Sur no sólo afectan el acervo técnico de las empresas, sino también el acervo científico de los laboratorios públicos de investigación. Ponen asimismo en relieve la ausencia de relaciones entre esos laboratorios y las empresas privadas, la pequeñez del mercado de capitales, y en general la insuficiencia de los recursos que invierten el Estado y las empresas para crear conocimientos. En lo que a modalidades para apropiarse de las nuevas tecnologías de información y comunicación respecta, ***Annie Chéneau-Loquay*** identifica los eventuales peligros de una inserción no controlada y señala que ésta conlleva un marcado riesgo de que se eluda el territorio y se esquive la ley. En el plano territorial - afirma - se cuestiona la escala misma del Estado y la nación. Dichas tecnologías pueden constituir, por un lado, un elemento para un control más riguroso de los países del Norte sobre el potencial de desarrollo de los países del Sur, y por el otro, fomentar la proliferación de entes que funcionen aislados de su territorio local, pero vinculados con el mundo exterior.

Medio ambiente

Philippe MERAL
Institut de Recherche pour le Développement (IRD), Madagascar
Université de Versailles - St Quentin en Yvelines, Centre
d'Économie et d'Éthique pour l'Environnement
et le Développement (C3ED)
GEMDEV

En los albores de la celebración del décimo aniversario de la conferencia de las Naciones Unidas sobre Medio Ambiente y Desarrollo, los debates sobre medio ambiente y recursos naturales entre los países desarrollados y los llamados países en desarrollo siguen siendo de actualidad. Con respecto de las amenazas globales, sin embargo, ya no se trata de debatir sobre la oportunidad de contar con políticas medioambientales en países que no tienen la capacidad, o que incluso no perciben el interés del concepto de desarrollo sostenible, sino más bien de discutir sobre las modalidades de aplicación de las herramientas disponibles, como por ejemplo: el mecanismo de desarrollo limpio, la gestión comunitaria de los recursos o los acuerdos de bioprospección. Nos encontramos actualmente en un periodo de capitalización de experiencias en el que las conferencias científicas, al ofrecer una visión más bien técnica que filosófica, revisten gran interés. Las ponencias presentadas durante la conferencia general de la EADI, que comparten esa característica, se orientan en tres direcciones distintas:

- la pertinencia y el lugar que ocupan las herramientas económicas tradicionales en la gestión medioambiental actual (S. Benc, A. Pisarović y A. Farkăs; B. Jacobsen; J. Holm-Hansen);

- la importancia de la comunidad local en las modalidades de aplicación del desarrollo sostenible (J. Martinez-Allier; V. Aguilar Castro; V. Carabias; G. Cruz, P. Junquera y D. Maselli; P. d'Aquino);

- las oportunidades y los límites de la globalización en el establecimiento de políticas medioambientales (S. Ramani, M.-A. El-Aroui y P. Audinet; J. Wiemann; D. C. Karaömerlioglu; A. Michaelowa y M. Dutschke; U. Grote).

I. La pertinencia y el lugar que ocupan las herramientas tradicionales en la gestión medioambiental actual

Sanja Benc, *Anamarija Pisarovic* y *Anamarija Farkas* hacen hincapié en la dimensión económica de la protección del medio ambiente. Su análisis, aplicado a la excesiva explotación de los recursos forestales croatas debido al incremento de las necesidades en madera para la construcción, trata de evaluar los costes y beneficios económicos de la protección y la gestión sostenible de los recursos. Los autores, que se valen de la relación coste / beneficio, y sobre todo del método de costes de transporte, para analizar el valor económico de los bosques, concluyen que el análisis de los servicios forestales con frecuencia se ha concentrado en las dimensiones hidrológica, climática y turística, dejando de lado la dimensión económica. Más allá de los resultados, examinan la pertinencia de dicho análisis y señalan que los límites del análisis coste / beneficio arrojan dos conclusiones: el método económico no debe aplicarse como tal, sino más bien como un elemento del proceso de decisión y ello debe llevar a los investigadores a mejorar sus procedimientos.

Birgit Jacobsen analiza el funcionamiento teórico y real de los sistemas de subastas de madera. Se supone que esta técnica, para la cual el autor identifica cuatro variantes, refleja la verdadera "cotización" de la madera y - dado que favorece una gestión comercial - se sitúa en una visión monetaria del medio ambiente y los recursos. Partiendo de las subastas de lotes de explotación a corto plazo de los bosques en la región de Mourmansk, en Rusia, el autor encuentra que el sistema adolece de dos dificultades: en el nivel local existen grandes riesgos de colusión debido al número limitado de actores y en el nivel regional su eficacia disminuye debido a los plazos y al peso de la burocracia. El autor cuestiona la sostenibilidad de dicho sistema y se pregunta si no sería mejor regir la explotación de los bosques por medio de convenios de larga duración. Señala que en Rusia los riesgos económicos y comerciales son inmensos y concluye diciendo que el éxito de tales contratos no parece estar asegurado.

Jørn Holm-Hansen trata, en su artículo, la evaluación *ex ante* de las políticas públicas medioambientales. Partiendo del ejemplo de una ciudad en Letonia, el autor evalúa la capacidad de los instrumentos de gestión medioambiental para cumplir con su objetivo: modificar los comportamientos teniendo mejor en cuenta al medio ambiente. Este artículo estudia dos instrumentos de las políticas medioambientales: los económicos y la reorganización medioambiental. Analiza los grupos objeto de la política medioambiental (el ayuntamiento, incluyendo a ediles, administración y servicios municipales) y diserta sobre las posibilidades y los escollos que encuentra una ciudad de tamaño medio para contar con instrumentos de políticas públicas medioambientales.

II. La importancia de la comunidad local en las modalidades de aplicación del desarrollo sostenible

Juan Martinez-Allier propone un sistema de lectura de las distintas corrientes de pensamiento sobre el medio ambiente presentes en el ámbito internacional y realiza un detallado análisis que le permite concentrarse en el enfoque de la ecología política. La idea sobre las relaciones entre el hombre y su entorno que defiende dicha corriente difiere de las que manejan la *Deep Ecology* - que él considera romántica - y la ortodoxia económica - que califica de *Gospel of eco-efficiency*. La ecología política rehúsa considerar el medio ambiente y los recursos como el objeto final de la reflexión y prefiere concentrarse en las relaciones entre individuos o grupos de individuos, que son conflictivas en lo que medio ambiente respecta. El autor sostiene que el surgimiento de la agro silvicultura social y de la gestión comunitaria puede explicarse utilizando la ecología política.

Vladimir Aguilar Castro aborda el tema de la gestión comunitaria y los derechos de las poblaciones autóctonas desde la perspectiva de las negociaciones en torno de la Convención sobre la diversidad biológica (CDB). Si bien la CDB alude a la necesidad de asociar la protección de la biodiversidad a los derechos de las comunidades, su filosofía remite el debate sobre la conservación de la biodiversidad a la jurisdicción de los países firmantes y no siempre trata o reconoce el tema de los derechos de las poblaciones autóctonas, depositarias de conocimientos y usos de los recursos. El autor sostiene que antes de decidir conservar o gestionar de manera sostenible los recursos, se debe aceptar la necesidad de elaborar derechos para las poblaciones autóctonas directamente afectadas por dichos recursos.

Vicente Carabias, Giovanni Cruz, P. Junquera y *D. Maselli* demuestran, a su vez, que la permanencia de la política participativa que se desea establecer pasa ineludiblemente por la adhesión de las comunidades locales al proyecto. A guisa de ejemplo los autores utilizan la deforestación de un ecosistema caracterizado por su gran variedad de especies endémicas y la presencia del Algarrobo (*Prosopis juliflora*). Como las causas de dicha deforestación son en su mayoría de origen antrópico, un nuevo proyecto de cooperación Norte / Sur iniciado en la década de los ochenta permitió elaborar nuevos productos comerciales para contrarrestar los beneficios económicos provenientes de la tala de árboles. Esta alternativa, sumamente prometedora en opinión de los autores, sólo puede ser sostenible si el proyecto cuenta con el apoyo de las comunidades locales. A corto plazo la población ha sido asociada a las prácticas de reforestación, pero a largo plazo su adhesión necesita la redistribución de los beneficios económicos obtenidos por medio de esa revalorización del ecosistema.

Patrick d'Aquino examina lo que se necesita para perennizar y ampliar el acervo, así como las experiencias de gestión local descentralizada; señala que el reto reside en convertir los acervos locales en una verdadera dinámica regional. Según el autor, dicho paso requiere una decidida modificación de la visión. Defiende, primero, la idea de la endogenización del proceso de desarrollo local por parte de las comunidades de base y, después, la activa participación de un marco institucional y técnico que garantice la dinámica regional. El objetivo es lograr que los actores locales se adueñen del proceso de concertación y planificación local y redefinir el papel que desempeñan los otros actores – cuyo papel debe limitarse a ofrecer formación y asesoría a los actores locales - en un proceso que favorece el aprendizaje mutuo.

III. Las oportunidades y los límites de la globalización en el establecimiento de políticas medioambientales

Ulrike Grote estudia los vínculos existentes entre el proceso de liberalización inherente a la Organización mundial del Comercio (OMC) y el incremento de normas de protección medioambiental. Analiza algunas de dichas normas, concentrándose en su capacidad para evitar comprometer los principios de libre circulación, y estudia las medidas que limitan los intercambios que no protegen el medio ambiente: las sanciones impuestas a los países que no respetan las normas y las distintas maneras de obligar a los países en desarrollo a adoptar las normas medioambientales. El autor aclara, sin embargo, que dichas medidas no se atacan a la raíz del problema y sólo proponen soluciones para salir del paso. Los acuerdos multilaterales sobre el medio ambiente, por el contrario, son mucho más convincentes ya que hacen hincapié en la cooperación entre países. Dichos acuerdos favorecen las transferencias tecnológicas y financieras hacia aquellos países a los que se les impone la adopción de normas medioambientales más estrictas.

Axel Michaelowa y *Michael Dutschke* continúan el análisis de los nuevos retos, haciendo énfasis en los instrumentos para luchar contra el recalentamiento del clima, sobre todo el mecanismo de desarrollo propio (MDP) y su potencial de aplicación en los países en vías de desarrollo. Existen numerosas posibilidades técnicas e institucionales, que deben escogerse no sólo en función de su flexibilidad, sino también de su adecuación con las estructuras institucionales de los países mencionados. Los siguientes criterios deberían ser utilizados para seleccionar los proyectos: transferencia tecnológica, incremento de las competencias, creación de empleos y reducción efectiva de los contaminantes. La aplicación de los proyectos de MDP debe tener en cuenta numerosos parámetros: por un lado la sostenibilidad social de los proyectos, que deben integrar la transparencia, y por el otro la compatibilidad de los proyectos con las prioridades de desarrollo, la capacidad para generar competencias y la transferencia de tecnología, con una visión a largo plazo, en los países interesados.

Dilek Cetindamar Karaömerlioglu estudia las modalidades de regulación implícitas que acompañan el surgimiento y la difusión de las tecnologías medioambientales en el sector de los fertilizantes en Turquía, apoyándose en los sistemas nacionales de innovación. Este enfoque permite identificar la participación de los distintos actores, y por ende las palancas de acción. El autor examina, caso por caso, la manera como los actores desarrollan y brindan apoyo - o no - a iniciativas de esa naturaleza. Señala que las empresas tienen una actitud reactiva frente al medio ambiente y subraya cuáles son los elementos pertinentes que permiten una mejor difusión de las tecnologías medioambientales: iniciativas del Estado - en su calidad de accionista de la mayor parte de empresas del sector - en favor del medio ambiente y la puesta en marcha de una verdadera política tecnológica de apoyo al desarrollo de un mercado de tecnologías limpias.

Jürgen Wiemann reflexiona sobre el papel de los gobiernos y los entes públicos en la promoción de los lazos comerciales entre países desarrollados y países en desarrollo, tanto en el campo de los « eco estándares » como en el campo de los estándares relacionados con el medio ambiente, lo social o la salud. El autor parte de una consideración: en la OMC existen fuertes bloqueos entre países, aun cuando actores comerciales, empresas, ONGs e intermediarios tratan de que se adopten – por distintos motivos - los estándares occidentales para los productos provenientes de los países en desarrollo. Ilustra sus propósitos haciendo una interesante referencia a la teoría de los bienes públicos, para lo cual utiliza un estudio de caso sobre Zimbabwe. Luego de analizar cuatro sectores significativos, identifica los estándares existentes y comprueba que las tentativas de los exportadores de ese país para respetar las normas son prometedoras, pero insuficientes. Llega a la conclusión siguiente: los gobiernos y los entes públicos tienen la obligación de respaldar ese tipo de esfuerzos, sobre todo respaldando las certificaciones, actualizando los procedimientos locales, etc.

Shyama Ramani, **Mhamed-Ali El-Aroui** y **Pierre Audinet** destacan las modalidades que adopta la transferencia de tecnología entre las empresas llamadas del Norte y aquellas llamadas del Sur y destacan dos posibilidades: comprarla o concluir alianzas. En primer lugar, analizan los debates sobre la transferencia de conocimientos tecnológicos en la India y ponen en relieve el problema de la capacidad de las empresas del Sur para invertir en saber en lugar de comprarlo. Después, los autores describen su metodología, que se apoya en la determinación de cinco variantes clave y explican que las pruebas estadísticas revelan la existencia de correlaciones entre la mayor parte de dichas variantes, ello les lleva a interesantes conclusiones sobre los lazos existentes entre la naturaleza de las transferencias de tecnología, los sectores ya mencionados y el origen geográfico de la colaboración. Por último, explican que uno de los resultados más notables es la poca colaboración científica entre la Unión Europea y la India, pese a que es indudable que existe un potencial.

Cabe señalar que todos los textos demuestran, en términos claros, que el éxito de las políticas medioambientales y la gestión de los recursos dependen, hoy en día, de su capacidad para garantizar cierta forma de equidad en la redistribución y la adhesión de la población; en otras palabras, de la libertad de elección de las trayectorias de desarrollo. Lo que mejor explica el vínculo reciente entre una lógica medioambiental clásica y el desarrollo sostenible - cuya dimensión institucional es innegable en la actualidad -, posiblemente sea la existencia de ambas exigencias.

Economía, ética y cooperación

Bruno LAUTIER
Université Paris I, Institut d'Étude du Développement
économique et social (IEDES)
GEMDEV

El vínculo entre economía y ética ha sido siempre un elemento central para la cooperación y la ayuda para el desarrollo. Por ejemplo, el debate sobre el paso de una problemática centrada en la ayuda a otra centrada en la cooperación se funda en la intención de no analizar las relaciones entre el Norte y el Sur bajo una perspectiva "moral", dejando así de lado la culpabilidad que generó el colonialismo y el imperialismo. Las discusiones sobre el desarrollo sostenible y el medio ambiente prueban que es imprescindible hacer coincidir un punto de vista ético (especialmente respecto a las generaciones futuras) con la eficacia económica. El tema del "buen gobierno" (especialmente en lo que respecta a la corrupción) también permitió mostrar de qué modo las reformas políticas guiadas por reglas morales pueden constituir una excelente base para las transformaciones económicamente productivas. Además, desde finales de los años ochenta, la lucha para erradicar la pobreza adoptó un imperativo moral y, al mismo tiempo, constituyó el principal objetivo de la cooperación (tanto bilateral como multilateral).

Pero el consenso sobre este último punto cedió su lugar a una infinita multiplicidad de temas de estudio, de problemáticas y de puntos de vista normativos e ideológicos. Los nueve textos reunidos en este capítulo tienen pocos elementos en común, exceptuando el tema de la desigualdad social y de la pobreza, de la contradicción entre los objetivos formulados en términos de equidad y en términos de eficiencia, y de situar estos temas en una reflexión sobre el carácter "sostenible" del desarrollo.

Se pueden identificar tres conjuntos de comunicaciones:

- Las problemáticas y los marcos analíticos que se han de aplicar para pensar y arbitrar la relación entre desarrollo económico e imperativos o condiciones no económicas. En esta categoría se pueden reunir los textos de los siguientes autores: H. Opschoor (que se ocupa de las condiciones del desarrollo sostenible); F. -R. Mahieu y B. Boidin (que trata del capital social); B. Lautier (que trabaja sobre la problemática del Banco Mundial en su lucha para reducir la pobreza);

- Las consecuencias de ciertos aspectos de la globalización en situaciones sociales particulares. Textos de E. Berner (sobre la fragmentación social y geográfica resultante de la globalización); J. Clancy, M. Skutsch y I. Van der Molen (referente a la contradicción entre equidad y eficacia en las políticas orientadas sobre el género); H. H. Abdelbaki y J. Weiss (sobre las consecuencias, en términos de distribución del ingreso, resultantes de la apertura comercial egipcia);

- Los instrumentos utilizados para reducir o controlar los efectos sociales del libre juego de los mecanismos económicos. Textos de C. Pietrobelli y R. Rabellotti (sobre la función del auto empleo: ¿nuevas formas de empresariado o estrategia de supervivencia?); J. Jütting (respecto a la repartición de las funciones del Estado y de las organizaciones civiles referentes a los servicios sociales); F. Kern y F. -R. Mahieu (que analizan un programa interuniversitario de tercer ciclo - licenciatura - africano: el PTCI).

I. Problemática y marco analítico

Hans Opschoor, «Sustainable human development in the context of globalisation», propone que se cuestionen a fondo las estrategias de desarrollo y que se las reoriente hacia lo que denomina, a partir del Programa de los Naciones Unidas para el Desarrollo (PNUD, el "desarrollo humano sostenible". Sin cuestionar el principio según el cual este desarrollo sólo puede fundarse en un fuerte crecimiento económico, defiende la idea de una profunda reforma de las instituciones como único medio para reducir una doble inseguridad: medioambiental y social. La función del Estado ha sido reevaluada (al igual que la noción de *good governance*) con el objetivo de producir las condiciones de un desarrollo sostenible (especialmente a través del "fortalecimiento de la sociedad civil"). Los objetivos sociales (redistribución del ingreso), medioambientales y políticos no se contradicen entre sí y son más bien complementarios. Para *Hans Opschoor*, el dilema entre globalización e intervención del Estado no es tal porque sólo los Estados pueden definir y modificar el curso de la globalización, especialmente en lo referente al medio ambiente, pero también exige una reformulación del marco reglamentario supranacional que no se limite a enmarcar las relaciones comerciales y financieras.

François-Régis Mahieu y *Bruno Boidin*, "Capital social, capital humain et principe de précaution" (Capital social, capital humano y principio de precaución), desarrollan la definición del concepto de « capital social », concepto de la sociología crítica que se convirtió en un elemento central de la « nueva microeconomía del altruismo ». Es posible resumir esta definición como una « acumulación de benevolencia y de malevolencia ». Esta definición le confiere una característica particular porque la eficacia del capital social tiene dos aspectos ya que el altruismo puede transformarse en un auténtico « espectro » debido a las obligaciones que induce. El capital social no es demasiado sensible a las medidas directas. En cambio, se pueden evaluar los avances del capital social, al igual que algunas formas del ingreso social, con una medida indirecta. El capital social se diferencia claramente del capital humano y se plantea así el problema de la conversión de una forma de capital en otra. Esta conversión se funda en unas condiciones muy estrictas y el principio de precaución exigiría no adoptar medidas políticas que degradaran de forma irreversible el capital social en nombre de una incierta maximización del rendimiento global de los capitales.

Bruno Lautier, « Pourquoi faut-il aider les pauvres ? Une étude critique du discours de la Banque mondiale sur la pauvreté » (Por qué hay que ayudar a los pobres? Un estudio crítico del discurso del Banco Mundial sobre la pobreza) se interroga sobre la paradoja según la cual la lucha para erradicar la pobreza es un objetivo primordial de las instituciones internacionales de desarrollo, pero esta prioridad sólo se justifica a través de la evidencia moral. Busca comprender ciertas contradicciones internas resultantes de esta justificación moral, los objetivos que pueden disimularse detrás de esta aplicación de la moral y los efectos políticos de esta estrategia. Ante todo, recuerda que esta focalización en los motivos morales no es en absoluto contradictoria con los fundamentos del liberalismo, tal como se los expresa en la economía del desarrollo en su versión walrasiana. También analiza dos problemas clásicos de los debates sobre la pobreza: la definición y la forma de medir la pobreza, por una parte, y la distinción entre los « buenos » (dignos de recibir una ayuda) y los « malos » pobres. En estas dos discusiones, las exigencias morales tienen un papel muy subordinado a pesar de lo que piensa el Banco Mundial. Por último, se ocupa de los efectos de las políticas para reducir la pobreza. Los efectos sobre la evolución real de la pobreza no son mensurables, ni se los mide a nivel « macro » (a pesar de acumularse una serie de monografías sobre el tema que no hablan de los efectos perversos de esas políticas). En cambio, los efectos políticos que se procuran obtener son la creación de una nueva clase de ciudadano y de una nueva forma de gobierno. El uso de la moral lleva a la utopía política.

II. Consecuencias de ciertos aspectos de la globalización en situaciones sociales particulares

A menudo, el debate sobre la globalización (*globalization*) resulta confuso porque se lo aborda con una óptica excesivamente maniquea: estarían, por un lado, los « privilegiados » y por otro los « excluidos », los ganadores y los perdedores que, por su parte, se suele asimilar a Estados o regiones. *Erhard Berner*, « World marketplaces and citadels: globalisation and social exclusion in Cebu City, The Philippines », objeta esta visión. En el seno de las ciudades es donde se perciben los efectos positivos de la globalización (en forma de crecimiento económico y de creación de empleos), se manifiestan con mayor intensidad los fenómenos de desintegración y de fragmentación, y donde se producen los conflictos sociales que son una consecuencia directa de la globalización. La constitución de « ciudadelas » custodiadas e incluso militarizadas es un síntoma de estas consecuencias. El ejemplo de Cebu, en las Filipinas, en donde el auge del turismo ha sido una causa importante de exclusión social, es muy ilustrativo. Desde luego, se crearon nuevos puestos de trabajo, pero los inmigrantes sin recursos (culturales y sociales), relegados en auténticos ghettos, aumentaron a un ritmo aún mayor. Debido a la carencia de reglas políticas, la globalización produce en la sociedad un verdadero apartheid ya que los quienes viven en los ghettos no tienen otro destino que resignarse a ser los empleados domésticos de las ciudadelas.

Varios críticos de esta globalización destacaron el divorcio entre la presunta eficacia de la globalización económica y la equidad. Desde los años setenta, se presentó la « participación » local en los proyectos de desarrollo, especialmente la de las mujeres, como la forma de dar una respuesta positiva. *Joy Clancy, Margaret Skutsch* e *Irna Van der Molen*, « Equity versus efficiency: gender versus participation. Contests in the arena of donor paradigms », muestran que, aunque se suele destacar el objetivo de equidad cuando se establecen proyectos de desarrollo (especialmente los que están destinados a las mujeres), suele ser a menudo un objetivo de eficacia que dirige la intervención de las agencias y de las organizaciones no gubernamentales. Basándose en tres estudios de casos (el agua, la gestión de los bosques y la energía en Sri Lanka e India) los autores muestran las divergencias y los conflictos entre la actitud de las organizaciones no gubernamentales internacionales (que preconizan el *empowerment* de las mujeres y la igualdad entre los géneros) y la de las autoridades públicas (especialmente locales) que sólo hacen participar a las mujeres por obligación o porque se ven forzados a hacerlo. En definitiva, la falta de adhesión del personal político local hace que las condiciones de equidad referidas a las mujeres sólo se cumplen realmente cuando ese sector está seguro de obtener los resultados que espera en cuanto a la eficacia de su actuar y a la preservación de su poder.

Hisham H. Abdelbaki y *John Weiss*, « Assessing the impact of higher exports on income distribution: the case study of Egypt », examinan las consecuencias de la apertura comercial en el reparto del ingreso en Egipto. Ese país se sumó al ciclo de negociaciones del Uruguay Round en 1991, al mismo tiempo que se firmaba un acuerdo de estabilización y de ajuste con el Fondo Monetario Internacional (FMI) y el Banco Mundial. En 1995, se habían eliminado prácticamente todas las barreras tarifarias y no tarifarias, y Egipto ingresó a la Organización mundial del Comercio (OMC). Los autores analizan los efectos de esta apertura construyendo un modelo basado en los SAM (*Social Accounting Matrix*). Partiendo del supuesto - como indica la vulgata de la OMC - que la apertura comercial tenga efectos positivos en materia de empleos y salarios en el sector de productos destinados a la exportación, los autores construyen tres escenarios (en función de las diferentes clases de reparto de los beneficios obtenidos por el sector exportador). Llegaron así a conclusiones significativas: las familias urbanas siempre resultan favorecidas respecto a las familias rurales, y los menos pobres también respecto a los más pobres. En términos de distribución entre los diferentes factores, el reparto se efectúa con un claro beneficio en favor del capital y en detrimento de los trabajadores y del sector agrícola. La apertura comercial agravó la desigualdad social, en todas sus formas.

III. Los instrumentos empleados para reducir o controlar los efectos sociales resultantes del libre juego de los mecanismos económicos

Carlo Pietrobelli y *Roberta Rabellotti*, « Emerging entrepreneurship or disguised unemployment in manufacturing? An empirical study of the determinants of self-employment in developing countries », confrontan las dos tesis dominantes respecto al papel del trabajo por cuenta propia (*self-employment*) desde hace dos décadas: la que percibe en esta forma de trabajo unas capacidades empresariales que, sin ella, serían estériles; y la que la considera como una actividad de supervivencia. Aunque se presentan notables problemas metodológicos (ya que, por ejemplo, esta categoría « sintética » confunde en sus estadísticas a los trabajadores autónomos y a los pequeños jefes de empresa), los autores comparan los datos a partir de una muestra de 64 países en desarrollo durante un período suficientemente prolongado (1960-1991). La hipótesis clásica, derivada de Kuznets, se confirmó en la mitad de los países, aproximadamente: existe una relación negativa entre el porcentaje de empleo independiente y el desarrollo económico. No obstante, existen tantas excepciones que no se puede pensar en dejar de lado, sin un análisis minucioso, las políticas de ayuda a las micro empresas. Desde luego, estas políticas nunca podrán ser la base para desarrollar la industria manufacturera (y aún menos exportadora), pero en ciertas condiciones (especialmente fiscales, sabiendo que la educación no tiene un papel significativo) pueden constituir una contribución importante para el crecimiento del empleo y del ingreso.

La sociedad civil como un paliativo de la incapacidad del Estado y del mercado a satisfacer las necesidades de seguridad social hizo correr mucha tinta. *Johannes Jütting*, « Strengthening social security systems in rural areas of low income countries: what role for civic organisations? », después de hacer una breve síntesis de la literatura económica sobre este tema, presenta dos ejemplos: las organizaciones mutuas de salud en África Central y Occidental; una asociación que suministra una serie de servicios de seguro y de crédito para 200.000 mujeres con trabajo autónomo en Gujarat (India). Los resultados del trabajo de las asociaciones son ampliamente positivos, especialmente en zona rural, debido a la reducción de los costes de transacción o, simplemente, permitiendo que accedan al mercado. Pero al mismo tiempo este enfoque tiene obvias limitaciones: dificultad para cambiar de escala y reducir los riesgos covariantes, el riesgo de una selección adversa y de apartar el segmento más pobre de la población y, finalmente, fuertes costes de oportunidad. El autor defiende la idea de una cooperación entre el sector público y privado, con un dispositivo en el que el Estado suministraría un entorno favorable a las « organizaciones cívicas », en vez de ver de una oposición o una competencia entre ambos sectores. En suma, indica que el Estado debe asumir la mayor responsabilidad, siempre y cuando sea capaz de delegar y subcontratar los servicios sociales a las organizaciones privadas con fines lucrativos o no lucrativos.

Por último, **Francis Kern** y **François-Régis Mahieu**, « Approche nationale des programmes et *Dutch disease intellectuel* : le cas du Programme de troisième cycle interuniversitaire - PTCI » (Enfoque nacional de los programas y *Dutch disease intellectuel*: el caso del Programa de Tercer Ciclo Interafricano - PTCI) analizan un programa especial de « refuerzo de capacidades »: el PTCI, fundado en 1994 y centrado en economía y gestión, se proponía reunir una masa crítica de estudiantes africanos a nivel del DEA (Título de Estudios Avanzados) y conectar en red muchas universidades africanas para estructurar un tercer ciclo de enseñanza en cooperación con universidades extranjeras. Sin embargo, a pesar de las loables intenciones iniciales (reducir gradualmente la dependencia respecto a los docentes no africanos, poner en marcha economías de escala), en poco tiempo se vieron sus efectos perversos: sólo una cantidad ínfima de estudiantes se inscribió en tesis. Pero lo peor es que los docentes utilizan su tarjeta de visita para consagrarse fundamentalmente a actividades de consultoría. Esta « *renta de mandarín* » produjo un paradójico empobrecimiento de las universidades que se puede analizar como un « *Dutch disease intellectuel* », en definitiva muy costoso (ya que los docentes reciben una paga excesiva destinada a evitar que abandonen la docencia para dedicarse a ser consultores). Aunque la conclusión de los autores es optimista no se puede decir que el PTCI haya sido un éxito rotundo.

Cooperación e investigación universitaria

Michel VERNIÈRES
Université Paris I, Laboratoire d'Économie sociale (LES)
GEMDEV

Los seis textos reunidos en este capítulo, dedicado a la cooperación en los campos de la investigación y la formación, hacen hincapié en la importancia decisiva que ambos temas revisten para el desarrollo económico, y por ende, para las políticas de cooperación internacional. El cotejo de estas ponencias, cuyos objetivos precisos difieren en gran medida unos de otros, permite poner en evidencia algunos retos fundamentales para determinar los objetivos y establecer las políticas de cooperación en los campos mencionados. Antes de presentar dichos retos, sin embargo, realizaremos una breve reseña de cada una de las ponencias.

I. Presentación de las ponencias

Los seis textos que presentamos pueden dividirse en tres grupos. El primero, formado por los textos de P. Hugon y G. Saint-Martin, analiza - a partir del ejemplo europeo - los problemas generales de la cooperación en el área de la investigación. El segundo, que comprende las ponencias de F. Chaparro e I. Egorov invita a reflexionar - a partir de casos muy diferentes provenientes de la investigación agrícola para el desarrollo y de la utilización del potencial de investigación de los países de Europa del Este y de la ex-Unión Soviética - sobre las condiciones que debe enfrentar la cooperación internacional para adaptarse eficazmente a la diversidad de las realidades de los países o de los sectores. El tercero, que incluye el texto de F. Kaufmann y el de M. I. Al-Madhoun y F. Analoui, se concentra en la creación de una universidad privada en Mozambique y en los programas de formación de pequeños empresarios en Gaza. Estos dos últimos textos permiten ilustrar las dificultades de aplicación de las acciones de cooperación internacional.

Mohamed I. Al-Madhoun y *Farhad Analoui* analizan los programas de formación en el área de gestión para pequeños empresarios de Gaza. Después de recordar las condiciones particulares de la banda de Gaza, los autores señalan que los diversos programas de formación existentes encaran numerosas dificultades, sobre todo la falta de ejercicios prácticos y de un manual adaptado, así como de procesos de evaluación pertinentes. También revelan que se han iniciado abundantes y diversos programas, pero que éstos adolecen de coordinación y favorecen a pocas personas. Las futuras mejoras deben concentrarse en los criterios de selección de los participantes y en identificar, de manera más precisa, las necesidades de formación.

Friedrich Kaufmann, a partir del caso de Mozambique y con respecto a la elección entre educación pública o privada, analiza los rendimientos sociales y privados de la educación y los determinantes de la demanda de enseñanza superior en los países en desarrollo. Deduce que los argumentos en favor del cobro de los costes de la enseñanza superior son pertinentes. En cuanto a la gestión de los establecimientos universitarios, señala la mayor flexibilidad de los establecimientos privados, sobre todo en materia de financiación y remuneración de su personal. En su opinión, el nexo de las universidades con su sociedad y su cultura es otro punto importante que merece particular atención. Dicho nexo suele atenuarse debido a la cooperación con las universidades de Norte, que exportan sus manuales y su visión de las disciplinas enseñadas.

Igor Egorov estudia la utilización del potencial de investigación y desarrollo en los países de Europa del Este y de la ex-Unión Soviética. Subraya, en primer lugar, la necesidad de diferenciar la evolución - muy distinta - de tres grupos de países. Los países de Europa del Este candidatos a la Unión Europea han utilizado las tecnologías occidentales y no han aprovechado su potencial local de investigación. En los países europeos provenientes del antiguo bloque soviético, graves dificultades financieras ponen seriamente en peligro el porvenir de las estructuras de investigación; sólo el sector petrolero escapa a esa realidad. En cuanto a los países de Asia central y del Cáucaso, el desvanecimiento del apoyo de la ex-URSS ha provocado el deterioro de las estructuras de investigación y desarrollo. En términos generales, todos los indicadores muestran una fuerte ralentización de esta actividad, la subutilización del personal científico y, a medio plazo, la decadencia de la posición científica relativa de esos países.

Fernando Chaparro dedica su estudio a la colaboración y a sus redes en la investigación agrícola para el desarrollo. Después de subrayar la importancia del futuro de la agricultura para el desarrollo, consagra la primera parte de su ponencia a los retos generados por la rápida evolución y la difusión de nuevas tecnologías en los campos de la biotecnología y de la información. Insiste en particular sobre este tema y demuestra que la influencia de dichas tecnologías afecta todos los aspectos de la agricultura y del desarrollo rural: la investigación, la producción, la comercialización, la gestión de los recursos naturales y las acciones de desarrollo rural. A partir del examen del caso sudamericano de la red regional de investigación e información sobre la panela, destaca la necesidad de establecer sistemas de conocimiento para la explotación agrícola que reúnan la investigación, la formación, la difusión de información y la innovación.

Gilles Saint-Martin explora los retos de la cooperación científica entre Europa y el Sur. Deja constancia de que los responsables internacionales - en un contexto de disminución de la asistencia pública al desarrollo - no favorecen la cooperación científica y trata de otorgarle a ésta última la prioridad que parece justificar su reconocida importancia para el desarrollo económico y su carácter de tema recurrente de la política extranjera de la Unión Europea. Partiendo de una crítica de la cooperación científica como simple transferencia de tecnologías en un solo sentido, y después de subrayar la importancia de la investigación para la definición misma de las políticas, propone varios ejes de reflexión para la acción: hacer participar a los responsables en el proceso de investigación, definir por medio del diálogo las prioridades nacionales o regionales de investigación, encontrar fuentes alternativas de financiación, negociar regímenes internacionales que favorezcan la investigación para el desarrollo, movilizar a los investigadores del Sur que han emigrado hacia el Norte, etc.

Philippe Hugon, estudia el aporte de la concepción de la investigación en tanto que bien público internacional. Después de aclarar la noción de investigación para el desarrollo, explica el alcance de los desequilibrios entre el Norte y el Sur en materia científica y el lugar que ocupa Europa en la investigación para el desarrollo. Para precisar mejor los objetivos de la cooperación científica y técnica de dicha investigación, y en general de cualquier política de cooperación, subraya que el conocimiento y la investigación no son bienes ordinarios. Debido a sus características - marcadas por las indivisibilidades, las externalidades y los rendimientos crecientes -, el mercado no puede asignar estos bienes de manera óptima. El problema esencial es, pues, el estímulo para producir dichos bienes, indispensables para satisfacer las necesidades esenciales de los países del Sur, y las modalidades de intervención de las agencias de asistencia para difundirlos a través de contratos de colaboración.

II. Los retos fundamentales de las políticas de cooperación

Más allá de la diversidad de los temas tratados en las distintas ponencias de este capítulo, se desprenden cuatro grandes orientaciones que parecen constituir otros tantos retos fundamentales para las políticas de cooperación: la importancia relativa de las acciones de investigación y formación, la necesaria combinación de acciones públicas y privadas, la constitución de redes de investigación y formación, así como el establecimiento de una verdadera colaboración entre los distintos actores de la cooperación.

Todos concuerdan para señalar **la importancia de las acciones de cooperación para la investigación y la formación.** Nuestras sociedades contemporáneas se caracterizan cada vez más por la creciente competencia entre agentes económicos de diversos países, por lo que la cualificación de la mano de obra y su capacidad para dominar tecnologías cada vez más complejas y en constante evolución son los elementos clave de la competencia internacional. La capacidad de los países en desarrollo para formar a sus trabajadores en la utilización técnicas innovadoras adaptadas a las características particulares de sus estructuras productivas condiciona su futuro y su capacidad para mejorar su posición relativa en la economía mundial. Los esfuerzos para disminuir la pobreza y el desarrollo de la formación primaria no deben llevar a reducir el lugar que ocupa la cooperación en la investigación adaptada a las necesidades de esos países y a la formación de sus cuadros técnicos. A largo plazo, es la condición indispensable para su desarrollo, y por ende, para la reducción duradera de la pobreza.

La necesidad de combinar las acciones privadas y públicas es el segundo punto de convergencia de los textos de este capítulo. En efecto, los autores reconocen la necesidad de favorecer las iniciativas privadas, sean éstas la creación de nuevas universidades o de estructuras empresariales de investigación, pero también recalcan los peligros de una apropiación privada del saber y de la materia viva que podría limitar el acceso a los conocimientos existentes. Por ello las negociaciones y los acuerdos internacionales deben permitir la libre utilización del saber científico y reconocer la existencia de bienes públicos internacionales que permiten ejercer una verdadera solidaridad internacional. Esta última supone la atribución prioritaria de medios financieros para la investigación en materia de cooperación y para la formación científica y técnica, poco compatible con la actual tendencia a la baja de la asistencia pública al desarrollo (APD).

La formación de redes de investigación Norte / Sur parece ser un medio privilegiado de cooperación en ese campo. En efecto, la cooperación no puede llevarse a cabo en un solo sentido, por medio de simples transferencias de tecnologías; los investigadores establecidos en el país interesado deben transformar dicha cooperación para que se adapte a las especificidades productivas locales. Por el contrario llevar a cabo en los países del Norte, investigaciones sobre y para los países en desarrollo, sólo puede acelerar la fuga de cerebros formados en los países del Sur. Por su aptitud para facilitar los intercambios de información y el diálogo científico, las redes que reúnen diversos equipos de investigación, tanto en el Norte como en el Sur, permiten - en el ámbito de acuerdos de cooperación a largo plazo - tanto compensar los medios limitados de los equipos de Sur, como mantener el contacto científico con los investigadores expatriados e integrar mejor las diferencias de cultura y terreno en los programas de investigación.

Siempre siguiendo la misma idea, los textos de este capítulo insisten en la **importancia de la colaboración**, vista en un plan de igualdad entre aliados muy distintos; buen ejemplo de ello son los equipos de investigación de fuerza desigual. Se trata, sin embargo, de fomentar la cooperación - a partir de objetivos de investigación y de formación muy bien definidos -, entre los institutos nacionales de investigación y otras estructuras como empresas, grupos de productores y organizaciones no gubernamentales. La cooperación internacional, por lo tanto, debe tratar de fomentar fórmulas de investigación / acción.

ÉDITIONS KARTHALA

Collection *Méridiens*

Collection *Économie et développement*

1. Essais (13,5 x 21,5)

Afrique peut gagner (L'), *P. Merlin*
Afrique s'invente (Une), *Enda Graf Sahel*
Agriculture urbaine à Lomé (L'), *C. Schilter*
A la recherche des logiques paysannes, *P.M. Decoudras*
Approches participatives du développement, *M. Lammerink*
Arachide au Sénégal (L'), *Cl. Freud et al.*
Aventure solitaire (L'), *J.-D. Boucher*
Comment les pauvres gèrent leur argent, *S. Rutherford*
Désarroi camerounais (Le), *G. Courade (éd.)*
Développement local, *G. Lazarev*
Développement rural, *R. Chambers*
Eau au Proche-Orient, *H. Ayeb*
Économie pol. du post-ajustement, *H. Ben Hammouda*
Économie urbaine en Afrique (L'), *E.S. Ndione*
Éleveurs d'Éthiopie, *B. Faye*
État-entrepôt au Bénin (L'), *J. Igué*
Femmes pionnières de Guinée, *K. De Boodt*
Forêt et État en Afrique (La), *G. Buttoud*
Insertion urbaine à Bamako (L'), *D. Ouédraogo*
Manioc en Afrique de l'Est (Le), *A. Barampama*
Mort de la brousse (La), *K. Mariko*
Naissance d'une ville au Sénégal, *P. Nicolas*
Nouvelles paroles de brousse, *Le Graap*
Participation paysanne et aménagements, *G. Belloncle*
Plaidoyer macroéconomique pour l'Al., *O. Ouedraogo*
Question énergétique au Sahel (La), *J.-P. Minvielle*
Relève paysanne en Côte-d'Iv. (La), *Y. Affou*
Repenser l'aide à l'Afrique, *N. van de Walle*
Réveil des campagnes africaines, *J.-Cl. Devèze*
Santé et médecine en Bolivie, *E. Valdez*
Tontines et banques au Cameroun, *A. Henry*
Transports urbains en Afrique, *X. Godard*
Zones franches industrielles d'export., *J.-P. Barbier*
Zone franc à l'heure de l'euro (La), *Ph. Hugon*

2. Études et synthèses (16 x 24)

Afrique peut-elle être compétitive (L'), *Cl. Maingy*
Agriculture et ruralité au Brésil, *M. Zanoni*
Agricultures familiales, *Rafac*
Ajustement structurel et au-delà, *R. van der Hoeven et al.*
Alimentation et nutrition, *D. Lemonnier*
Avenir des planteurs camerounais (L'), *P. Janin*
Barons du caoutchouc (Les), *J.B. Serier*

Collection *Dictionnaires et langues*

Apprends l'arabe tchadien (J'), *Jullien de Pommerol P.*

Apprends le bambara (J'), *(+ 8 cassettes), Moralès J.*

Apprends le wolof (J'), *(+ 4 cassettes), Diouf J.-L. et Yaguello M.*

Arabe dans le bassin du Tchad : le parler des Ulâd Eli (L'), *Zeltner J.-C. et Tourneux H.*

Arabe tchadien : émergence d'une langue véhiculaire (L'), *Jullien de Pommerol P.*

Dictionnaire arabe tchadien-français, suivi d'un index français-arabe et d'un index des racines arabes, *Jullien de Pommerol P.*

Dictionnaire caraïbe-français (avec cédérom), *Breton R.P. R.*

Dictionnaire du malgache contemporain (malgache-français et français-malgache), *Rajaonarimanana N.*

Dictionnaire français-éwé, suivi d'un index éwé-français, *Rongier J.*

Dictionnaire français-foulfouldé et index foulfouldé, Dialecte peul de l'Extrême-Nord du Cameroun, *Parietti G.*

Dictionnaire français-haoussa, suivi d'un index haoussa-français, *Caron B. et Amfani A.H.*

Dictionnaire orthographique sängö, *Diki-Kidiri M.*

Dictionnaire peul de l'agriculture et de la nature (Diamaré, Cameroun), *Tourneux H. et Yaya Daïrou*

Dictionnaire pluridialectal des racines verbales du peul (peul-français-anglais), *Seydou C. (dir.)*

Dictionnaire pratique du créole de Guadeloupe (Marie-Galante), *Tourneux H. et Barbotin M.*

Dictionnaire swahili-français, *Lenselaer A.*

Dictionnaire usuel yoruba-français, suivi d'un index français-yoruba, *Sachnine M.*

Dictionnaire wolof-français, suivi d'un index français-wolof, *Fall A., Santos R., Doneux J.*

Grammaire moderne du Kabyle, *Naït-Zerrad K.*

Grammaire pratique de l'arabe tchadien, *Jullien de Pommerol P.*

Nord-Cameroun à travers ses mots (Le), *Seignobos C. et Tourneux H.*

Syntaxe historique créole, *Alleyne M.*

Vocabulaire peul du monde rural, Maroua-Garoua (Cameroun), *Tourneux H. et Yaya Daïrou*

Achevé d'imprimer en septembre 2002
sur les presses de la Nouvelle Imprimerie Laballery
58500 Clamecy
Dépôt légal : septembre 2002
Numéro d'impression : 208055

Imprimé en France